PSYCHOPATHE

KEITH ABLOW

PSYCHOPATHE

Traduit de l'anglais (États-Unis)
par Daniel Lemoine

Thriller

ÉDITIONS DU
ROCHER
Jean-Paul Bertrand

Responsable de collection :
Frédéric Brument

Titre original : *Psychopath.*
Première édition : St. Martin's Press, New York, 2003.
Tous droits de traduction, de reproduction et d'adaptation réservés pour tous pays.
© Keith Ablow, 2003.
© Éditions du Rocher, 2004, pour la traduction française.
ISBN : 2 268 05230 3

À J. Christopher Bruch
dont les talents créatifs sont une inspiration
dont l'amitié est un trésor.

PREMIÈRE PARTIE

1

23 janvier 2003
Route 90 est, 50 kilomètres après Rome, New York

La *Dixième Symphonie* de Mahler passait sur la stéréo de la BMW X5, mais la sérénité de ce morceau ne parvenait pas à apaiser Jonah. Sous l'effet de la fureur, sa peau était bouillante. Les paumes de ses mains, sur le volant, brûlaient. Son cœur cognait, pompait plus de sang à chaque battement, engorgeait son aorte, dilatait ses carotides, si bien que l'intérieur de son crâne, quelque part dans les lobes temporaux de son cerveau, palpitait. Il s'aperçut qu'un flot enivrant d'oxygène, dans les profondeurs de son être, l'attirait irrésistiblement en lui-même.

Le désir dévorant de tuer débutait toujours de cette façon et il croyait toujours qu'il parviendrait à le contrôler, à le soumettre en le chevauchant sur une autoroute interminable, comme son grand-père brisait les poulains nerveux dans le ranch des plaines de l'Arizona où Jonah avait passé son adolescence. Sa psychopathologie était si rusée qu'elle parvenait à le persuader qu'il était plus fort qu'elle, que ce qu'il y avait de bon en lui pouvait vaincre le mal. Et il le croyait toujours, alors qu'il avait abandonné seize cadavres au bord des autoroutes.

– Continue de conduire, c'est tout, dit-il, les dents serrées.

Sa vue se troubla, en partie à cause de l'augmentation de sa pression sanguine, en partie du fait de son souffle précipité, en partie sous l'effet du milligramme de Haldol[1] qu'il avait pris une heure

---

1. Neuroleptique à base d'halopéridol, anti-hallucinatoire et sédatif. *(Toutes les notes sont du traducteur.)*

auparavant. Parfois, l'antipsychotique endormait le monstre. Parfois non.

Il scruta la nuit, les paupières plissées, aperçut la lueur de feux rouges au loin. Il accéléra, désespérément désireux de réduire la distance le séparant de l'automobiliste qui le précédait comme si l'élan d'un autre – d'un homme ordinaire et équilibré – pouvait l'entraîner et lui permettre de traverser les ténèbres.

Il jeta un coup d'œil sur les chiffres orange de la pendule du tableau de bord, constata qu'il était 3 h 02 et se souvint d'une phrase de Fitzgerald :

Dans la nuit véritablement noire de l'âme, il est toujours, jour après jour, trois heures du matin[1].

La phrase provenait d'une nouvelle intitulée *La Fêlure*, titre qui correspondait à ce qui était en train de lui arriver : les minces fissures de ses défenses psychologiques cédaient, s'élargissaient, se rejoignaient, se muaient en trou noir béant qui l'engloutissait, le faisait renaître sous la forme d'un monstre.

Jonah avait lu tout ce que Francis Scott Fitzgerald avait écrit, parce que les mots étaient beaux, les endroits étaient beaux et les gens, malgré leurs faiblesses, étaient beaux. Et c'était exactement ainsi qu'il voulait se considérer, comme la création imparfaite, digne de rédemption, d'un Dieu parfait.

Il était, à trente-neuf ans, physiquement sans défaut. Son visage évoquait à la fois l'honnêteté et l'assurance : pommettes hautes, front bombé, menton solide partagé par une légère fossette. Ses yeux, clairs et bleu pâle, étaient parfaitement assortis à sa chevelure argentée ondulée, qui ne touchait pas tout à fait ses épaules et était agréablement ébouriffée. Il mesurait un mètre quatre-vingt-trois et était robuste, avait de longs bras musclés, le torse en forme de V et la taille fine. Il avait des cuisses et des mollets d'alpiniste, d'une dureté de pierre.

---

1. Traduction de Dominique Aury (Gallimard, « Folio »).

Cependant, c'étaient tout d'abord ses mains que les femmes remarquaient. Leur peau était bronzée et douce, couvrait des tendons qui formaient un éventail parfait des phalanges au poignet. Les veines, légèrement visibles, évoquaient la force physique mais n'étaient pas assez saillantes pour suggérer le désir de détruire. Les doigts étaient longs et élégants, effilés jusqu'à des ongles lisses, translucides, brillants parce qu'il les polissait tous les matins. Des doigts de pianiste, avaient dit plusieurs femmes. De chirurgien, avaient affirmé d'autres.

— Tu as des mains d'ange, s'était extasiée une maîtresse, qui avait glissé un de ses doigts dans sa bouche.

Des mains d'ange. Jonah les regarda, fixa les phalanges blanches crispées sur le volant. Il était à cinquante mètres de la voiture qui le précédait, mais avait l'impression de perdre du terrain dans sa course contre le mal. Sa lèvre supérieure tressautait. Son cou et ses épaules étaient trempés de sueur.

Il ouvrit grands les yeux et se représenta sa dernière victime, lors des ultimes instants de ce jeune homme, dans l'espoir que l'image le calmerait, comme le souvenir de la nausée et des vomissements calme parfois l'alcoolique, le dégoûte de la bouteille qui, alléchante, lui fait signe, promet le soulagement et l'apaisement.

Il s'était écoulé presque deux mois, mais Jonah voyait encore la bouche ouverte de Scott Carmady et l'incrédulité totale qui avait empli son regard. Car comment un voyageur fourbu, heureux d'avoir pu faire dépanner sa Chevy au bord d'une route déserte du Kentucky, aurait-il pu croire qu'on venait de lui trancher la gorge et que le sang chaud trempait sa chemise ? Comment aurait-il pu comprendre que sa vie, propulsée par les espoirs et les rêves qu'on entretient lorsqu'on a vingt ans, s'arrêtait net ? Comment aurait-il pu admettre que l'homme bien habillé qui venait de le blesser mortellement était celui-là même qui ne s'était pas contenté de relier sa batterie à celle, vide, de sa voiture, mais avait aussi attendu un quart d'heure afin de s'assurer que le moteur ne calerait pas ?

Et quel quart d'heure ! Carmady avait dévoilé des choses qu'il n'avait dites à personne… le sentiment d'impuissance que suscitait en lui le sadisme de son patron, la fureur qu'il éprouvait parce qu'il se cramponnait à son épouse, qui le trompait. Il constata, après s'être confié, qu'il ne s'était pas senti aussi bien depuis très long-temps. Débarrassé d'un fardeau.

Jonah se souvint qu'une demande avait remplacé l'incrédulité dans les yeux du mourant. Il ne s'agissait pas d'obtenir une réponse à quelque *pourquoi* existentiel grandiose. Ni de quelque dernière scène banale d'un film. Non. C'était un pur appel à l'aide. Ainsi, quand Carmady tendit les bras vers Jonah, ce ne fut ni pour l'attaquer ni pour se défendre, mais simplement pour éviter de s'effondrer.

Jonah ne s'était pas éloigné de sa victime, mais s'était approché d'elle. Il l'avait prise dans ses bras. Et tandis que la vie de Carmady s'écoulait, Jonah s'aperçut que sa fureur s'évaporait, qu'un calme magnifique la remplaçait, une sensation d'harmonie entre lui et l'univers. Et il souffla sa propre demande à l'oreille de l'homme :

– Je vous en prie, pardonnez-moi.

Les yeux de Jonah s'emplirent de larmes. La chaussée ondula devant lui. Si Carmady avait accepté de se dévoiler davantage, de retirer les dernières couches de ses défenses émotionnelles, d'expli-quer à Jonah pourquoi son patron et sa femme pouvaient le mal-traiter, quel traumatisme l'avait affaibli, peut-être serait-il toujours en vie. Mais Carmady avait refusé de parler de son enfance, refusé totalement, comme un homme décidé à conserver la clé du placard contenant les provisions – à en refuser l'accès à Jonah, qui mourait de faim.

Comme en ce moment.

Sa stratégie se retournait contre lui. Il avait sincèrement cru que le souvenir de son dernier meurtre maintiendrait à distance le monstre qui était en lui, mais l'inverse se produisait. Le monstre l'avait abusé. Le souvenir du calme qu'il avait éprouvé, alors qu'il avait la mort dans les bras et l'histoire de la vie d'un autre homme dans le cœur, amenait toutes les cellules de son cerveau chauffé au rouge à désirer ardemment un apaisement similaire.

Il aperçut un panneau annonçant une aire de repos à huit cents mètres. Il se redressa, se dit qu'il pouvait s'y arrêter, prendre un ou deux milligrammes supplémentaires de Haldol, dormir. Comme les vampires, il se nourrissait presque toujours de nuit; le jour se lèverait dans trois petites heures.

Il quitta la Route 90, entra sur l'aire de repos. Une autre voiture y était garée, une vieille Saab bleu métallisé, dont l'habitacle était éclairé. Jonah s'arrêta trois places de stationnement derrière elle. Pourquoi pas dix? se reprocha-t-il. Pourquoi tenter le monstre? Il serra le volant plus fort encore et ses ongles s'enfoncèrent dans les paumes de ses mains, percèrent presque la peau. La fièvre provoqua des frissons qui coururent sur sa nuque et son crâne. Ses poumons dilatés distendaient douloureusement sa cage thoracique.

Presque contre sa volonté, il tourna la tête et vit la femme assise dans la Saab, une carte dépliée sur le volant. Elle semblait avoir approximativement quarante-cinq ans. Son profil, en ombre chinoise, était à la limite de la beauté: nez un peu gros, menton un peu mou. Les pattes d'oie laissaient supposer qu'elle avait tendance à se faire du souci. Ses cheveux châtains étaient courts et propres. Elle portait une veste en cuir noir. Un téléphone mobile était posé, devant elle, sur le tableau de bord.

Le simple fait de la regarder suscita le désir de Jonah. Un désir dévorant. À moins de six mètres de lui, il y avait une femme vivante, pleine de vitalité, avec un passé et un avenir uniques. Personne n'avait vécu exactement les mêmes expériences ni pensé exactement les mêmes pensées. Des liens invisibles l'unissaient à ses parents et ses grands-parents, peut-être à des frères et sœurs, peut-être à un mari, des amants ou les deux. À des enfants peut-être. Des amis. Son cerveau contenait des informations qu'elle avait rassemblées, choisissant et sélectionnant ce qu'elle lisait, regardait et écoutait en fonction de ses centres d'intérêt et de ses aptitudes, qui étaient des composants mystiques et infinis d'elle. D'*elle*, un être qui n'était identique à aucun autre. Elle recelait des goûts et des aversions, des peurs et des rêves et – surtout – des traumas qui n'appartenaient qu'à elle... sauf si l'on pouvait la persuader de les partager.

Des éclairs de douleur traversèrent les yeux de Jonah. Il détourna la tête, fixa l'autoroute pendant presque une minute, dans l'espoir qu'une voiture ralentirait et entrerait sur l'aire de repos. Il n'y en eut pas.

Pourquoi cela semblait-il toujours si facile ? Presque organisé à l'avance. Prévu, même. Il ne traquait jamais ses victimes ; il les rencontrait par hasard. L'univers s'arrangeait-il pour lui livrer la force vitale des autres ? Les gens qui croisaient son chemin le cherchaient-ils ? Avaient-ils, inconsciemment, autant besoin de mourir qu'il avait besoin de tuer ? Dieu les voulait-il dans son paradis ? Était-il une sorte d'ange ? Un ange de la mort ? La salive se fit plus abondante dans sa bouche. Les élancements, dans son crâne, dépassèrent en intensité tous les maux de tête, toutes les migraines. Il eut l'impression qu'une douzaine de mèches, à l'intérieur de son crâne, tentaient de sortir à travers son front, ses tempes, ses oreilles et même son palais, ses lèvres.

Il envisagea de se suicider, impulsion qui lui traversait l'esprit avant chaque meurtre. Le rasoir à manche qu'il avait dans la poche pouvait mettre une fois pour toutes un terme à ses souffrances. Mais il n'avait jamais sérieusement tenté de se supprimer. Des entailles peu profondes sur les poignets. Cinq ou dix cachets au lieu de cinquante ou cent. Un saut, depuis une fenêtre du premier étage, un soir d'ivresse, à l'occasion duquel il s'était cassé le péroné. C'étaient des *gestes* suicidaires, rien de plus. Au plus profond de lui-même, Jonah avait envie de vivre. Il croyait toujours qu'il pourrait se racheter. Sous la haine de lui-même, au cœur de son être, il s'aimait encore aussi inconditionnellement que Dieu, il l'espérait avec ferveur, l'aimait.

Il alluma le plafonnier et donna un bref coup de klaxon, nauséeux parce qu'il était en train de sécréter le premier filament gluant de sa toile d'araignée empoisonnée. La femme sursauta, puis se tourna vers lui. Il se pencha dans sa direction et leva un doigt, presque timidement, puis il baissa la vitre de la portière du passager, pas tout à fait à moitié, comme s'il n'était pas sûr de pouvoir lui faire confiance.

La femme hésita, puis baissa également sa vitre.

– Excusez-moi, dit Jonah.

Sa voix était veloutée, grave et il savait qu'elle produisait un effet presque hypnotique. Les gens ne se lassaient apparemment jamais de l'écouter. Il était rare qu'ils l'interrompent.

La femme eut un sourire crispé et garda le silence.

– Je sais que ce serait, euh… beaucoup demander… mais, euh…

Il bégayait intentionnellement, afin de paraître peu sûr de lui.

– Mon, euh… téléphone, poursuivit-il avec un haussement d'épaules et un sourire, a l'air mort.

Il montra son téléphone mobile. Il était argenté et semblait luxueux. Il tendit le bras et fit pivoter le poignet, regarda l'heure sur sa montre Cartier scintillante, ornée d'un cabochon en saphir. Il savait que la plupart des gens font confiance à ceux qui ont de l'argent, soit parce qu'ils croient que les riches n'ont pas besoin de les voler, soit parce qu'ils supposent que les riches accordent trop de valeur aux lois de la société pour les enfreindre.

– Je suis médecin, poursuivit Jonah, qui secoua la tête. J'ai quitté l'hôpital il y a cinq minutes et on m'appelle déjà sur mon bipeur. Serait-il possible de… euh… d'emprunter votre téléphone ?

– Ma batterie est…, commença la femme, qui parut mal à l'aise.

– Je serai heureux de payer quelque chose, dit Jonah.

La proposition était le moyen de contourner le jugement de la femme, sa demande concernant le téléphone se transformant en question de savoir si elle devait ou non faire payer son utilisation. Une personne généreuse le proposerait gratuitement – ce qui, naturellement, nécessitait préalablement de le proposer.

– Allez-y, dit-elle. Mes communications sont gratuites le soir et pendant le week-end.

– Merci.

Il descendit de sa voiture et gagna la portière de la femme, s'arrêta à bonne distance. En partie pour stimuler l'instinct maternel de la femme et en partie pour dissiper l'énergie électrique qui courait dans son corps, il sautilla énergiquement d'un pied sur l'autre, secoua la tête et les épaules, comme s'il avait froid.

Elle tendit le bras, lui donna le téléphone.

Il resta immobile face à elle, lui laissa le temps de prendre conscience de sa veste en daim couleur de chocolat, de son pull à col roulé bleu ciel, de son pantalon en flanelle gris. Pas de noir. Tout doux au toucher. Il tapa sept chiffres au hasard et porta l'appareil à son oreille.

— Vous pouvez téléphoner dans votre voiture, si vous voulez, dit-elle.

Jonah comprit que la femme lui proposait d'emporter son téléphone dans sa voiture parce qu'elle souhaitait inconsciemment qu'il l'emmène, elle, dans sa voiture. Il comprit aussi que plus il serait convenable, plus elle se sentirait libre de fantasmer sur lui, et plus ses frontières personnelles deviendraient perméables.

— Vous avez déjà fait preuve d'une très grande gentillesse, dit-il. J'en ai pour une minute.

Elle hocha la tête, se pencha à nouveau sur la carte et ferma la vitre.

Jonah parla d'une voix forte, afin d'être certain qu'elle l'entendrait. Les mots résonnèrent à ses oreilles.

— Docteur Wrens, dit-il, puis il s'interrompit. De la température ? Combien ?

Il s'interrompit une nouvelle fois, reprit :

— Posons-lui une perfusion d'ampicilline et voyons comment elle réagit.

Il hocha la tête, poursuivit :

— Bien sûr. Dites à son mari que je le verrai demain matin à la première heure.

Il feignit d'éteindre le téléphone et frappa doucement à la vitre de la voiture.

Elle la baissa.

— Terminé ?

Il avait visiblement fini. Sa question signifiait qu'elle attendait autre chose de lui, même s'il doutait qu'elle puisse exprimer ce que c'était. Quelque chose se crispa dans son bas-ventre.

— Terminé, dit-il. Merci beaucoup.

Il tendit le téléphone, attendit qu'elle en ait saisi l'extrémité opposée, qu'ils soient liés par ce petit objet, pour reprendre la parole.

— Je pourrais peut-être vous aider à mon tour, dit-il.

Il attendit un instant supplémentaire avant de lâcher l'appareil et ajouta :

— Vous ne semblez pas vraiment savoir où vous allez.

Elle rit.

– Je crois que je suis perdue.

Il rit également – un rire juvénile, communicatif, qui rompit la glace une fois pour toutes. Le monstre contrôlait totalement la situation. La douleur du crâne de Jonah s'était propagée à ses dents et à sa mâchoire.

– Où allez-vous, si je peux me permettre de vous poser cette question ?

Il se frotta les mains, souffla une bouffée de condensation glacée.

– À Eagle Bay, répondit-elle.

Eagle Bay était une petite ville de l'Adirondack Railroad, proche du parc de Moose River. Jonah avait gravi Panther Mountain, toute proche.

– C'est facile, dit-il. Je vais griffonner un plan.

Il avait recouru à *griffonner* en vue d'évoquer une image d'innocence, celle d'un homme-enfant inoffensif, sachant à peine écrire et moins encore dessiner une carte.

– Je vous en serais reconnaissante, dit-elle.

Jonah estima qu'il avait affaibli ses défenses et pouvait désormais les franchir. Les femmes, en général, ne sont pas assez fermes, intérieurement, pour protéger leurs frontières, hormis face à un danger évident. Et cette femme ne pouvait le considérer comme une menace imminente. Il était séduisant et s'exprimait bien. Il semblait aisé. Il était médecin. Un hôpital de la région lui avait téléphoné à propos d'une personne en détresse. D'une *femme* en détresse. Maintenant, il voulait l'aider.

Il contourna l'avant de la Saab, les mains sur les bras, comme s'il avait froid. La femme aurait risqué de se méfier s'il était passé derrière la voiture, s'il était sorti de son champ visuel. Il s'immobilisa près de la portière du passager, sans un geste dans sa direction. Moins sa demande d'être invité à monter serait manifeste, plus ses chances seraient grandes.

Elle parut hésiter à nouveau, son visage reflétant le conflit, sorti tout droit d'un ouvrage de référence, entre l'instinct de conservation et la recherche de confiance en soi. La confiance en soi gagna. Elle tendit le bras et ouvrit la portière du passager.

Jonah monta. Il tendit la main. Elle tremblait.

— Jonah Wrens, dit-il. Il doit faire moins quinze, avec le vent.

— Anna, dit-elle en lui serrant la main. Anna Beckwith.

Elle parut troublée quand elle lâcha la main de Jonah, probablement parce qu'elle était chaude et moite, pas froide.

— Avez-vous un stylo et un morceau de papier, Anna? demanda Jonah.

S'il prononçait son prénom, ils ne seraient plus tout à fait des inconnus.

Anna Beckwith tendit le bras derrière le siège de Jonah et fouilla dans son sac à main, en sortit un stylo feutre et un carnet d'adresses à couverture en cuir. Elle y trouva une page blanche, lui donna le carnet ouvert et le stylo.

Jonah constata qu'Anna Beckwith n'avait ni bague de fiançailles ni alliance. Elle ne portait pas de parfum. Il se mit à écrire des indications dépourvues de sens, qui ne conduisaient nulle part. *Rester sur la 90 est, jusqu'à la sortie 54, puis prendre la Route 9 ouest...*

— Je présume que vous n'êtes pas de la région, dit-il.

Elle secoua la tête.

— De Washington, D. C.

— Vous skiez? demanda-t-il sans cesser d'écrire.

— Non.

— Vous faites de l'alpinisme?

— Je vais simplement voir quelqu'un.

— Vous avez de la chance.

Il lui adressa un bref regard puis, tout en continuant d'écrire, demanda sur un ton neutre :

— Un ami?

— Ma camarade de chambre à l'université.

Pas d'ami, pensa Jonah. Pas d'alliance. Pas de parfum. Pas de rouge à lèvres. Et pas le plus petit indice d'homosexualité dans son attitude et son ton.

— Laissez-moi deviner..., dit-il. Mount Holyoke?

— Pourquoi mentionner une université exclusivement féminine? demanda Anna.

Jonah se tourna vers elle.

– J'ai vu l'autocollant de Mount Holyoke sur votre lunette arrière en arrivant.

Elle rit à nouveau – un rire détendu indiquant qu'elle n'avait plus du tout peur.

– Promotion de 78.

Jonah fit le calcul. Anna Beckwith avait entre quarante-cinq et quarante-six ans. Il aurait pu lui demander ce qu'elle avait étudié à Holyoke, si l'université était proche ou éloignée de chez elle. Mais les réponses à ces questions ne lui auraient pas donné accès à son âme.

– Pourquoi une université exclusivement féminine ? s'enquit-il.

– Je ne sais pas vraiment, répondit-elle.

– Vous l'avez choisie, insista-t-il, un sourire chaleureux atténuant la brutalité de son propos.

– Je m'y sentais simplement plus à l'aise.

Je m'y sentais simplement plus à l'aise. Jonah était sur le seuil de l'univers intérieur émotionnel d'Anna. Il ne pouvait pas le franchir immédiatement.

– Connaissez-vous la Route 28 ? demanda-t-il.

– Non, répondit Anna.

– Pas de problème, dit Jonah. Je vais… euh… tout dessiner…

Sans réfléchir, il traça une ligne verticale sur la page, puis une autre, plus courte, qui la coupait selon un angle d'approximativement quatre-vingt-dix degrés. Il s'aperçut qu'elles formaient une croix rudimentaire et conclut que Dieu était toujours à ses côtés. Jésus, après tout, n'avait-il pas assimilé la souffrance des autres ? Et n'était-ce pas le but de Jonas ? Sa soif ? La croix qu'il portait ?

– Pourquoi une université mixte vous aurait-elle mis mal à l'aise ? demanda-t-il à Anna.

Elle ne répondit pas. Il se tourna vers elle, constata que son expression était redevenue hésitante.

– Désolé de me mêler de ce qui ne me regarde pas. Ma fille envisage de rentrer à Holyoke, mentit-il.

– Vous avez une fille ?

– Ça semble vous étonner…

– Vous ne portez pas d'alliance.

21

Elle l'avait examiné. Elle se rapprochait. Jonah constata que le rythme de son cœur et sa respiration ralentissaient.

— Nous avons divorcé, sa mère et moi, alors que Caroline avait cinq ans, dit-il.

Puis il remit à Anna le talisman moissonné dans l'âme de Scott Carmady, qui faisait désormais partie de la sienne :

— Ma femme ne m'était pas fidèle. Je n'aurais pas dû rester aussi longtemps.

Cet aveu fabriqué suffit pour qu'Anna Beckwith s'autorise à dévoiler sa véritable personnalité.

— J'ai toujours eu un peu peur des garçons, dit-elle. Je suis sûre que c'est pour cette raison que j'ai choisi Holyoke.

— Vous n'avez jamais été mariée, dit Jonah.

— Vous semblez tout à fait sûr de vous, plaisanta Anna.

Jonah ne cessa pas de dessiner son plan imaginaire, parce qu'il ne fallait pas interrompre le flot d'émotions qui coulait entre eux.

— Simple supposition, fit-il.

— Vous avez raison.

— Personnellement, dit-il, je n'étais guère fait pour le mariage.

— J'avais deux frères, expliqua-t-elle. Tous les deux plus âgés. Peut-être que… je ne sais pas.

Jonah perçut tout un univers dans la façon dont elle dit *plus âgés*. Il y décela de la colère et de l'impuissance… et aussi quelque chose de plus. De la honte.

— Ils se moquaient de vous, dit-il.

Il ne put s'empêcher de se tourner à nouveau vers elle. Le masque de la maturité disparut, sur le visage d'Anna, qui devint ouvert, innocent et beau. Un visage de petite fille. Il se dit qu'il ne pourrait jamais tuer un enfant. Et cette idée réduisit son mal de tête à une douleur sourde.

— Ils me taquinaient beaucoup, dit-elle.

— Quel âge aviez-vous ?

— Dans les pires moments ? Dix ans. Onze.

— Et quel âge avaient-ils ?

— Quatorze et seize ans.

Anna parut soudain angoissée, comme les autres victimes de Jonah… comme si elle ne comprenait pas pourquoi elle confiait ces souvenirs intimes à un inconnu. Mais cela ne suffisait pas à Jonah. De sorte qu'il insista.

– De quoi vous traitaient-ils ?

Il ferma les yeux, attendit que la plaie émotionnelle déverse l'antidote sucré à sa violence.

– Ils me traitaient…

Elle s'interrompit, ajouta :

– Je n'ai pas envie de parler de ça.

Elle poussa un profond soupir et conclut :

– Si vous pouviez simplement m'indiquer le chemin, je vous en serais très reconnaissante.

Jonah se tourna vers elle.

– À l'école, mes camarades me traitaient de «pédé», de «lavette», entre autres.

Un nouveau mensonge.

Elle secoua la tête.

– Compte tenu de votre apparence, vous leur avez vraiment montré qu'ils avaient tort, dit-elle. Personne ne vous traiterait de lavette aujourd'hui.

– C'est gentil de votre part, dit-il.

Il se tourna vers sa vitre, comme si le souvenir des traumas de son enfance le faisait souffrir.

– Ils me traitaient de… «pisseuse», dit Anna.

Jonah la regarda. Elle rougissait.

– Je sais que ce n'est pas la fin du monde, poursuivit-elle. Mais ils n'arrêtaient pas. Ils ne me laissaient jamais tranquille.

Jonah était maintenant en compagnie d'Anna Beckwith, onze ans, l'imaginait en jupe plissée de laine bleu marine, chemisier blanc convenable, socquettes blanches, mocassins marron. Il n'était pas surprenant que les taquineries de ses frères se soient faites plus intenses à l'époque où elle devenait une femme, à une période où, consciemment ou pas, le sexe concentrait leur attention. Et il déduisit, à la façon dont Anna avait dit qu'ils ne la *laissaient jamais tranquille*, des pratiques plus toxiques. Ces mots évoquaient une façon codée de parler d'abus sexuels. Il la fixa, espéra qu'elle dénuderait sa psyché, plongerait avec lui dans l'étang chaud de sa souffrance.

— Et à part les mots ? demanda-t-il.

Anna lui rendit son regard et ses joues pâlirent lentement.

— La cruauté de vos frères se manifestait-elle par d'autres moyens, Anna ?

Elle secoua la tête.

— Ils essayaient de vous voir ?

— Il faut vraiment que j'y aille.

— Ils vous touchaient ? ajouta-t-il.

Soudain, la petite fille disparut, remplacée par la femme de quarante-cinq ans, immobile et rigide.

— Franchement, ça ne vous regarde vraiment…

Jonah désirait la petite fille. Avait besoin de la petite fille.

— Vous pouvez me le dire, fit-il. Vous pouvez tout me dire.

— Non.

Jonah entendit presque le pêne entrer dans la gâche, l'enfermer dehors.

— Je vous en prie, dit-il.

— Il faut que vous partiez, déclara Anna.

— Il ne faut pas que vous vous sentiez gênée, dit Jonah.

Il manquait d'air ; néanmoins, il ajouta :

— J'ai entendu tout ce qu'on peut entendre.

Il s'efforça de sourire, mais comprit que son expression serait nécessairement plus inquiétante que rassurante.

Anna le fixa, les paupières plissées, puis déglutit violemment quand elle se rendit enfin compte qu'elle était confrontée à la folie.

Jonah eut des élancements dans la tête.

— Où était votre père ? s'enquit-il, percevant l'amorce de la colère caractéristique dans sa voix. Où était votre mère ?

— Je vous en prie, dit Anna. Laissez-moi partir.

Pourtant, elle ne tenta pas de s'échapper.

— Pourquoi ne vous ont-ils pas aidée ? demanda Jonah.

Il sentit que de la salive coulait au coin de sa bouche et lut, sur le visage d'Anna, qu'elle l'avait vu.

— Si vous me laissez partir, je…, commença-t-elle, suppliante.

Les mèches se remirent à percer dans le crâne de Jonah.

– Qu'est-ce que ces petits salauds vous faisaient ? hurla-t-il.

– Ils...

Elle fondit en larmes.

Jonah se pencha, la tête tout près de l'oreille de la femme.

– Qu'est-ce qu'ils vous faisaient ? demanda-t-il. N'ayez pas honte. Ce n'était pas votre faute.

La panique et la confusion qui s'étaient emparées de Scott Carmady, une incrédulité horrifiée face à ce qui arrivait, crispèrent le visage d'Anna Beckwith.

– Je vous en prie, hoqueta-t-elle. Je vous en prie, seigneur...

Du point de vue de Jonah, sa supplication fut à la fois terriblement douloureuse et excitante, semblable à une fenêtre horrible et irrésistible ouverte sur le mal qui l'habitait. Il pressa sa joue contre la sienne.

– Dites-le-moi, lui souffla-t-il à l'oreille.

Les larmes de la femme coulèrent sur son visage. Et il se mit lui aussi à pleurer. Parce qu'il se rendit compte qu'il n'y avait qu'un moyen de pénétrer dans son âme.

Il sortit son rasoir à manche de sa poche. Il prit la peine de l'ouvrir de telle façon qu'elle ne puisse pas le voir faire. Puis il posa le pouce sous son menton et, doucement, lui inclina la tête en arrière. Elle ne résista pas. Il passa rapidement la lame sur ses carotides, les trancha entièrement. Puis il regarda Anna se flétrir comme une fleur de trois jours.

Du sang coula sur les larmes de Jonah, se mêla à ses larmes. Il n'aurait plus été capable de dire si c'était son sang ou celui d'Anna, ses larmes ou celles de la femme. En cet instant ultime et pur, plus rien ne le sépara de sa victime. Il échappa à l'asservissement de son identité.

Il prit Anna Beckwith dans ses bras et l'attira contre lui, gémit quand sa semence jaillit entre leurs cuisses, les unit à jamais. Il la serra tandis que sa frénésie se muait en épuisement, jusqu'au moment où ses muscles se détendirent en même temps que ceux de la femme, où son cœur ralentit en même temps que le sien, où son esprit s'éclaircit en même temps que le sien... jusqu'au moment où il fut complètement apaisé, en harmonie avec lui-même et avec l'univers.

2

Matin du 30 janvier 2003
Canaan, Vermont

Le docteur Craig Ellison était assis dans son fauteuil en cuir, derrière sa table de travail en acajou. C'était un homme au visage doux, qui venait d'avoir soixante ans, avec une couronne de cheveux blancs et des taches brunes sur le crâne. Il avait des lunettes en demi-lune, portait un costume gris tout simple, une chemise jaune pâle et une cravate à rayures bleues. Son cabinet comportait les éléments caractéristiques de sa profession : tapis d'Orient aux couleurs denses, diplômes encadrés de l'université de Pennsylvanie et de la faculté de médecine de Rochester, un divan d'analyste, des dizaines de statuettes primitives minuscules rappelant celles de Freud. Il regardait le visiteur installé du côté opposé de sa table de travail.

– Je présume que votre voyage s'est bien passé.

– Vent favorable, répondit Jonah.

– Parfait.

Ellison le dévisagea par-dessus ses lunettes et reprit :

– D'après votre curriculum, vous habitez Miami. Vous en venez ?

– J'ai travaillé le mois dernier dans l'État de New York. À Medina. Près du canal Erie. Au centre hospitalier St. Augustine.

Ellison sourit.

– Je m'étonne que vous ayez préféré les montagnes à la plage.

– J'aime l'escalade, dit Jonah.

— Je comprends maintenant. J'ai demandé un psychiatre pour enfants à une demi-douzaine de sociétés d'intérim, depuis le départ à la retraite du docteur Wyatt.

— Rares sont ceux, désormais, que les remplacements intéressent, dit Jonah.

— Pourquoi? s'enquit Ellison.

— Les internes en psychiatrie qui obtiennent leur diplôme sont de moins en moins nombreux. Les salaires augmentent. On peut gagner pratiquement autant en restant sur place qu'en se déplaçant.

Ellison eut un sourire en coin.

— Vingt mille dollars par mois?

— Seize mille, dix-sept mille en comptant les avantages, répondit Jonah. Au cours de ces deux dernières années, deux tiers des psychiatres de Medflex ont accepté un poste permanent dans un des hôpitaux où ils ont été affectés.

Ellison lui adressa un clin d'œil.

— C'est un sujet que nous pouvons aborder. J'ai lu vos lettres de recommandation. Je n'ai jamais rien vu de tel. D'après le docteur Blake, vous êtes « le meilleur psychiatre » avec qui il a travaillé. Il se trouve que j'étais interne à Harvard à l'époque où Dan Blake y exerçait. Les compliments immérités ne sont pas son genre.

— Merci, dit Jonah. Mais je m'angoisse quand je ne me déplace pas.

— Nous pourrions peut-être vous persuader de rester plus de six semaines.

— Je ne le fais jamais, dit Jonah.

Telle était la règle à laquelle il se conformait. Six semaines au maximum, puis une autre mission. Au-delà de cette période, les gens avaient envie de mieux le connaître. Ils venaient trop près.

— Je présume que vous n'avez pas de famille, dit Ellison.

— Non.

Jonah laissa le mot en suspens, jouit de sa sécheresse et de la possibilité de répondre aussi nettement. Parce qu'il n'avait pas simplement renoncé à une femme et des enfants. Il s'était totalement détaché de ses origines familiales, avait rompu tous les liens avec les membres de sa famille et les amis d'enfance, était parti à la dérive, homme seul sur la planète. De la tête, il montra la photographie en noir et blanc, dans un cadre en argent, posée sur la table de travail d'Ellison. Deux enfants riaient sur une balançoire et une femme à la chevelure gonflée par le vent les poussait.

– La vôtre ? demanda-t-il.

Ellison regarda le cliché.

– Oui, répondit-il avec un mélange de fierté et de tristesse. Ils sont grands, maintenant. Conrad termine son internat en chirurgie à l'UCLA[1]. Jessica est avocate dans l'immobilier ici, dans notre ville. De bons enfants. J'ai de la chance.

Ellison n'avait pas mentionné la femme de la photo. Jonah en déduisit qu'elle était à l'origine de la tristesse qui avait transparu dans sa voix, une tristesse qui attirait irrésistiblement Jonah.

– Est-ce votre épouse ? demanda-t-il.

Ellison se tourna à nouveau vers lui.

– Elizabeth, oui.

Un silence, puis :

– Elle est décédée.

– Je regrette, dit Jonah.

Il perçut que la plaie émotionnelle d'Ellison était béante et demanda :

– Tout récemment ?

– Il y a un peu moins d'un an.

Il serra les lèvres et ajouta :

– Ça me semble récent.

– Je comprends, fit Jonah.

– C'est ce que les gens disent, répondit Ellison, mais survivre à la femme qu'on aime… c'est presque quelque chose qu'on ne peut comprendre que si on l'a soi-même vécu. Je ne souhaite pas ça à mon pire ennemi.

Jonah garda le silence.

– On a été mariés trente-sept ans, reprit Ellison. Et on a vécu quarante et un ans ensemble. Je n'ai pas à me plaindre.

---

1. Université de Californie à Los Angeles.

Jonah acquiesça, mais il comprit que le déni d'Ellison signifiait qu'il avait de nombreuses raisons de se plaindre, notamment de la mort elle-même, de la constatation horrible que notre vie et celle de ceux que nous aimons sont provisoires et extrêmement fragiles, que nous pouvons tous cesser d'exister du jour au lendemain, qu'on est sans cesse infiniment vulnérable lorsqu'on aime quelqu'un, où que ce soit, à n'importe quel moment.

Cette idée transporta Jonah hors du bureau d'Ellison. Il fut près de la mère d'Anna Beckwith au moment où elle décrochait le téléphone, un policier, au bout du fil, sur le point d'annoncer la mauvaise nouvelle. La nouvelle impensable. La découverte du cadavre de sa fille assassinée, dans la forêt, non loin de sa voiture, tout près de la route. Jonah s'imagina serrant Mme Beckwith, en larmes, dans ses bras. Il lui caressait les cheveux. Il lui soufflait à l'oreille : *Anna n'est pas vraiment morte. Une partie d'elle vit toujours. En moi.*

— Docteur Wrens ? fit Ellison, qui se pencha légèrement.

— Oui, répondit Jonah.

Ellison le dévisagea une nouvelle fois par-dessus ses lunettes en demi-lune.

— Avez-vous perdu le fil pendant quelques instants ?

— Je pensais simplement à ce que vivre quarante et un ans avec la même femme représente. Vous l'aimiez sûrement beaucoup.

Ellison s'éclaircit la gorge, s'appuya contre le dossier de son fauteuil.

— Vous n'avez jamais été marié ?

Jonah avait posé exactement la même question à Anna Beckwith. *Vous n'avez jamais été mariée ?* Il adressa un regard oblique à Ellison, se demanda si le bon docteur sous-entendait qu'il connaissait les horreurs commises par Jonah. Mais c'était impossible et Jonah repoussa cette inquiétude, la considéra comme l'écho mental d'une conscience coupable. Car il éprouvait de la culpabilité – de plus en plus chaque fois qu'il prenait une vie.

— J'ai été brièvement marié, dit-il. J'étais jeune.

— Comme tout le monde, dit Ellison. Vous n'étiez pas prêt à vous engager ?

Jonah secoua la tête.

— J'étais prêt.

— Elle ne l'était pas, dit Ellison.

Jonah fixa ses genoux, tira nerveusement sur la jambe droite de son pantalon, regarda à nouveau Ellison.

— En réalité, elle est morte, dit-il, optant pour des mots plus crus que ceux d'Ellison : *elle est décédée.*

Le visage d'Ellison se figea.

— Ainsi, dit Jonah, et je suis convaincu que vous garderez ma confidence pour vous, je sais ce que vous avez vécu. Je l'ai vécu moi aussi.

— Je suis absolument désolé, souffla Ellison, le front plissé. Ce que j'ai dit a dû vous faire l'effet...

— De la vérité, coupa Jonah. Seuls ceux qui ont vécu ce que nous avons vécu peuvent comprendre.

Ellison acquiesça.

— Elle s'appelait Anna, dit Jonah, qui laissa ses yeux glisser jusqu'à un coin du bureau d'Ellison. On s'est rencontrés dans un bal, à l'université de Mount Holyoke, dans le Massachusetts.

Il ferma les yeux pendant un instant, puis les rouvrit et sourit, comme réconforté par un souvenir agréable.

— Elle avait choisi un établissement exclusivement féminin parce qu'elle était timide... excessivement, en réalité. Elle avait deux frères aînés qui la taquinaient inlassablement. Ils y sont allés plus fort, en fait, aux environs de sa onzième année, à l'époque où les dégâts psychologiques et sexuels seraient les plus graves. Mais elle a repris le dessus, après nos fiançailles. Elle s'est épanouie dans tous les domaines. Elle avait apparemment besoin de ce type de sécurité.

Il regarda à nouveau Ellison en face.

— La sécurité, ajouta-t-il en secouant la tête. Elle est morte à vingt-trois ans.

— Mon Dieu, dit Ellison, qui resta quelques instants silencieux et reprit : puis-je vous demander de quoi elle est morte ?

Jonah savait qu'une femme décédée à l'âge de l'épouse d'Ellison, Elizabeth, avait vraisemblablement été victime d'un cancer. Une maladie de cœur était également une possibilité. On ne peut jamais éliminer l'accident de voiture.

— Anna a succombé à un cancer, risqua-t-il.

Il avait envie de tester les limites de son intuition.

— Ovaires, ajouta-t-il.

— Sein, dit Ellison à propos de la disparition de son épouse.

Presque dans le mille, pensa Jonah. Ovaires. Sein. Les deux fins étaient douloureuses. Ellison avait vu l'enfer et croyait désormais que Jonah était également dans ce cas.

— Les gens affirment qu'on peut surmonter ça avec le temps, dit Jonah, grâce à une autre relation, si on consacre assez de dimanches matins à la prière, mais je ne crois pas que j'y parviendrai.

Ellison le dévisagea comme un frère de sang.

— Moi non plus, dit-il.

Jonah avala sa salive et garda le silence pendant plusieurs secondes, laissa sécher la colle de leur lien émotionnel. Quand il reprit la parole, ce fut sur le ton d'un homme faisant consciemment l'effort d'écarter le souvenir d'une terrible tragédie.

— Bon… eh bien, dit-il, continuons…

— Continuons, fit Ellison.

— Parlez-moi du service, dit Jonah. En quoi puis-je me rendre utile?

— Vous vous êtes déjà rendu utile, dit Ellison, qui sourit à Jonah et ajouta : Merci.

Jonah acquiesça solennellement.

— Mais au sujet du service…, poursuivit Ellison, reprenant le fil. Comme vous savez, il comporte vingt lits. Ils sont en général tous occupés, avec une liste d'attente. Nous sommes le seul service psychiatrique fermé dans un rayon de trois cent cinquante kilomètres. Canaan et les villes environnantes sont principalement peuplées d'ouvriers, des bûcherons pour la plupart. Les parents n'ont guère plus qu'une formation secondaire, et encore. Beaucoup d'alcoolisme, comme vous pouvez l'imaginer compte tenu de notre localisation. Également pas mal de drogues illicites. Cocaïne. Héroïne. Tout cela entraîne les mauvais traitements et l'abandon. Et je dirai que nous avons plus que notre part de dépression.

— La rudesse des hivers, dit Jonah.

— Possible. C'est peut-être aussi le reflet du statut socio-économique inférieur à la moyenne de la population.

Ellison s'interrompit, puis reprit :

— Mais je peux vous assurer que les gamins qui séjournent ici comme, probablement, dans d'autres services où vous avez travaillé, souffrent de maladies mentales graves. Dépression lourde, schizophrénie, dépendance à la drogue. Dans tous les autres cas, les compagnies d'assurance refusent l'admission. Et il n'y a pas une famille, dans la région, capable de régler la facture d'un séjour.

— J'aime travailler avec les patients gravement atteints, dit Jonah.

— Dans ce cas, vous vous plairez ici.

— Garde une nuit sur trois ?

— Exact. Vous travaillerez avec Michelle Jenkins et Paul Plotnik. Je peux vous assurer qu'ils seront très contents de vous voir. Ils se partagent les patients du docteur Wyatt et c'est un lourd fardeau. Il était très populaire.

— J'espère que je serai à la hauteur.

— Je n'en doute pas, dit Ellison.

Il jeta un coup d'œil sur l'agenda ouvert devant lui puis demanda :

— Vous débuterez le 3, comme prévu ?

— Je peux commencer aujourd'hui, dit Jonah, qui n'était pas impatient de compenser son œuvre de destruction mais d'étancher sa soif de récits de vies torturées.

— Pourquoi pas hier ? fit Ellison qui, souriant, se leva. Je vais vous faire visiter les lieux.

Il s'interrompit, puis reprit :

— À la réflexion, nous avons une conférence thérapeutique à midi. En général, le docteur Jenkins ou le docteur Plotnik me présentent un cas. J'interroge le patient en présence du personnel et je vois si je peux tirer une conclusion qui leur a échappé, sortir un lapin du haut-de-forme, pour ainsi dire.

Il adressa un clin d'œil à Jonah et ajouta :

— C'est le tour de Plotnik, aujourd'hui. Vous pourriez prendre ma place. Ainsi, le personnel pourrait se familiariser avec votre style.

– Ce serait un honneur, dit Jonah. Merci.

– Vous me remercierez quand les infirmières et les travailleurs sociaux auront fini de vous poser des questions. Ils adorent tirer à boulets rouges sur mes conclusions. Je doute qu'ils soient plus tendres avec vous.

– Dites-leur qu'ils peuvent y aller, répondit Jonah. Je considérerai ça comme un rite de passage.

L'auditorium du Canaan Memorial Hospital était un amphithéâtre récemment rénové, avec une moquette neuve gris foncé, approximativement deux cents sièges pliants au joli capitonnage gris perle et un ensemble d'appliques qui projetaient d'agréables faisceaux de lumière sur les murs roses ornés de lithographies représentant de paisibles paysages de montagne. Nuages poussés par la brise. Torrents glacés.

Quand Jonah arriva en compagnie de Craig Ellison, les gens commençaient à entrer. Un pupitre et une table en chêne blond étaient disposés face aux rangées de sièges. Deux fauteuils se faisaient face derrière la table.

Jonah avait fréquenté des dizaines d'auditoriums tels que celui-ci, tous conçus, pratiquement comme il s'était lui-même conçu – de ses vêtements à son attitude et à son vocabulaire –, pour rassurer les gens et les réconforter afin qu'ils se sentent en sécurité et expriment leurs pensées les plus ténébreuses. Les démons tapis à l'intérieur des gens – les créatures grotesques et difformes des égouts de l'esprit, poussées dans les profondeurs par l'holocauste émotionnel innommable qu'on nomme vie quotidienne – prennent facilement peur, sont prompts à se réfugier dans le labyrinthe de l'inconscient, où ils sont sans doute désespérément égarés, seuls et follement désireux d'être touchés mais, au moins, à l'abri, dans leur isolement, des coups physiques ou émotionnels, réels ou imaginaires, auxquels ils ont été exposés à la lumière du jour. Mères manipulatrices, pères violents, mentors libidineux, amis perfides, mariages sans amour, grands-parents morts, parents morts, frères ou sœurs morts, enfants morts, la mort les attendant eux-mêmes avec patience.

Ils ont besoin du doux réconfort de pastels et de pénombre, de vastes paysages et de ciels clairs, d'une voix de velours telle que celle de Jonah, d'un regard bleu pâle semblable au sien.

Cependant toutes ces choses ne pénètrent pas profondément dans l'inconscient, laissent intactes les pathologies les plus sévères. Jonah s'insinuait beaucoup plus loin, jusqu'au recoin le plus isolé de l'esprit le plus noir. Et l'ingrédient secret qui, au-delà de tout autre, expliquait l'effet magique qu'il produisait sur les patients était simplement celui-ci : la présence palpable de ses démons. Ceux qui abritaient des pensées impensables comprenaient, au fond de leur cœur, qu'ils avaient rencontré une âme sœur, quelqu'un qui comprenait quelle torture c'est de vivre quand on est en plusieurs morceaux parfois si tranchants que les toucher revient à saigner à jamais.

— Voilà un de vos complices, dit Ellison à Jonah en montrant d'un signe de tête une femme d'aspect exotique, aux longs cheveux noirs et raides, d'environ trente-cinq ans, qui se trouvait au sein d'un petit groupe à l'extrémité opposée de la salle. Le docteur Jenkins. Permettez-moi de vous présenter.

Jonah suivit Ellison jusqu'à la femme.

Jenkins se retourna. Elle portait un pantalon noir tout simple mais coupé avec élégance et un tee-shirt vert à encolure ronde.

— Comment allez-vous, Craig ? dit-elle.

Elle salua Jonah d'un signe de la tête puis se tourna à nouveau vers Ellison.

— Je vais très bien, répondit Ellison.

— Paul vous réserve quelque chose de très stimulant intellectuellement, aujourd'hui, dit-elle. Un garçon de neuf ans. Presque muet. Le malheureux n'a pas prononcé dix mots depuis son admission.

Elle adressa un clin d'œil à Jonah et ajouta :

— On va voir ce que le chef peut en tirer.

Jonah fixa les yeux couleur d'ambre de Jenkins, dont le blanc luisait sous sa chevelure brillante. Le contour en forme de croissant de ses yeux, ainsi que l'angle subtil qu'ils formaient au-dessus de ses pommettes, permettait de supposer qu'elle était peut-être asiatique, de même que sa peau brune et son long cou gracieux. Quand elle sourit, des fossettes apparurent sur ses joues, firent d'elle une beauté plus accessible qu'intouchable.

– Lesquels ? demanda Jonah.

– Pardon ? fit Jenkins.

– Les mots, dit Jonah. Quels dix mots le jeune garçon a-t-il prononcés ?

Jenkins sourit.

– Je n'ai pas pensé à poser la question. J'aurais dû.

Ellison eut un rire étouffé.

– Michelle Jenkins, je vous présente Jonah Wrens, le médecin de Medflex dont je vous ai parlé.

– C'est bien ce que je pensais, dit-elle en tendant la main. Mon sauveur.

Jonah prit sa main et la serra. Elle était douce, délicate, et les doigts étaient longs – une main capable de rivaliser avec les siennes. Il constata qu'elle portait une bague de fiançailles avec un diamant de quatre ou cinq carats au majeur. Elle n'avait probablement pas eu le temps de faire mettre l'anneau à sa taille depuis ses fiançailles. Ou peut-être n'était-elle pas fiancée et la bague lui avait-elle été donnée par une grand-mère qui l'adorait.

– Sauveur est peut-être un peu exagéré, dit Jonah.

– Ce n'est pas vous qui êtes de garde une nuit sur deux depuis sept mois, dit-elle en inclinant la tête d'une façon magnifiquement féminine.

Elle lâcha sa main, ajouta :

– Une nuit sur trois me fera l'effet d'être le paradis.

Elle se tourna vers Ellison et ajouta :

– Vous m'avez épuisée.

– À vous voir, on ne dirait pas, fit-il en s'inclinant légèrement.

– Il faut que vous fassiez vérifier vos lentilles, dit Jenkins.

Elle regarda par-dessus l'épaule d'Ellison et constata :

– Voilà Paul.

Jonah se retourna et vit un homme en blazer bleu foncé et pantalon kaki froissé, qui se dirigeait vers eux.

– Paul Plotnik, dit Ellison. Le troisième mousquetaire.

Plotnik, un homme maigre d'environ quarante-cinq ans, à la che-velure clairsemée et rebelle, aux épaules étroites et voûtées, rejoi-gnit le groupe. Son pantalon kaki était taché au-dessus du genou gauche.

– Ça va être dur, aujourd'hui, dit-il à Ellison d'une voix légère-ment zézayante.

Son regard alla rapidement de Jonah à Jenkins, revint sur Ellison.

– Dix ans, poursuivit-il, presque muet. Ne bouge pratiquement pas. Entend des voix, je suppose. A même peut-être des visions.

– Expliquez ça au docteur Jonah Wrens, de Medflex, dit Ellison, qui montra Jonah de la tête. Je lui ai demandé de me remplacer aujourd'hui.

– Magnifique, dit Plotnik.

Il serra la main de Jonah – trop fort – et ajouta :

– J'ai entendu parler de vous. Quand êtes-vous arrivé ?

– Aujourd'hui, répondit Jonah. Quelle poigne !

Il constata que la moitié gauche du visage de Plotnik était légère-ment tombante. Il avait eu une attaque mineure. Cela expliquait le zézaiement.

– On me l'a déjà dit. On me l'a déjà dit, fit Plotnik, qui finit par le lâcher.

– Le docteur Ellison vous met immédiatement au travail, dit Jenkins à Jonah. L'épreuve du feu.

– Ça ne me gêne pas, répondit Jonah.

Il soutint son regard. Ou bien soutint-elle le sien ?

– Venez à mon secours si je descends en flammes.

Il entendit les mots tandis qu'il les prononçait, s'aperçut qu'ils unissaient le réconfort, la passion sexuelle et le danger. *Venez à mon secours. Descends. Flammes.* Il n'avait pas prévu que son message serait si plein de force.

– Je le ferai, dit Jenkins, d'une voix teintée de séduction.

Ellison leva un sourcil.

– Si nous commencions ? dit Plotnik avec un sourire tendu. Voyons ce qu'on a pour vingt mille dollars par mois par les temps qui courent.

Jonah rit.

— Paul, ce n'est pas convenable, dit Ellison.

— Une blague, répondit Plotnik, qui leva les mains. Une simple blague.

— Ça ne me vexe pas, dit Jonah.

— Le docteur Ellison ne s'est pas mis à table, expliqua Plotnik à Jonah. Il sait tenir sa langue. J'ai envisagé de travailler pour Medflex. Je me tiens au courant des salaires.

— Vous avez décidé de ne pas bouger, dit Jonah.

— Craig m'a proposé vingt-deux mille dollars par mois, répondit Plotnik, qui éclata de rire.

— Quand les poules auront des dents, dit Jenkins.

— Commençons, voulez-vous, intervint Ellison.

— Mais sérieusement, dit Plotnik à Jonah, personne n'espère que vous résoudrez ce cas. Il est dans le service depuis presque trois semaines. Persuadez-le de prononcer deux mots à la suite et vous serez un héros.

Il pivota sur les talons et gagna le pupitre.

3

L'auditorium était pratiquement plein. Ellison expliqua à Jonah que Canaan Memorial était un des seuls établissements du Vermont où les professionnels de la santé mentale pouvaient obtenir les certificats de formation continue qui leur étaient nécessaires pour conserver le droit d'exercer. Travailleurs sociaux, psychologues et psychiatres venus de tout l'État assistaient à la conférence hebdomadaire.

Jonah avait pris place au premier rang quand Paul Plotnik présenta le cas de Benjamin Herlihey, neuf ans. Après l'exposé, on amènerait Herlihey et on l'interrogerait.

— Benjamin Herlihey est un jeune Blanc de neuf ans admis dans le service psychiatrique fermé le 3 janvier de cette année, commença Plotnik, les yeux fixés sur ses notes. C'est le fils unique de son père, employé dans une scierie de la région, et de sa mère, qui garde des enfants au domicile du couple. D'après ses parents, les symptômes d'une grave dépression n'ont cessé de s'accentuer, chez Benjamin, pendant les trois mois ayant précédé son admission, notamment : manque d'appétit entraînant une perte de poids de huit kilos, réduction du temps de sommeil provoquant des réveils prématurés, désintérêt face aux activités qui lui procuraient du plaisir, diminution de l'énergie et sanglots par intermittences.

Plotnik s'interrompit sans cesser de fixer ses notes. Il glissa l'index dans l'oreille et l'y fit tourner, comme pour retirer du cérumen.

Ellison se pencha vers Jonah.

— Un tic nerveux, souffla-t-il.

Très nerveux, songea Jonah.

– Jonah a été soigné en consultation externe par un psychiatre qui a prescrit du Zoloft [1] dosé à cinquante milligrammes, sans amélioration des symptômes, poursuivit Plotnik. Le dosage a lentement augmenté jusqu'à cent milligrammes, puis deux cents. Aucune amélioration n'a été constatée. L'aggravation des symptômes du malade s'est poursuivie. Cinquante milligrammes de Desipramine [2] le matin ont été ajoutés. Mais, malgré l'association de ces deux produits, l'énergie du patient a continué de décliner et son poids de baisser. Il a cessé de fréquenter l'école et, à la maison, s'est de plus en plus replié sur lui-même. À la mi-décembre, Benjamin était devenu presque muet, se contentait de répondre aux questions par oui ou par non. Il a commencé à éviter les contacts visuels. Son psychiatre traitant a alors estimé, sagement selon moi, que Benjamin ne souffrait pas d'une grave dépression, mais connaissait une première rupture psychotique annonçant l'apparition – pendant l'enfance – de la schizophrénie paranoïaque.

Les murmures du public soulignèrent le triste pronostic de l'apparition précoce de la schizophrénie. Même si une grave dépression n'est pas une partie de plaisir, il est beaucoup plus facile de la soigner.

Plotnik glissa une nouvelle fois le bout du doigt dans l'oreille, l'y fit pivoter puis s'en servit pour tourner une page de ses notes.

– Depuis son admission dans le service fermé, le 3 janvier, le patient est resté presque complètement silencieux. Il semble parfois distrait, probablement par des hallucinations. Il regarde le plafond comme s'il entendait une voix ou voyait quelque chose.

« Depuis le début de sa maladie, Benjamin ne suit pas un régime alimentaire normal et son anorexie, qui s'est aggravée depuis son arrivée dans le service, met désormais son intégrité physique en danger. Nous lui injectons des produits nutritifs par perfusion, mais nous serons obligés, dans les jours qui viennent, afin d'assurer sa survie, de poser une sonde pour l'alimenter. Ses parents ont accepté

---

1. Antidépresseur à base de sertraline.
2. Antidépresseur tricyclique, plus rustique que le précédent et utilisé depuis plus longtemps.

l'opération. Nous comptons commencer un traitement par électrochocs aussitôt après, dans l'espoir de contenir la psychose de Benjamin.

«Sur le plan proprement psychologique, il est nécessaire de mentionner que le père de Benjamin a quitté sa famille sans avertissement trois ans presque jour pour jour avant l'apparition des symptômes de son fils. Monsieur Herlihey est resté absent pendant quatre mois, refusant tout contact avec sa famille, puis est revenu en son sein tout aussi soudainement. Il n'a, ni à l'époque ni depuis, exposé les raisons de son départ et de son retour.

«On peut se demander si Benjamin ne reproduit pas le silence de son père, la privation de nourriture qu'il s'impose symbolisant les privations émotionnelles dont il a été victime.

Plotnik quitta ses notes des yeux pour la première fois et reprit :

– Comme je le craignais, le père de Benjamin a immédiatement rejeté ma théorie. Il refuse d'expliquer ce qu'il a fait – et pour quelle raison il l'a fait – pendant son absence.

Plotnik montra Jonah d'un signe de tête et conclut :

– Le docteur Jonah Wrens, nouveau membre de l'équipe psychiatrique de Canaan Memorial, sera aujourd'hui notre consultant dans le cadre de ce cas.

Plotnik descendit du podium et gagna le siège voisin de celui de Jonah. Jonah se leva et se dirigea vers les fauteuils qui se trouvaient derrière la table en chêne, mais il s'immobilisa quand la porte de l'auditorium s'ouvrit et qu'on fit entrer Benjamin Herlihey, penché sur la gauche et une perfusion dans chaque bras, sur un fauteuil roulant.

Sous la couverture blanche de l'hôpital, Herlihey semblait sortir d'un camp de concentration de la Deuxième Guerre mondiale. Des cernes bleuâtres soulignaient ses yeux profondément enfoncés dans les orbites. Ses cheveux roux étaient fins, clairsemés, et laissaient voir son crâne par endroits. Les os de ses bras et de ses jambes soulevaient à peine le tissu de laine blanche qui les couvrait. Jonah eut l'impression qu'il était sans âge, qu'il pouvait avoir neuf ans ou quatre-vingt-dix ans, qu'il était proche de la naissance et proche de la mort.

Jonah gagna le devant de l'auditorium. Il éloigna un des fauteuils de la table en chêne, dégageant ainsi une place destinée à la chaise roulante de Benjamin. Il s'installa sur le fauteuil restant. Puis médecin et patient restèrent face à face en silence, la tête de Benjamin inclinée sur le côté, ses yeux vides fixant Jonah.

– Je suis le docteur Wrens. Jonah Wrens.

Benjamin garda le silence et ne manifesta aucun intérêt.

– Le docteur Plotnik m'a demandé de bavarder avec toi, de voir si je peux t'aider.

Les yeux de Benjamin roulèrent sur la gauche, fixèrent le plafond pendant plusieurs secondes, puis exécutèrent lentement le mouvement inverse.

Jonas se tourna vers l'endroit où le regard de Benjamin s'était apparemment posé. Il n'y avait rien. Il se pencha à nouveau vers le jeune garçon.

– Le docteur Plotnik m'a parlé de tes difficultés. Je peux les comprendre.

Benjamin ne réagit pas.

Jonah avait l'intention de poser une question, de pousser Benjamin à prononcer un mot ou deux. Mais il y renonça, s'appuya contre le dossier de son fauteuil et resta immobile. Une minute passa, puis deux. De temps en temps, les yeux de Benjamin se tournaient vers le plafond et, lorsque cela se produisait, ceux de Jonah effectuaient exactement le même mouvement.

La plupart des gens ne supportent pas plus de deux minutes de silence. Les membres du public, mal à l'aise, changèrent de position sur leur siège. Du coin de l'œil, Jonah en vit quelques-uns parler à l'oreille d'un collègue. Il imagina ce qu'ils disaient. *Et d'abord, qui c'est ce type ? Est-ce qu'il va finir par faire quelque chose ? Bon sang, pourquoi ne dit-il pas quelque chose ?*

Jonah les chassa tous de son esprit. Les yeux rivés sur ceux de Benjamin, il plaça lentement sa tête, son cou, sa poitrine, ses bras, ses hanches, ses cuisses, ses genoux et ses pieds dans la même position que ceux du jeune garçon, devint sa réplique exacte, estima avec exactitude le centre de gravité de Benjamin grâce à la pression qu'il perçut sur sa peau à certains endroits et pas à d'autres, à la tension éprouvée dans certains muscles et pas dans d'autres.

Deux minutes supplémentaires passèrent dans cet état d'animation suspendue, le public devenant de plus en plus nerveux, Jonah se tassant de plus en plus sur lui-même dans son fauteuil, devenant de plus en plus le clone du jeune garçon brisé assis devant lui.

Puis, soudain, Jonah se redressa. Il se leva. Il rejoignit Benjamin, s'accroupit devant lui et le regarda dans les yeux.

– Je vais te toucher, dit-il d'une voix à peine audible. N'aie pas peur.

Il leva les mains, afin que Benjamin puisse les voir.

Le silence total se fit dans la salle. Les psychiatres ne touchent pas. Ils entretiennent des frontières rigides. Ils guérissent depuis le côté opposé de la pièce. Jonah entendit Plotnik marmonner :

– Qu'est-ce que c'est que cette histoire ?

Jonah adressa un bref regard à Craig Ellison et s'aperçut que son visage exprimait le doute. Mais il vit aussi que Michelle Jenkins était penchée en avant, fascinée.

Il reporta son attention sur Benjamin.

– N'aie pas peur, dit-il.

Il le fixa dans les yeux pendant plusieurs secondes supplémentaires, puis regarda le bras gauche du jeune garçon qui gisait, immobile, sur sa cuisse. Il le souleva d'une vingtaine de centimètres, le lâcha et le regarda retomber, inerte. Puis il leva son bras droit et le lâcha. Il reprit lentement sa position d'origine.

Comme s'il manipulait un Gumby[1] grandeur nature, Jonah poussa et tira les bras et les jambes de Benjamin dans un sens et dans l'autre. Il passa l'extrémité du pouce sous les pieds du jeune garçon, regarda les orteils fléchir en réaction à cette pression spécifique. Il approcha le visage à quelques centimètres de celui de Benjamin. Il regarda à droite et à gauche, en haut et en bas, nota quand les yeux de Benjamin suivaient les siens, conformément à la nature du réflexe oculaire, et quand ils ne le faisaient pas.

Il s'assit sur les talons.

– Merci, dit-il à Benjamin. Je crois que je vois quel est le problème.

---

1. Personnage de dessin animé en pâte à modeler.

Il se leva, adressa un signe à l'homme chargé de pousser le fauteuil roulant de Benjamin et ajouta :

— Terminé.

Il gagna le pupitre et attendit que Benjamin soit sorti. Il regarda le public et poussa un profond soupir.

— C'est un cas exceptionnel, dit-il.

— C'est une conférence exceptionnelle, fit Plotnik en aparté.

Un éclat de rire tendu éclata dans la salle.

Jonah fixa Plotnik, qui avait un large sourire.

— Les glioblastomes cérébraux sont extrêmement rares au sein de ce groupe d'âge, dit-il. Dans ce cas, poursuivit-il en s'adressant à l'ensemble du public, la tumeur imite parfaitement la maladie mentale en raison de sa localisation. Son point d'origine se trouve tout contre le système limbique, du côté droit du cerveau, si bien que les cellules malignes ont tout d'abord envahi l'amygdale, altérant le comportement et changeant la fonction des muscles. Elles sont ensuite passées dans le *caudate nucleus*, ont poursuivi leur lente progression de bas en haut, ont pénétré dans la sulcature du cortex qui est, bien entendu, le principal centre du langage.

Il s'interrompit et fixa une nouvelle fois Paul Plotnik.

— Docteur Plotnik, demanda-t-il, avez-vous fait faire un scanner ?

— Bien entendu, répondit Plotnik sur la défensive.

— J'en étais convaincu, parce que votre présentation était très complète, dit Jonah.

Il fallait qu'il évite de ridiculiser Plotnik et il fallait qu'il évite de se faire un ennemi. Il se tourna à nouveau vers le public.

— Le problème est que huit pour cent des lésions dues aux glioblastomes ne sont visibles que grâce à l'IRM. Et nous ne demandons généralement pas d'IRM dans le cas de patients dont les symptômes peuvent apparemment s'expliquer par la dépression... ou la schizophrénie.

Il s'interrompit, puis reprit :

— Benjamin n'a pas besoin d'électrochocs. Il a besoin d'une opération chirurgicale – immédiatement. Les glioblastomes sont virulents, mais il est possible de les soigner si on s'y prend à temps.

Et la psychose? demanda Michelle Jenkins. Comment l'expliquer?

— Je ne crois pas que Benjamin ait des visions, répondit Jonah. Son regard monte en direction de la gauche parce que les nerfs du muscle oculaire qui centre la vision sont affaiblis. La tumeur les détruit.

Une jeune femme, au fond de la salle, leva la main. Jonah lui adressa un signe de la tête.

— Qu'est-ce qui vous a permis de comprendre? demanda-t-elle.

— J'ai écouté Benjamin, répondit Jonah.

— Il n'a pas prononcé un mot.

— Exactement, dit Jonah.

— Comment ça? s'enquit un homme.

— Le silence total de Benjamin a constitué le premier indice de son affection, répondit Jonah. S'il avait prononcé un mot, j'aurais été tenté de me demander ce qu'il signifiait sur le plan psychologique. S'il avait pleuré, j'aurais peut-être essayé de le faire parler de sa tristesse ou d'autres symptômes de dépression.

Il s'interrompit, puis reprit :

— Benjamin m'a mis sur la voie. La solution a consisté à rester assis face à lui en silence et à observer sans que les mots ou les sentiments s'interposent.

Paul Plotnik s'éclaircit la gorge et leva la main. Jonah lui adressa un signe de la tête.

— Avant d'appeler un neurochirurgien, ne faudrait-il pas faire un IRM? demanda-t-il. Pouvez-vous être certain qu'il ne sera pas normal?

— Je ne peux pas en être certain, répondit Jonah, mais je serais vraiment très surpris s'il l'était.

Plotnik tourna la tête. Ses épaules s'affaissèrent davantage encore.

Il fallait que Jonah le réhabilite.

— La théorie psychologique du docteur Plotnik, dit-il au public, me paraît parfaitement plausible. Le départ brutal du père de Benjamin pouvait effectivement être à l'origine de la maladie du jeune garçon.

Plotnik se tourna à nouveau vers lui.

— Ne venez-vous pas de dire qu'il s'agit d'une tumeur?

– Il arrive que les glioblastomes ne commencent à se répandre qu'après six ans d'incubation, répondit Jonah. Cela nous ramène à l'époque où monsieur Herlihey a abandonné sa famille. N'oublions pas que le système limbique est le centre du contrôle des émotions. Personne ne peut être sûr que le départ d'un père ne peut pas y faire apparaître une tumeur. Pourquoi cela serait-il plus improbable que les dommages causés au cœur par le stress ?

Plotnik ne quittait pas Jonah des yeux.

– Et qui peut affirmer, poursuivit Jonah, s'adressant à l'ensemble du public que les défenses immunitaires de Benjamin n'auraient pas été stimulées et son taux d'anticorps augmenté – si bien que la tumeur aurait été vaincue – si monsieur Herlihey avait dit la vérité sur son absence ? La vérité a le pouvoir de guérir.

Jonah s'aperçut que Craig Ellison le fixait avec une sorte de vénération. Il décida de faire le reste du chemin, d'expliquer pourquoi Paul Plotnik avait manqué le coche dans le cas de Benjamin. Il se tourna à nouveau vers lui.

– Il est tout aussi intéressant de constater, du point de vue psychologique, que vous avez une expérience personnelle de ce dont souffre Benjamin.

Plotnik fixa Jonah d'un air interrogateur.

– Faites-vous allusion à mon attaque ?

– Oui, répondit Jonah. Accepteriez-vous que je fasse usage de votre expérience dans un but pédagogique ?

– Bien entendu, répondit Plotnik, dont la voix ne contenait plus trace d'hostilité.

– Votre attaque, dit Jonah, était mineure. Mais, à en juger par les muscles faciaux affectés et la compensation excessive exercée par les muscles de la partie droite de votre corps – votre forte poignée de main –, la plaie de votre cerveau se trouvait probablement dans une zone du cortex moteur proche de celles qui contrôlent le comportement et le langage.

– Exactement, admit Plotnik, incrédule.

– De ce fait, immédiatement après votre attaque, non seulement vous vous sentiez faible physiquement, mais vous éprouviez également des difficultés à trouver les mots et vous vous sentiez déprimé.

– Un peu.

– Et la cicatrisation du tissu cérébral a pratiquement résolu ces deux problèmes.

– Complètement résolu, dit Plotnik.

Jonah n'estima pas utile de faire remarquer que l'élocution et l'aspect physique de Plotnik n'étaient pas redevenus tout à fait normaux – et que tel ne serait jamais le cas. Mais le refus, de la part de Plotnik, d'accepter les séquelles de l'attaque ne fit que renforcer la conviction de Jonah.

– Il est possible que votre réticence à penser à votre problème cérébral ait augmenté votre difficulté à identifier celui de Benjamin. Votre première impulsion a peut-être simplement consisté à vous efforcer de ne *pas* y penser.

Plotnik, les paupières plissées, fixait Jonah.

– Je crois que c'est aller trop loin, intervint Craig Ellison. Comme vous l'avez dit, aucun d'entre nous ne serait parvenu à obtenir un IRM dans un cas comme…

– Non, Craig, coupa Plotnik. Je crois qu'il a raison.

Il se tourna vers Ellison et poursuivit :

– Diagnostiquer la pathologie de Benjamin m'aurait contraint à revisiter la mienne… à penser à nouveau à mon attaque. C'est une chose que je n'avais pas envie de faire.

– Mais vous avez présenté ce cas à cette assemblée, dit Jonah. Vous aviez l'intuition que quelque chose vous échappait.

Plotnik acquiesça.

– Un angle mort clinique.

– Et vous avez résolu le problème en le donnant à voir sous un autre angle. Le nôtre. Vous avez apporté à Benjamin l'aide dont il avait besoin.

– Si je l'ai fait, dit Plotnik, c'est grâce à vous.

Jonah lui adressa un clin d'œil.

– Attendons que l'IRM le confirme, dit-il.

Jonah prévoyait de passer le reste de la journée et la nuit dans le service fermé, d'étudier les dossiers des six patients, précédemment traités par le docteur Jenkins et le docteur Plotnik, qui lui étaient confiés. Craig Ellison avait proposé à Jonah de s'acclimater d'abord avec quelques patients, mais Jonah avait sauté sur l'occasion de plonger dans une demi-douzaine de jeunes vies.

Dans le cabinet qu'on lui avait attribué, il étudia avec assiduité ce qu'on pourrait qualifier de chroniques du meurtre de l'âme. Naomi McMorris, six ans, violée à l'âge de trois ans par le compagnon de sa mère ; Tommy Magellan, onze ans, dépendant de la cocaïne à la naissance et, maintenant, dépendant de la cocaïne et de l'héroïne ; Mike Pansky, quinze ans, entendant des voix qui lui disaient de se suicider, dix ans après que sa mère psychotique eut tenté de le tuer.

Chaque page lue éloignait Jonah de la Route 90 et du cadavre gelé d'Anna Beckwith. Il avait une nouvelle occasion de se racheter, une nouvelle occasion de soigner, et le fleuve de psychopathologie qui coulait à ses pieds l'enivrait au point qu'il était convaincu de pouvoir prendre un engagement – et de s'y tenir. Il ne détruirait plus. Comme le drogué qui a plongé l'aiguille dans la veine, il ne voyait pas plus loin que l'extase. Il ne pouvait comprendre que se droguer avec les démons des autres ne lui permettrait jamais de se débarrasser du sien.

Il s'appuya contre le dossier de son fauteuil, imagina qu'il était Naomi McMorris, Tommy Magellan ou Mike Pansky pendant une partie d'une journée ou d'une nuit. Il perçut la guerre incessante que se livraient en eux l'instinct d'amour et l'instinct de haine, la confiance et la peur, l'espoir et le désespoir. Il savait – non seulement intellectuellement, mais aussi dans son cœur – qu'un ego tentant de concilier de tels extrêmes peut s'effondrer, déconnecter totalement un garçon tel que Mike de la réalité, la conviction profonde de son absence de valeur lui revenant en écho sous la forme de voix qui lui ordonnaient de se suicider. Il s'imagina se réveillant d'un profond sommeil, comme cela arrivait sans doute à la petite Naomi, gênée d'avoir mouillé son lit mais, surtout, totalement détruite par cette réalité, criant, griffant, inconsolable, la honte et la terreur liées à la perte de contrôle sur sa vessie enracinée dans un viol qui l'avait dépouillée de tout contrôle. Il frémit sous l'effet du désespoir inextinguible de Tommy qui, à sa naissance, n'avait pas seulement été arraché à la quiétude de la matrice mais aussi à l'absorption constante de cocaïne, toutes les cellules de son corps réclamant un produit qu'il associerait toujours et à jamais, inconsciemment, au confort et à la sécurité.

À mesure qu'il absorbait ces enfants, Jonah sentait s'apaiser les marées tumultueuses de son âme : ses muscles se détendaient, ses yeux s'emplissaient de larmes et son entrejambes, comme de coutume, se crispait. Il lui semblait qu'il pouvait sortir de sa peau et se glisser dans une autre. Il se sentait libre.

Il ouvrit les yeux, tendit la main vers le quatrième dossier, mais on frappa à la porte du cabinet et il interrompit son geste. Il prit une longue inspiration rêveuse, se leva, gagna la porte et l'ouvrit.

Michelle Jenkins lui sourit.

— Vous vous installez ? demanda-t-elle.

Jonah se retourna et regarda le cabinet. C'était un espace nu qui contenait une table de travail en aggloméré, un fauteuil de bureau en cuir noir, une chaise capitonnée destinée au patient, une bibliothèque vide et un classeur métallique beige. Les murs blanc cassé avaient été repeints récemment et s'ornaient de deux paysages de montagne comparables à ceux de l'auditorium.

— C'est un peu nu, dit-il.

— Jim Wyatt avait réuni ici des tas de livres et de revues scientifiques. Des photographies qu'il avait prises et des toiles qu'il avait peintes couvraient les murs. Il avait passé presque vingt ans ici.

— Je ne crois pas pouvoir faire la même chose en six semaines, dit Jonah, qui alla s'asseoir au bord de la table de travail.

Jenkins entra dans la pièce. De la tête, elle montra la serviette posée près du bureau : une grande mallette usagée, en cuir marron, avec un fermoir à clé démodé.

— On ne sait jamais, dit-elle. Il y a déjà un objet personnel.

— Je l'ai depuis l'internat, dit Jonah.

— Où avez-vous été formé ? demanda-t-elle.

— À New York.

— Ne m'obligez pas à travailler aussi dur. Dans quel hôpital ?

— Columbia Presbyterian.

– Impressionnant.

– Et vous ?

– Mass General, à Boston.

– Très impressionnant.

– Pas vraiment, dit Jenkins. C'était de diversité qu'ils avaient besoin, en un petit paquet bien ficelé. Je suis sûre que je suis la seule métisse de Latino et d'Asiatique à y avoir demandé un poste d'interne. Être originaire du Colorado était sûrement aussi un avantage.

– Vous êtes très loin de chez vous, dit Jonah.

– J'ai suivi un moniteur de ski, expliqua Jenkins. Il est devenu mon mari. Ensuite, ça n'a fait qu'empirer.

Jonah rit.

– Vous êtes toujours ensemble ?

– Divorcés, répondit-elle. Depuis onze mois.

– Me permettez-vous de vous demander pendant combien de temps vous avez été mariée ?

– Vous pouvez me demander n'importe quoi, répondit Jenkins. Cinq ans. Entre vingt-cinq et trente maîtresses. Je ne sais plus au juste. Il y a encore des femmes qui téléphonent et le demandent.

– Je vois, fit Jonah.

Jenkins était une femme bafouée. Il jeta un coup d'œil sur le diamant de son majeur. Ce qu'elle avait dit ne l'expliquait pas.

– Il ne me vient pas de lui, dit-elle sans quitter Jonah des yeux, tout en passant le pouce sur la pierre, mais de ma mère. Elle est morte pendant mon adolescence.

La mort. Encore. La seule constante. La mélodie funèbre qui accompagne tous les événements joyeux de la vie.

– Je suis désolé, dit Jonah.

Jenkins haussa les épaules.

– On ne s'entendait pas, dit-elle. J'ai pas mal souffert pendant mon adolescence. On s'opposait sans cesse. Au bout du compte, on n'a pas eu le temps de chercher à comprendre pourquoi.

Jonah inclina la tête et examina Jenkins. Elle était exceptionnellement ouverte, même pour une psychiatre, prête à confier beaucoup de choses sur elle.

— Alors, expliquez-moi un peu pourquoi vous me draguez devant mon patron? «Venez à mon secours si je descends en flammes.» Pas très subtil.

— Ce n'était pas dans l'intention de vous draguer.

— Dans ce cas, vous deviez avoir *vraiment* envie de me draguer, dit Jenkins, si ce message sortait tout droit de votre inconscient.

Il était sorti tout droit de l'inconscient de Jonah. Jenkins éveillait effectivement quelque chose en lui.

— Vous êtes un bon psychiatre, dit-il.

— Il m'arrive de le croire, répondit-elle. Et puis je vous ai vu faire ce que vous avez fait ce matin, face à Benjamin, pendant la conférence. Et j'ai compris que j'ai beaucoup à apprendre.

— La chance du débutant, dit Jonah.

— Évidemment.

Jenkins se leva, serra sa lèvre inférieure entre les dents, reprit:

— Bon, voilà. Si vous n'avez rien de prévu pour le week-end, je pourrais vous faire visiter Canaan.

Jonah garda le silence.

— Une soirée suffira, ajouta Jenkins. Il y a un restaurant convenable et un cinéma bon marché.

Jonah éprouva un vague regret. Jenkins était belle, douce, sensible, et peut-être aurait-il aimé l'écouter plus longtemps, peut-être même la toucher. Elle avait ce corps souple de danseuse qu'il appréciait chez les femmes. Petits seins, taille fine, hanches étroites, longues jambes. Mais depuis son premier meurtre, il avait résolu de rester seul tant qu'il ne parviendrait pas à se contrôler. Il ne fallait que quelqu'un puisse être proche de lui au point de percevoir les ténèbres tapies en lui. Pénétrer une femme revenait à s'exposer à être pénétré par elle.

— Un autre jour, dit-il. Je suis impatient, moi aussi, d'explorer de nouveaux endroits... du moins au début. C'est en partie pour cette raison que j'aime les remplacements.

— La solitude, dit Jenkins sans amertume.

— Peut-être, fit Jonah.

Elle haussa les épaules, fit deux pas en direction de la porte.

— Vous êtes un cas intéressant, constata-t-elle.

51

Elle alla jusqu'au seuil, mais se tourna à nouveau vers Jonah et ajouta :

— À propos, Paul a fait passer un IRM à Benjamin.

— Ah ? fit Jonah.

— Glioblastome, comme vous avez dit… exactement à l'endroit que vous aviez prévu.

— Il est encore temps ? demanda-t-il.

— Peut-être, répondit Jenkins. Paul a demandé l'assistance d'un neurochirurgien et d'un spécialiste des tumeurs.

— Un neuroradiologue serait préférable, dit Jonah. La radio-chirurgie aux rayons gamma est la meilleure solution dans le cas des glioblastomes situés à cet endroit. Il faudra transférer Benjamin dans un centre hospitalier universitaire. John-Hopkins serait l'idéal. À défaut, je conseillerais Baylor, à Houston.

Jenkins acquiesça.

— J'en parlerai à Paul.

Elle s'interrompit, puis ajouta :

— Ce qui s'est passé dans la salle de conférences n'était pas la chance du débutant, Jonah. Vous avec des dons extraordinaires. Vous êtes capable de guérir.

Elle pivota sur elle-même et sortit.

Jonah regarda la porte se fermer derrière Jenkins. Il se leva, gagna le flanc de la table de travail, se pencha et prit sa serviette. Puis il la posa dans le petit placard du cabinet, derrière son manteau.

4

Après-midi du 20 février 2003
Chelsea, Massachusetts

Les pieds sur sa table de travail, Frank Clevenger regardait, par la fenêtre de son bureau des quais de Chelsea, trois vedettes des garde-côtes qui tournaient rapidement autour d'une flottille de remorqueurs tirant et poussant un pétrolier, sur la Mystic River, jusqu'à son amarrage. Chelsea n'était que pétrole et crasse, ville portuaire minuscule et dure au pied de Tobin Bridge, squelette d'acier qui permettait de gagner Boston et plongeait ses pieds en béton gigantesques parmi les navires, les bouis-bouis, les établissements de jeu et les usines de conditionnement de viande. Le pétrole flottait sur le fleuve et s'infiltrait dans le sol. On respirait son odeur. De ce fait, les rues étaient littéralement inflammables, si bien que par deux fois, en 1908 et en 1973, des dizaines de blocs avaient brûlé.

Clevenger aimait Chelsea. C'était une ville sans prétention : deux collines exagérément urbanisées bordant une vallée chaotique où les gens se battaient simplement pour vivre, n'étaient pas obsédés par l'idée de bien vivre.

Les pétroliers arrivaient, se vidaient de leur sang noir puis s'en allaient sans démonstration de force, sans plus attirer l'attention que les cheminées, qui déversaient silencieusement leur suie sur les quartiers de Chelsea, ou les semelles souples des chaussures de sport des revendeurs de drogue qui arpentaient Broadway. Mais c'était avant le 11 septembre, qui avait transformé le monde. À présent, il semblait que tout ce qui risquait de sauter allait sauter. Le pays tout entier était victime d'une grave névrose post-traumatique. Mauvais pour la population. Bon pour Eli Lilly, Pfizer et Merck. Ils finiraient par mettre du Prozac, du Zoloft et du Paxil[1] dans le réseau d'eau potable, et verraient si ça permettrait de maintenir l'angoisse à distance. Parce que personne ne voulait plus réfléchir, les nœuds de la psyché du monde étant désormais si serrés que les défaire risquait d'entraîner la chute de quelques préjugés. Il était préférable de faire couler la sérotonine, pour que les esprits puissent continuer de baigner dans l'eau calme du déni.

Telles étaient quelques-unes des pensées qui traversaient l'esprit de Clevenger quand son téléphone se mit à sonner. Il avait sonné cinq fois quand il décrocha.

— Frank Clevenger, dit-il, comme pour se rappeler que c'était bien lui.

— Docteur Clevenger, agent Kane Warner à l'appareil, dit une voix rauque au bout du fil.

Il prononça les mots comme s'ils constituaient une question, la tonalité de la phrase plus haute à la fin qu'au début : *agent Kane Warner à l'appareil ?*

Les habitants de L. A. parlaient ainsi, comme s'ils se refusaient systématiquement à s'engager. Clevenger jeta un coup d'œil sur l'écran indiquant le numéro du correspondant. 703 : la Virginie. Le siège du FBI se trouve à Quantico.

— En quoi puis-je vous être utile ? demanda-t-il.

— Je suis directeur du Service des sciences du comportement au sein du FBI. Je voudrais vous voir à propos de l'aide que vous pourriez nous apporter dans une enquête.

Warner termina une nouvelle fois la phrase comme s'il s'agissait d'une question : *une enquête ?*

— Quelle affaire ? demanda Clevenger.

— Je préférerais que nous en parlions de vive voix ?

— Demain, je serai pratiquement toute la journée à mon bureau, répondit Clevenger.

---

1. Antidépresseurs produits par les laboratoires pharmaceutiques Eli Lilly, Pfizer et Merck.

– En fait, dit Warner, j'étais sur le point de proposer mon bureau.

– Vous avez peur en avion ? demanda Clevenger.

Warner ne rit pas.

– C'était une blague, ajouta Clevenger.

– O.K., fit sèchement Warner.

– Avant de vous voir, dit Clevenger, il faudrait que je sache…

– Je préfère que nous en parlions en tête à tête, dit Warner.

L'homme ne faisait pas l'effort de se présenter sous un jour agréable, alors qu'il demandait un service.

– Je préfère ne pas attendre, dit Clevenger.

Silence, puis :

– Le tueur des autoroutes.

Clevenger posa les pieds sur le plancher et cessa de regarder le port. Il suivait depuis des années les reportages consacrés au tueur des autoroutes.

– Douze cadavres, douze États, dit-il.

– Treize cadavres, dit Warner.

– Depuis quand ?

– Ce matin.

– Où ?

– Un jeune couple qui avait pris la 90 en direction de l'est pour se rendre à son chalet où il devait faire du ski s'est arrêté sur une aire de repos. Leur chien s'est enfui. Ils l'ont poursuivi dans la forêt et la jeune femme s'est tordue la cheville en butant sur quelque chose. Il est apparu qu'il s'agissait d'un bras gelé.

– Homme ou femme ?

– Femme, répondit Warner. Anna Beckwith. Quarante-quatre ans. Célibataire. Originaire de Pennsylvanie.

Il se tut.

– Donc ça fait huit hommes et cinq femmes, dit Clevenger.

– Treize victimes. Treize États.

– À votre connaissance, dit Clevenger.

Il prit le paquet de Marlboro posé sur son bureau, en alluma une, en tira une longue bouffée.

Il y eut un silence gêné.

— À notre connaissance, reconnut Warner.

— Pourquoi moi? demanda Clevenger, de la fumée accompagnant les mots hors de sa bouche. Vous avez des spécialistes.

— Tout le monde semble d'accord, ici, sur la nécessité de la présence d'un psychiatre expert capable d'apporter un point de vue nouveau. Quelqu'un d'extérieur à notre organisation.

Tout le monde *semble* d'accord. Clevenger eut un sourire ironique. Combien de cadavres supplémentaires faudrait-il pour que l'accord soit *net*?

— Vous pensez que la présence de quelqu'un d'extérieur vous est nécessaire, ou celle de quelqu'un de «marginal»?

— Vous avez la réputation de travailler à la limite, dit Warner. Vous n'êtes pas... orthodoxe. Nous comprenons. Il est peut-être temps que nous réfléchissions hors du cadre habituel.

Il est *peut-être* temps. Clevenger se tourna vers la fenêtre au moment où une Porsche Carrera rouge s'arrêtait sur le quai. North Anderson, ancien flic noir et dur de quarante-trois ans, en descendit.

— J'ai un associé, dit Clevenger.

— Vous travaillez avec qui vous voulez, dit Warner. Mais nous voudrions que vous veniez seul à la première réunion... jusqu'au moment où nous saurons si vous acceptez. Nous nous efforçons de rester aussi discrets que possible. Je suis sûr que vous comprenez.

— À quelle heure voulez-vous que nous nous voyions demain?

— Vous serait-il possible de venir aujourd'hui?

— Non. Réunion de parents d'élèves.

— Comment va Billy? demanda Warner.

— Bien, mentit Clevenger, stupéfait.

Il lui arrivait d'oublier que son fils adoptif était aussi connu que lui.

— Tant mieux, dit Warner. Il a dû avoir du mal à surmonter d'avoir été accusé à tort.

— Oui, dit Clevenger.

Il en a encore.

— Je vous laisse le choix. Quand vous voulez demain, dit Warner.

— Je prendrai la navette d'US Air de six heures à destination de National, répondit Clevenger.

– Une voiture vous attendra, dit Warner. Je suis impatient de faire votre connaissance.

– Moi de même.

Warner raccrocha.

– Tu quittes la ville ? demanda Anderson, qui se tenait sur le seuil du bureau de Clevenger.

Clevenger raccrocha et regarda Anderson. Ils avaient presque le même âge, avaient tous les deux le crâne pratiquement rasé, faisaient tous les deux presque un mètre quatre-vingts, avaient entretenu leur corps si bien qu'ils étaient tous les deux minces et musclés. Ils avaient en commun une intensité du regard, une sorte de sincérité opiniâtre capable de susciter les aveux des voyous et les concessions romantiques des femmes. Si Anderson n'avait pas été noir, ils auraient pu passer pour deux frères, même si c'était en réalité un sentiment fraternel qui les unissait.

– Le tueur des autoroutes, dit Clevenger.

– Le FBI ? demanda Anderson.

Clevenger acquiesça.

– On a découvert une nouvelle victime ce matin. Une femme, dans l'État de New York. Partiellement enterrée, comme les autres.

– On a déjà beaucoup de choses sur les bras, si tu veux mon avis, dit Anderson.

– Je crois qu'ils n'ont aucune piste, dit Clevenger.

Il laissa tomber sa cigarette dans sa tasse de café, l'écouta grésiller.

– À mon sens, ce n'est pas le genre d'équipe avec qui on devrait travailler, dit Anderson.

– Il a tué au moins treize personnes, dit Clevenger.

– Treize est peut-être le nombre qui lui portera malheur.

– Le Bureau ne ferait pas appel à nous s'il n'était pas dans une impasse, dit Clevenger. Je parie qu'il n'a rien. Pas une seule piste.

Il sortit une nouvelle Marlboro du paquet.

Anderson secoua la tête.

– Écoute, dit-il, le FBI a peut-être envie de croire qu'il est prêt à s'assurer les services de quelqu'un comme toi, parce qu'il est au pied du mur, mais il ne renoncera pas à contrôler la situation. Il ne te laissera pas prendre les initiatives que tu devras prendre.

Clevenger sourit, alluma la cigarette.

– On n'a pas déjà essayé de nous arrêter ?

– C'est différent, dit Anderson. C'est le FBI. Ce sont des spécialistes.

– Je ne risque rien à les rencontrer.

– Peut-être, dit Anderson. Sauf s'ils veulent seulement te rencontrer.

– Ce qui signifie ? demanda Clevenger.

– Te rencontrer n'est pas nécessairement aussi simple que ça l'était autrefois, dit Anderson. Pas après Nantucket.

Nantucket, c'était le meurtre au sein de la famille Bishop, un infanticide dans la villa d'un investisseur milliardaire, Darwin Bishop, en 2001 [1]. Au terme de l'affaire, Darwin Bishop et son fils Garret avaient été emprisonnés, l'épouse de Bishop, Julia, s'était vu retirer la garde de ses enfants et Clevenger s'était retrouvé en couverture de *Newsweek* sous le titre suivant : FRANK CLEVENGER, EXPERT PSYCHIATRE, RÉSOUT LE MEURTRE DE LA DECENNIE. Il avait aussi adopté le deuxième fils de Bishop, un adolescent émotionnellement instable qui s'appelait Billy et avait été le suspect principal du meurtre – jusqu'au moment où Clevenger avait prouvé son innocence. Le portrait de Billy, inséré dans celui de Clevenger sur la couverture de *Newsweek*, était ainsi légendé : « Et offre un nouveau départ au jeune Billy Bishop. »

Billy avait seize ans, à l'époque du meurtre, et n'aurait pas dû être livré en pâture aux médias. Mais l'affaire Bishop suscitait un appétit insatiable au sein du public et le procureur n'avait rien de plus pressé que de lui fournir tout et n'importe quoi sur Billy, dans la mesure où cela confirmait sa culpabilité. Quand il fut, au bout du compte, innocenté, la voracité des médias n'en devint que plus intense. Billy était jeune, dur et séduisant. Pour toutes les jeunes filles, la violence à laquelle il avait été exposé en faisait le mauvais garçon rêvé. Leno téléphona. Couric [2] alla jusqu'à rendre visite à Billy, dans sa cellule, juste avant sa libération. Les producteurs de

---

1. Voir *Compulsion*, du même auteur.
2. Jay Leno et Katie Couric, présentateurs d'émissions de télévision.

Survivor lui proposèrent deux cent mille dollars s'il acceptait de participer à l'émission. Clevenger était son tuteur légal, à cette époque, et refusa.

— Tu crois vraiment que le FBI a besoin de publicité ? demanda Clevenger.

— Il a besoin de quelque chose, aucun doute là-dessus, répondit Anderson. Il en prend plein la gueule parce que ce type est toujours en liberté. S'il s'arrange pour que la presse apprenne qu'il s'est adressé à toi, il obtiendra immédiatement les gros titres. Il montrera qu'il fait tout son possible. Le public lui foutra la paix... du moins pendant quelque temps. Comme tu travailleras officiellement sur l'affaire, tout le monde se concentrera sur toi. Et c'est toi qui en prendras plein la gueule quand on trouvera un nouveau cadavre.

— Donc, au bout du compte, je n'aurai peut-être pas le beau rôle, dit Clevenger. Depuis quand se préoccupe-t-on de mon image ? Tu es mon associé. Tu veux être mon agent ?

— Fais ce que tu estimes devoir faire, dit Anderson. Mais n'oublie pas que je t'ai averti.

— Je n'avais pas l'intention de travailler seul.

Anderson passa un doigt sur l'épaisse cicatrice rose qui se trouvait au-dessus de son œil droit, geste qu'il faisait machinalement quand il apercevait des problèmes à l'horizon.

— Comme je l'ai dit, on a déjà beaucoup de choses sur les bras. L'affaire Conway. Bramble. Vega. Elles ne font peut-être pas la une de la presse nationale, mais elles sont arrivées avant. Je tiendrai la position ici.

— On n'est pas débordés à ce point, dit Clevenger. Cette affaire te déplaît tant que ça ?

— J'ai un mauvais pressentiment, répondit Anderson, les yeux rivés sur lui, c'est tout.

— Ah, fit Clevenger, qui s'appuya contre le dossier de son fauteuil, je comprends maintenant. Tu crois que j'en ai un, moi aussi, et que je n'en tiens pas compte. Tu crois que la publicité me fait envie. Que j'en ai besoin.

Anderson leva les mains.

— Laisse tomber, je n'ai rien dit.

— Non. Je t'en prie. Dis-moi ce que tu penses.

Anderson secoua la tête.

— Tu n'as pas envie de l'entendre.

— Sauf si tu t'inquiètes parce que je suralimente mon ego, ou que je meurtris le tien.

— Qu'est-ce que tu veux dire par là ? demanda Anderson.

— J'aime peut-être faire les gros titres, dit Clevenger avec un haussement d'épaules. Et, au plus profond de toi-même, ça ne te plaît peut-être pas.

— Je serais jaloux ? fit Anderson, souriant. Tu crois que c'est ça ?

Il croisa ses bras puissants et poursuivit :

— O.K. Voilà ce que je crois, au plus profond de moi-même : je crois que tu as renoncé à l'alcool, que tu as renoncé à la coke, que tu as renoncé à parier ton avenir sur les champs de courses, que ce que tu fais pour Billy est formidable et que tu devrais te contenter de ça. Parce que tu restes un joueur, Frank. Tu aimes toujours trop les hauts et les bas. Au plus profond de toi-même, tu as toujours envie de tout miser. Mais, maintenant, tu ne paries plus seulement ton avenir. Il y a aussi celui de Billy. Et le mien. Parce qu'on est associés. Alors pourquoi ne pas prendre les choses calmement ? Je ne dis pas pour toujours. Seulement pour le moment.

— Je me sens bien, dit Clevenger. J'ai évolué.

— Exactement. C'est ce que je veux dire. Je me souviens dans quel état tu étais après Nantucket.

— Tu crois que j'ai oublié ?

— Peut-être. C'est possible, dit Anderson. Parce que si tu acceptes cette affaire, tu auras des problèmes par-dessus la tête. Je ne parle pas des voyages d'un bout à l'autre du pays. Je ne parle pas des médias qui regarderont par-dessus ton épaule, surveilleront ton appartement, planqueront là où tu vas faire laver ton putain de linge sale. Je te connais. Quand un nouveau cadavre apparaîtra, puis un autre, personne n'aura besoin d'en placer la responsabilité sur tes épaules. Tu te cloueras toi-même sur la croix. Parce que, au fond de ton cœur, tu crois que tu peux résoudre cette affaire.

— Et j'ai en face de moi la personne qui m'a convaincu de me charger de l'affaire de Nantucket, dit Clevenger.

– Exactement, répondit Anderson. Je ne doutais pas de toi à l'époque et je ne doute pas de toi aujourd'hui. Je suis prêt à parier que tu réussiras. Mais ce type a tué treize personnes en trois ans dans tous les États-Unis alors que le FBI le traquait comme Ben Laden. Et il ne prend même pas la peine de se débarrasser convenablement des cadavres. Il leur laisse leur permis de conduire au cas où quelqu'un se demanderait à qui appartiennent au juste les restes décomposés. Si tu exerces vraiment une influence sur la situation, Frank, tu réduiras la période d'activité de ce cinglé de dix ans à cinq ans. Mais tu passeras les deux années qui viennent en enfer. Sans parler de Billy. Et il est loin d'être au mieux de sa forme.

– Je n'ai pas dit que j'acceptais l'affaire, précisa Clevenger. Je vais assister à une réunion. On discutera à mon retour.

Anderson fixa le plancher, prit une profonde inspiration, regarda à nouveau Clevenger.

– Comme je l'ai dit, tu fais ce que tu crois devoir faire.

Il pivota sur lui-même et s'en alla.

Auden, lycée privé situé à Lynnfield, Massachusetts, se trouvait quinze kilomètres au nord de Chelsea, mais dans un autre monde. Il y avait davantage de pelouse, sur l'hectare de son campus, que sur les cinq kilomètres carrés de Chelsea. Compte tenu du prix exorbitant de l'internat, les mille cinq cents jeunes garçons qui y poursuivaient leurs études appartenaient à des milieux très aisés. Auden était isolé et plat. Il n'y avait ni suie ni crasse.

Clevenger n'aimait pas l'endroit, d'autant moins aujourd'hui, en raison des mauvaises nouvelles concernant Billy. Assis dans l'antichambre du bureau de Stouffer Walsh, surveillant général d'Auden, il regardait les lambris en acajou, les moulures, les cimaises luisantes et respirait l'air qui sentait le renfermé en regrettant amèrement d'avoir accepté d'inscrire Billy dans cet établissement. Le môme aurait probablement été davantage à sa place au lycée de Chelsea, où des professeurs confrontés quotidiennement à des adolescents difficiles auraient été mieux à même d'apprécier sa connaissance de la rue et de la transformer – en courage moral et en élégance face aux difficultés, notamment. Mais Auden faisait partie intégrante du «plan d'action» des Services sociaux du Massachusetts, si bien que Clevenger y avait inscrit Billy.

Ses notes avaient été mauvaises dès le début, mais il fallait s'y attendre. Une des jeunes sœurs de Billy venait d'être assassinée, son père et son frère avaient été condamnés à des peines de prison. Il avait lui-même échappé de peu à la prison à perpétuité. De ce fait, un C – en français et un D + en géométrie n'étaient pas la fin du monde. La direction de l'établissement avait même considéré sa première bagarre comme un incident de parcours. Personne n'avait été grièvement blessé : saignement de nez pour l'autre adolescent et lèvre enflée pour Billy. C'était, en réalité, un truc de mômes. La responsabilité de l'autre adolescent était plus lourde. En outre, c'était la saison de football. Et Billy était capable d'arrêter pratiquement tous les joueurs de l'équipe adverse qui tentaient de franchir la ligne de mêlée. Il mesurait un mètre soixante-quinze, pesait soixante-seize kilos – uniquement des muscles – et avait des réflexes de panthère. Auden se montra donc indulgent. Un mois de mise à l'épreuve, travail d'intérêt général deux soirs par semaine au foyer pour personnes sans abri de la ville. Puis le mois passa et tout fut oublié.

Mais, six semaines plus tard, Billy eut à nouveau des ennuis. Il y eut une nouvelle bagarre, cette fois avec deux amis de son premier adversaire. Billy eut le dessus. L'un d'entre eux eut la mâchoire fêlée, l'autre une plaie au crâne qui nécessita six points de suture. Néanmoins, c'était deux contre un et la saison de football n'était pas terminée, si bien que Walsh ne s'était guère inquiété. Un mois de mise à l'épreuve et des activités d'intérêt général.

Clevenger, cependant, était beaucoup plus inquiet. Parce qu'il connaissait le passé de Billy beaucoup mieux que Walsh. Il savait que le saignement de nez et la fêlure de la mâchoire s'expliquaient davantage par la chance que par le contrôle que Billy exerçait sur lui-même. Peut-être ses adversaires avaient-ils demandé grâce assez tôt et assez fort. Peut-être avaient-ils eu l'intelligence de fuir. Ou peut-être Billy les appréciait-il vaguement, même s'ils l'agaçaient. Parce qu'il y avait eu des périodes, dans la jeune vie de

Billy – pendant les années où il partageait son temps entre un vaste appartement de Manhattan et une villa de Nantucket avec vue sur l'océan – où il était absolument incapable de se contrôler, du moins tant qu'un emmerdeur quelconque ne gisait pas sur le sol, le crâne fêlé et le regard vide, respirant à peine.

Clevenger savait que Billy, en raison de sa violence et de nombreuses arrestations pour violation de domicile et vandalisme, avait autrefois été considéré comme un psychopathe.

Mais, plus encore, Clevenger savait que Billy avait été victime de mauvais traitements graves et répétés : des corrections féroces infligées par son père milliardaire, qui avaient laissé des cicatrices sur son dos et d'autres, plus profondes, sur sa psyché. Et ce type de mauvais traitement court-circuite parfois l'aptitude des gens à prendre la mesure de la souffrance des autres. Définitivement, dans certains cas.

Clevenger et Billy vivaient ensemble depuis un peu plus d'un an, partageaient un loft de 200 mètres carrés situé dans une usine transformée de Chelsea. Et, même si Billy avait eu du mal à s'adapter, Clevenger en avait eu davantage encore.

Au moins, Billy ne recevait plus de coups, n'était plus impitoyablement dominé par un milliardaire résolu à le modeler à l'image de sa personnalité difforme. À dix-sept ans, il pouvait enfin commencer à être lui-même, petit à petit.

Clevenger, en revanche, avait dû exercer davantage de contrôle sur lui-même, du moins sur les parties de lui-même qui semblaient incompatibles avec l'éducation d'un adolescent. Cela impliquait de rester sobre, de ne pas fréquenter les champs de courses, de veiller à ce que la porte du loft cesse d'être la porte à tambour qu'empruntait une succession sans fin de femmes, comme elle l'avait toujours été. Cela impliquait de renoncer aux dépendances apaisantes qui maintenaient sa propre souffrance émotionnelle à distance. Et cela n'avait pas été facile. Ça ne l'était pas. North Anderson avait raison sur ce point.

Bien entendu, il était logique que ça ne soit pas facile. Au départ, les services sociaux s'étaient opposés à l'adoption de Billy par Clevenger, indiquant qu'ils ne s'inquiétaient pas seulement parce que Clevenger vivait seul, pas seulement en raison des dangers inhérents à son activité professionnelle, mais aussi à cause de sa motivation sous-jacente. Quelques années auparavant, Clevenger avait perdu un jeune patient, Billy Fisk, qui s'était suicidé, et ses correspondants au sein des services sociaux se demandaient s'il ne tentait pas de ressusciter les morts, de faire pénitence au lieu d'accomplir, simplement, une bonne action.

Mais les services sociaux ne comprenaient pas – et le surveillant général ne comprenait pas – que Clevenger entreprenait effectivement une résurrection : pas celle de l'adolescent qui s'était donné la mort, mais celle des parties de lui-même et de Billy Bishop que des pères brutaux avaient pratiquement détruites. Telle était la tâche herculéenne qu'il s'était assignée : guérir en même temps l'adolescent et le jeune garçon qui était en lui. Il fallait qu'il progresse – et vite – pour que Billy progresse également.

Une des secrétaires du surveillant général, femme d'âge mûr en tailleur de laine bleu marine, un collier de perles autour du cou, s'immobilisa devant Clevenger.

– Monsieur le surveillant général va vous recevoir, dit-elle avec un sourire qui n'était pas vraiment un sourire mais, plutôt, une grimace aimable.

Clevenger la suivit, passant devant deux autres secrétaires avant d'atteindre la porte ouverte du surveillant général.

Walsh, qui signait des documents, lui adressa un bref regard, parapha quelques papiers supplémentaires, puis se leva et tendit la main. C'était un homme inquiet de presque soixante ans vêtu d'une chemise à fines rayures bleues et blanches comportant trois boutons aux poignets. Sa chevelure était exceptionnellement noire, compte tenu de son âge, si bien que Clevenger se demanda s'il s'agissait d'une perruque à la dernière mode ou d'une coloration.

– Je suis heureux que vous ayez pu venir aussi rapidement, dit-il en serrant la main de Clevenger. Et sans qu'il m'ait fallu entrer dans les détails. Asseyez-vous, je vous prie.

Clevenger s'installa sur la chaise en bois que Walsh avait désignée, s'adossant à l'emblème doré à la feuille d'Auden : Atlas levant un stylo à plume à bout de bras.

– Comme j'y ai fait allusion, dit Walsh en s'asseyant, je regrette de devoir vous informer que Billy a une nouvelle fois des problèmes.

– Quels problèmes? demanda Clevenger.

– Des problèmes de drogue, répondit Walsh, qui croisa les mains sur sa table de travail.

– De drogue?

Après le coup de téléphone de Walsh, Clevenger s'était demandé ce que Billy avait fait. Une nouvelle bagarre semblait probable. Tricher pendant l'examen de géométrie que Billy devait passer dans la journée avait également semblé possible, de même qu'une mauvaise blague aux dépens d'un professeur ou d'un condisciple. Mais la drogue n'avait pas traversé l'esprit de Clevenger, peut-être parce qu'il s'efforçait sans cesse de ne pas y penser. Rester lui-même sobre était encore une bataille qu'il devait livrer chaque jour.

– Marijuana, indiqua Walsh.

– Billy fume du hasch?

– Pas seulement, malheureusement.

Walsh ouvrit le tiroir de droite de son bureau et en sortit un sachet en plastique contenant de quoi faire environ cinquante joints de marijuana. Il le leva, le tenant entre le pouce et l'index, comme un oiseau radioactif. Puis il le laissa retomber dans son tiroir.

– On a trouvé ça dans son armoire.

– Comment l'y avez-vous trouvé? s'enquit Clevenger.

– Un élève s'est présenté, dit Walsh, qui joignit les mains comme pour prier. Il y a un code, ici, à Auden.

– Un élève s'est présenté et a dit…

– Et a dit: «Billy Bishop vend du hasch. Il le range dans son armoire.»

Clevenger soupira. Sans doute certains gamins peuvent-ils se droguer sans en conserver de séquelles, mais Billy était psychologiquement fragile. La drogue pouvait représenter un réel danger pour lui, acteur imprévu sur la scène de son existence, capable de voler la vedette et de transformer son existence en tragédie.

– Où est Billy? demanda Clevenger.

– Il vide son armoire, répondit Walsh. Il a été renvoyé.

— Je vois, fit Clevenger. Avait-il beaucoup d'argent sur lui? Je veux dire: comment avez-vous confirmé les propos de l'autre élève?

— Le sachet se trouvait dans son armoire. Je ne crois pas qu'il avait l'intention de fumer seul toute cette marijuana. Et vous? demanda Walsh.

Il s'interrompit, afin d'accentuer l'impact de cette question rhétorique, puis reprit:

— Votre fils est extrêmement intelligent. Véritablement doué sur le plan intellectuel. Personne ne le conteste. Mais sa personnalité est une autre affaire.

— Comment Billy s'est-il expliqué? demanda Clevenger.

— Il a tout nié, répondit Walsh. Il a affirmé que quelqu'un avait placé la drogue dans son armoire.

— Est-ce possible? s'enquit Clevenger.

Walsh sourit.

— Ce n'est pas une affaire susceptible de nécessiter vos compétences, docteur. Il n'y a aucune raison d'enquêter. Ce qui est arrivé est arrivé.

Il secoua la tête et reprit:

— Nous fondions de grands espoirs sur Billy. Pas seulement moi. Les autres responsables de notre établissement aussi. Mais je crois que nous avons été très équitables.

— Et la saison de football est terminée, dit Clevenger.

— Pardon?

— Vous vous êtes montrés particulièrement équitables pendant la saison de football, dit Clevenger.

Walsh se raidit.

— Si vous faites allusions aux bagarres auxquelles Billy a été mêlé pendant l'automne, dit-il, ces événements sont sans commune mesure avec l'affaire qui nous occupe. Il s'agit là d'un délit. Cette fois, aucun de ses camarades ne peut en partager la responsabilité. C'est une autre paire de manches.

Il s'interrompit une nouvelle fois, comme vaguement stupéfait d'avoir recouru à un cliché aussi éculé.

— Heureusement pour Billy, reprit-il, on estime, à Auden, que la détention d'un produit illicite n'entraîne pas l'intervention des autorités. Contrairement à la vente de produits illicites. Or aucun membre du personnel n'a été témoin d'une transaction. Sinon, vous ne seriez pas venu chercher Billy ici, mais à la prison.

Clevenger acquiesça. Inutile de tuer le messager, même si c'était un personnage aussi imbu de lui-même que l'était Walsh.

— Je vous remercie, dit Clevenger. Sachez bien que je n'en veux à personne, hormis à Billy. S'il vous a semblé qu'il en était autrement, je m'en excuse.

Il se leva.

Walsh resta assis.

— En ce qui concerne la procédure d'appel…

— J'ignorais qu'il y avait une procédure d'appel, dit Clevenger.

— Vous pourriez assurément vous en prévaloir, dit Walsh, mais je ne vous le conseillerais pas. Les faits sont clairs, si bien que cela pourrait sembler… injustifié. En outre, le procès-verbal des débats serait versé au dossier scolaire de Billy. Les autres écoles, y compris celles du service public, y auraient accès. Il est préférable de laisser l'infraction parler d'elle-même et d'éviter tout commentaire négatif supplémentaire pouvant éventuellement concerner Billy. Je suis certain qu'il y en aurait.

— Il est tout à fait probable que nous ne ferons pas appel, dit Clevenger. Merci.

Il prit la direction de la porte.

— Il y a un dernier point qu'il est malheureusement nécessaire d'aborder, dit Walsh, qui finit par se lever.

Il posa les mains à plat sur son bureau.

— Y a-t-il un autre problème ? demanda Clevenger. Lequel ?

— La question des frais de scolarité de Billy.

— Il me semble que je suis à jour. Y a-t-il des frais supplémentaires en cas de renvoi ?

— Non, non. Absolument pas, dit Walsh. Vous êtes absolument à jour. Il fallait simplement que je vous rappelle qu'il n'y a pas de remboursement partiel en cas de mesure disciplinaire. Je sais qu'il est gênant d'aborder ce sujet en un tel moment, mais notre politique consiste à résoudre toutes les difficultés financières potentielles à la date du départ.

— Considérez-les comme résolues, dit Clevenger.

— Parfait. Billy devrait vous attendre à la réception. Je vous souhaite bonne chance à tous les deux, docteur.

— Bien. Merci encore.

Billy était assis à la réception, la tête entre les mains, ses cheveux blond sale, relativement longs et coiffés en dreadlocks, devant les yeux. Quand Clevenger arriva près de lui, il constata que les muscles de sa mâchoire se contractaient selon un rythme régulier.

— Tu es prêt? demanda Clevenger, qui veilla à ce que sa voix reste neutre.

Il n'obtint pas de réponse. Il posa une main sur les larges épaules de Billy. Il perçut la tension des muscles.

— On parlera de ça dans la voiture, qu'est-ce que tu en dis?

Billy leva la tête. Ses yeux d'un bleu de glace étaient pleins de rage, sa lèvre supérieure tremblait. Quand il était de bonne humeur, son visage, quoique aussi séduisant que celui d'un acteur de cinéma, avait néanmoins un côté inquiétant, quelque chose d'intense et de sombre dans l'ensemble constitué par ses lèvres pleines, son front bombé et ses yeux profondément enfoncés dans les orbites. Le mince anneau en or qu'il portait dans la narine gauche n'arrangeait rien. Quand il était en colère, même un peu, il avait l'air dangereux. Comme en ce moment.

— C'est une blague, dit Clevenger. C'est *toi* qui es furax? Contre *toi-même* j'espère.

— J'emmerde cet endroit, dit Billy.

Il se leva et sortit de la réception.

Clevenger eut envie à la fois de le poursuivre et de le serrer dans ses bras, de le poursuivre et de le jeter sur le sol. Il se contint, sortit lentement de la réception et prit le couloir conduisant à la sortie. Il était apparemment toujours en quête de l'alchimie parfaite de sa réaction face à Billy – quelle quantité de réconfort et quelle quantité de fermeté. Il était difficile de déterminer s'il fallait, pour soigner les parties brisées de sa personnalité, y placer des attelles ou les baigner dans l'eau chaude. Il voulait bien faire, être un bon père, mais c'était dur, surtout parce qu'il n'avait pas vraiment eu de père.

L'apparence de Billy elle-même soulevait la question de savoir dans quelle mesure il fallait se montrer ferme avec lui. Tout d'abord ses dreadlocks. Elles avaient manifestement placé Billy à la limite de ce qui était acceptable, à Auden, en matière d'aspect extérieur. Mais Clevenger savait que le développement personnel de Billy avait été entravé pendant de nombreuses années. De sorte que le jour où il était rentré coiffé de cette façon, quelques mois auparavant, Clevenger y avait vu le signe, quoique soudain, d'une plus grande prise de conscience de soi de la part de Billy. Il s'était contenté de sourire et de lui dire la vérité :

– Je trouve ça cool.

Dans le cas de l'anneau dans la narine, Clevenger n'avait pas été moins honnête.

– Ce n'est pas mon truc, avait-il dit. Mais ce n'est pas moi qui le porte.

C'était ce qui comptait, n'est-ce pas ? Billy cherchait une identité. La sienne. Celle de personne d'autre.

Le tatouage que Billy s'était fait faire sur le dos était un peu plus inquiétant. Il avait été réalisé sur les cicatrices laissées par la cravache de son père. Un crâne et des tibias bleu foncé de dix centimètres de haut se trouvaient entre ses omoplates. Dessous, dans une écriture ornementée, se trouvait le titre de la chanson des Rolling Stones qu'il préférait : *Let it Bleed*.

Billy avait expliqué que le tatouage lui permettait de s'approprier ses cicatrices qui, ainsi transformées, lui rappelaient qu'il avait intérêt à laisser ses vraies émotions monter à la surface, à affronter sa souffrance au lieu de l'enterrer.

Comment discuter ?

Mais Clevenger se disait qu'il aurait peut-être dû discuter. Peut-être aurait-il dû se montrer sévère un peu plus souvent, même s'il était à la limite d'en faire trop. Parce que les choix de Billy vis-à-vis de lui-même tendaient de plus en plus vers les ténèbres.

Quand il arriva sur le parking d'Auden, Billy était appuyé contre le pare-chocs avant de son pick-up Ford F-150 noir. Il passa devant lui, gagna la portière du chauffeur.

— Je n'ai pas fait ce que dit Walsh, déclara Billy.

Clevenger s'immobilisa, la main sur la poignée de la portière. Il secoua la tête.

— Je ne l'ai pas fait, répéta Billy, plus énergiquement.

Clevenger se retourna et constata que Billy lui faisait face, le fixait par-dessus le capot. Son visage n'exprimait plus la fureur, mais l'indignation. Il semblait sincèrement insulté d'avoir été ainsi accusé. Mais c'était une partie du problème que posait Billy. L'adolescent, qui avait grandi avec un père capable de récompenser un aveu par une correction, mentait bien.

— Monte dans la voiture, dit Clevenger.

Il ouvrit la portière du chauffeur et s'installa au volant.

Les muscles de la mâchoire de Billy roulaient à nouveau. Il s'assit, garda le silence et regarda droit devant lui.

— On a trouvé un sachet de marijuana dans ton armoire, dit Clevenger. Pouvons-nous au moins nous mettre d'accord là-dessus ?

— Oui, répondit Billy, le regard toujours fixe.

— Mais le sachet ne t'appartient pas, dit Clevenger, prévoyant la défense de Billy. Quelqu'un te l'avait confié.

Billy se tourna vers Clevenger.

— Personne ne me l'avait confié.

— Alors quoi ?

— Est-ce que Walsh a…

— Monsieur Walsh, dit Clevenger.

Billy leva les yeux au ciel.

— Est-ce que *monsieur* Walsh a mentionné qui lui a conseillé de fouiller mon armoire ?

— Non. Mais ça ne…

— Tu ne lui as pas posé beaucoup de questions, coupa Billy. Tu t'es dit qu'on m'avait pris la main dans le sac. Point. Coupable de ce dont on l'accuse.

La façon dont Billy tentait de renverser la situation, de le contraindre à prendre place à la barre des témoins, déplut à Clevenger. Être accusé de ne pas prendre son parti, alors qu'il avait affronté tous les risques pour lui éviter de vieillir en prison, lui déplut davantage encore.

— Si tu as quelque chose à dire, commença Clevenger, dis-le. Sinon, je te prierai de renoncer aux conneries destinées à te justifier, pour qu'on puisse déterminer où tu pourras obtenir de l'aide en ce qui concerne la drogue – si tu en prends – et où tu termineras ta scolarité, si tu as l'intention de le faire.

— Scott Dillard, dit Billy d'un air satisfait.

— Scott Dillard, répéta Clevenger.

Dillard était le chef du trio qui s'en prenait à Billy.

— Scott Dillard t'a dénoncé, ajouta-t-il.

Billy acquiesça.

— Et alors? Il a la combinaison de ton armoire, c'est ça? Tu crois qu'il y a mis la drogue? Ne me prends pas pour un imbécile.

— Les combinaisons ne sont pas changées d'une année sur l'autre, expliqua Billy. L'élève qui a eu l'armoire avant moi a dû la lui donner.

Clevenger se dit que la conversation était caractéristique de Billy Bishop. Il proposait une explication plausible, quoique improbable, de la panade dans laquelle il se trouvait. C'était le type de défense susceptible de fonctionner devant un tribunal, la chute relative aux combinaisons des armoires exposée dans le style de Perry Mason, et c'était ce qui inquiétait le plus Clevenger. Billy semblait toujours compter sur le fameux bénéfice du doute.

— Je suppose que je ne peux pas établir avec certitude ce qui est arrivé, dit-il, mais…

— Je viens de t'expliquer ce qui est arrivé, protesta Billy.

— Ce que je sais avec certitude, c'est qu'on ne veut plus de toi à Auden.

— Je suis suspendu? demanda Billy. Pour combien de temps?

Clevenger se tourna vers lui. Walsh ne lui avait-il vraiment rien dit? Ou bien Billy était-il incapable d'entendre ce que Walsh avait à lui dire?

— Tu n'es pas suspendu, Billy. Tu es renvoyé.

Il n'assimila apparemment pas, si bien que Clevenger ajouta:

— Renvoyé définitivement.

– Expulsé, dit Billy.

Clevenger vit les yeux de Billy s'emplir de larmes. Et la partie de lui-même qui avait envie de le serrer dans ses bras grandit. Mais, malgré cette impulsion, il ne put éviter de se demander si les larmes de Billy étaient authentiques ou fabriquées. Avec ce gamin, on ne pouvait pas savoir. Il n'était pas seulement beau comme un acteur. C'était aussi un excellent comédien.

– Pourquoi, au moins, ne demandes-tu pas à monsieur Walsh si les combinaisons sont changées chaque année ? s'enquit Billy.

– De son point de vue, ça ne changera rien, répondit Clevenger. Sans les bagarres, peut-être… mais maintenant sa décision est prise.

– Et merde. J'en ai marre de cet endroit. De toute façon, je me fous de ce que croit Walsh. C'est ce que tu penses qui m'intéresse. Personne d'autre.

Cela revenait à flatter le public.

– Sûr, fit Clevenger. Je vois que tu essaies toujours de t'arranger pour que je sois fier de toi.

Il secoua la tête, démarra et sortit de sa place de parking en marche arrière. Quand il se tourna à nouveau vers Billy, il s'aperçut qu'il regardait droit devant lui et que des larmes silencieuses coulaient sur ses joues.

Clevenger remit le pick-up au point mort.

– Hé, fit-il.

Billy ne le regarda pas.

– Voilà ce que je pense, dit-il d'une voix calme.

Il attendit que Billy se soit tourné vers lui et reprit :

– Je suis avec toi jusqu'au bout du chemin. Pigé ? Rien de ce que tu peux faire ne parviendra à m'amener à te quitter. Rien. Ni te faire virer d'Auden ni vendre de l'herbe. Donc la seule différence entre me dire la vérité et mentir est que je ne pourrai pas t'apporter l'aide dont tu as besoin si je ne connais pas les faits. Je ne peux pas être un bon père sans les faits.

Billy acquiesça.

– Je vais poser une nouvelle fois la question, dit Clevenger, parce qu'il faut que nous connaissions tous les deux l'enjeu si nous voulons gagner la partie : vendais-tu de la drogue, oui ou non ?

– Non, répondit Billy.

– Tu en prenais ? demanda Clevenger.

– On peut faire une analyse immédiatement, dit Billy. Et, par la suite, quand tu voudras.

Clevenger regarda Billy dans les yeux, afin d'y percevoir la duplicité, mais le regard de Billy était aussi impénétrable que le poste qu'il occupait au sein de la défense de l'équipe d'Auden.

– O.K., dit Clevenger. Je donnerai des coups de téléphone demain matin et on verra si le lycée de Chelsea est une solution. Enfin, si tu veux que je le fasse.

– Oui, dit Billy. Je veux continuer d'aller à l'école.

– Bon. Et j'accepte ta proposition d'analyse pour rechercher les éventuelles traces de drogue. Une fois par semaine.

– Bien, dit Billy.

Clevenger engagea la transmission, sortit du parking.

– Je sais que tu n'es pas fier de moi, dit Billy.

Ces mots tranchèrent la dernière couche de l'amour dur de Clevenger, touchèrent la matière molle qui se trouvait dessous. Il tendit le bras, saisit la nuque de Billy dans la main.

– Ce n'est pas que je ne suis pas…

– Mais tu le seras, dit Billy. Tu verras. Même si ça n'a pas l'air d'en prendre le chemin. Tu le seras.

5

Clevenger avait repoussé d'une journée sa réunion avec le FBI afin d'installer Billy et de rendre visite à son ami Brian Coughlin, responsable des établissements scolaires de Chelsea. Sur la route de Quantico, dans la Crown Victoria que l'agent Kane Warner avait envoyée à son intention à National Airport, il se disait qu'il aurait dû carrément annuler et rester chez lui. Parce que, brusquement, laisser Billy seul à Chelsea lui semblait risqué. Et travailler avec le FBI impliquerait de le laisser beaucoup plus souvent seul.

Au moins, Coughlin ne les avait pas laissés tomber. Clevenger l'avait vu la veille au soir au Floramo, un restaurant proche du lycée de Chelsea, et ils avaient élaboré un projet permettant à Billy de reprendre les cours au début du quatrième trimestre, en avril. Afin qu'il ne traîne pas dans les rues en attendant, il avait persuadé Peter Fitzgerald, propriétaire d'un chantier naval voisin, de l'embaucher. Et pour qu'il ne se drogue pas, il lui avait pris deux rendez-vous par semaine à l'antenne de Chelsea du Massachusetts General Hospital.

Il jeta un coup d'œil sur la pendule du tableau de bord de la Crown Victoria : 8 h 26. Quantico n'était qu'à quelques kilomètres. Il se demanda si Billy était levé, se demanda s'il irait vraiment faire une analyse à 9 heures, comme ils en étaient convenus.

Il envisagea de téléphoner, afin de s'assurer que Billy était parti. Mais il se dit qu'il risquait de saper sa volonté s'il lui tenait ainsi la main.

La voiture ralentit quand elle franchit les portes de l'Académie du FBI, qui partageait un campus immense avec le corps des Marines et la DEA[1].

Le centre névralgique de l'Académie était un ensemble d'immeubles ordinaires reliés entre eux, qui évoquait une entreprise privé s'étant développée anarchiquement. Des recrues en survêtement bleu marine, l'insigne doré du FBI sur la poitrine, couraient sur la route qui conduisait jusqu'à lui. Il y avait des Marines armés de fusils d'assaut à tous les carrefours. Des pales d'hélicoptère fouettaient l'air. Une sensation palpable de détermination, de grandeur et de secret émanait de l'endroit.

Clevenger éprouvait deux sensations opposées. La première était la méfiance. Il ne faisait pas confiance aux institutions, même aux institutions chargées de faire respecter la loi, parce que leur taille et leur structure étouffaient parfois les trois choses qui, de son point de vue, comptaient le plus au monde : le courage, la créativité et la compassion. Telles étaient les qualités qu'on devait trouver en soi, explorant parfois son âme pendant des décennies avant d'y parvenir – si on y parvenait. L'appartenance à une organisation rendait cette quête plus difficile, pas plus facile. L'absence de courage, de créativité et de compassion est parfois partagée par le groupe, dont les membres peuvent alors échapper à la pleine mesure de la culpabilité qui devrait découler de la lâcheté et de la cruauté.

Mais Clevenger éprouvait aussi, à son corps défendant, une sorte de fierté. L'affaire Bishop l'avait rendu célèbre, mais ne lui avait pas apporté la reconnaissance des services chargés de faire respecter la loi. En réalité, il était davantage marginalisé, pas moins, en raison de la situation embarrassante où il avait placé la police de Nantucket et la police d'État du Massachusetts en prouvant l'innocence de Billy. À présent, le FBI lui demandait son aide. Le gouvernement fédéral s'adressait à Frank Clevenger, moitié d'une entreprise composée de deux hommes et basée à Chelsea, ville qui baignait dans les vapeurs de pétrole.

---

1. Drug Enforcement Administration : organisme fédéral de lutte contre le trafic de stupéfiants.

Accompagné d'une escorte, Clevenger franchit deux portes sécurisées, suivit un long couloir, franchit une troisième porte sécurisée et entra dans un ascenseur qui descendit six étages et le conduisit au Service des sciences du comportement. L'ascenseur s'ouvrit sur un couloir au parquet luisant, éclairé par des lustres en cuivre, dont les murs s'ornaient de portraits de notables du FBI dans des cadres dorés.

Un homme de haute taille, à l'abondante chevelure châtaine et ondulée, aux dents très blanches, avança jusqu'aux portes de l'ascenseur.

– Docteur Clevenger, dit-il d'une voix rauque qui parut moins sympathique encore qu'au téléphone. Je suis Kane Warner. Bienvenue à l'Académie.

Clevenger sortit de la cabine et serra la main de Warner.

– Vous avez fait bon voyage ? demanda Warner, qui s'efforça de ne pas montrer que la tenue de Clevenger – blue-jeans et pull à col ras du cou noir, comme toujours – le scandalisait.

– Pas de problème, répondit Clevenger.

Warner sourit, dévoilant ses dents éclatantes. Il était séduisant, avait un peu moins de quarante ans, des pommettes hautes, et respirait visiblement la santé – un Ken en costume gris foncé à fines rayures et cravate rouge. Sa chemise était aussi blanche que ses dents, impeccablement repassée et amidonnée.

– Tout le monde est dans la salle de conférences, dit-il.

Clevenger suivit Warner dans le couloir.

– Sacrées installations, dit-il.

– Cent cinquante-cinq hectares ? dit Warner, présentant son affirmation comme une question, ainsi qu'il l'avait fait au téléphone. Autonome. Une ville en soi. Salles de classe ? Dortoirs ? Réfectoire ? Bibliothèque ? Un auditorium de mille places ? Huit stands de tir ? Quatre ball-traps ? Une piste de deux kilomètres destinée aux cours de conduite dans les situations exceptionnelles. Hogan's Alley ? Tout est ici.

– Parlez-moi de Hogan's Alley, demanda Clevenger.

– Un décor urbain, répondit Warner, pour l'entraînement au sauvetage des otages, ce genre de chose ?

77

– Pratique, fit Clevenger.

– Très.

Il s'arrêta devant une porte à double battant et ajouta :

– J'espère que vous accepterez de vous joindre à nous.

Clevenger rendit à Warner son large sourire et garda le silence.

Dans la salle de conférences, deux femmes et trois hommes étaient installés autour d'une longue table en acajou ciré. Une carte informatique rétro-éclairée des États-Unis luisait sur le mur, treize points rouges indiquant les endroits où l'on avait découvert les corps des victimes du tueur des autoroutes. Warner s'assit à l'extrémité de la table et, de la tête, fit signe à Clevenger de prendre place près de lui.

– Commençons par les présentations, dit Warner. Je crois que tout le monde connaît le parcours du docteur Clevenger, ajouta-t-il à l'intention du groupe.

Il adressa un bref regard à Clevenger puis montra tour à tour, de la tête, les personnes réunies autour de la table.

– Dorothy Campbell, qui travaille au sein du système informatique nommé PROFILER ; Greg Martino, analyste au sein du VICAP, programme de recherche sur les crimes de sang, Bob White et John Silverstein, du Programme d'analyse des enquêtes criminelles ; le docteur Whitney McCormick, notre psychiatre expert ; et Ken Hiramatsu, notre légiste.

Quand Hiramatsu fut présenté, le regard de Clevenger était toujours posé sur Whitney McCormick. Elle n'avait pas plus de trente-cinq ans, était mince et très jolie, avait de longs cheveux blonds raides et des yeux marron profond. Elle semblait totalement détendue, complètement sûre d'elle-même, pourtant, face à son port de tête et à la façon dont elle le regarda, Clevenger perçut qu'elle n'avait pas abdiqué sa féminité, que les études médicales, la formation au sein du FBI ainsi que les horreurs qu'elle avait vues dans l'exercice de sa profession n'avaient pas entamé sa sensibilité et son intuition. C'était un exploit. Quand il se força à regarder Hiramatsu, l'image de McCormick demeura devant lui. Il était à ce point vulnérable à la beauté des femmes. Presque perméable. Ses responsabilités vis-à-vis de Billy étaient parvenues à maintenir les femmes hors de sa chambre, mais pas hors de son esprit.

– Heureux de faire votre connaissance, dit Clevenger, qui regarda brièvement toutes les personnes présentes dans les yeux, puis fixa McCormick pendant quelques secondes.

– Si nous commencions par une vue d'ensemble, Bob ? dit Kane Warner.

Bob White, grave, sombre, âgé d'une quarantaine d'années, se tourna vers la carte lumineuse sur le mur.

– Commençons par les statistiques, que vous connaissez sans doute, docteur Clevenger. Treize cadavres. Huit hommes. Cinq femmes. Tous découverts à une dizaine de mètres de l'autoroute, grossiè-rement enterrés ou gisant simplement sur le sol. Aucune tentative pour cacher leur identité.

Il se leva, ouvrit un dossier et en sortit une petite pile de photos. Il les disposa sur la table et énuméra les villes où les cadavres avaient été découverts :

– Carlhoun, Alabama ; Patterson, Idaho ; Bellevue, Iowa ; Brownsville, Kentucky ; Northfield, Maine…

Clevenger regarda le carnage. Treize cadavres aux membres dis-paraissant partiellement sous la terre, les feuilles, la neige, parfois simplement étendus sur le sol. Treize victimes. Il perçut leur terreur totale, la prise de conscience horrible de la fin prématurée de leur vie, du fait qu'ils allaient mourir sans avoir la possibilité de revoir ceux qu'ils aimaient, sans avoir l'occasion de dire au revoir, d'ex-primer des regrets ou de dire une dernière fois merci.

– Tous portaient leurs vêtements, certains étaient à plat ventre, d'autres sur le dos. Aucune structure[1] visible en ce qui concerne l'âge et le sexe. Aucune cohérence sur le plan des endroits d'où ils venaient ni de ceux où ils se rendaient. Tous ont été égorgés, mais pas avec la même arme. Certaines plaies ont été infligées à l'aide d'une lame courte, comme un couteau à moquette, d'autres à l'aide d'une lame longue telle qu'un canif ou un couteau à steak.

Il s'interrompit puis reprit :

---

1. Empruntant à l'anglais, le français technique du profilage emploie «*pat-tern*» pour désigner les caractéristiques du mode opératoire. «Structure» semble tout aussi clair.

– Le meurtrier ne semble pas méthodique. Il ne prépare rien. Il tue spontanément. Peu importe la victime. Et il ne traverse pas le pays, parce que la chronologie des meurtres le place au nord, au sud, à l'est et à l'ouest sans rime ni raison identifiables.

De la tête, il montra la photo qui se trouvait à l'extrême droite de Clevenger et ajouta :

– Il peut s'agir d'une femme.

De la tête, il montra celle qui se trouvait à l'extrême gauche :

– Il peut s'agir d'un adolescent de seize ans. Il peut s'agir d'un Noir ou d'un Blanc, d'un jeune ou…

Clevenger quitta la femme des yeux et regarda l'adolescent, ses yeux s'attardant sur le jeune homme de seize ans étendu sur la neige ensanglantée, vêtu d'une doudoune, de blue-jeans et de chaussures de sport montantes en daim vert. Ça peut finir comme ça, pensa-t-il. Même pour un fils bien-aimé de seize ans. Même pour quelqu'un comme Billy ou n'importe quel gamin assez bien élevé pour aider quelqu'un à charger un sac de courses dans une camionnette, assez gentil pour aider quelqu'un à faire démarrer une voiture en panne au milieu de la nuit, ou assez stupide pour entrer dans un parc après la tombée de la nuit afin d'acheter des joints, un sachet d'héroïne ou des CD pirates. Et puis, un jour, on reçoit un appel téléphonique d'un flic. Ton très grave. On se dit que son fils ou sa fille s'est peut-être fait pincer en excès de vitesse ou, pire, en état d'ivresse. On se prépare à la mauvaise nouvelle. On pense même, peut-être, à un avocat qu'on connaît ou à la punition qu'on infligera. Puis le flic commence par le signalement, essaie de ménager son interlocuteur, est gentil, pas furieux, si bien que, bizarrement, le cœur se serre. Quand votre fils ou votre fille est parti, portait-il ce type de veste et ce type de pantalon ? Et on garde peut-être un espoir quand il mentionne la veste – la doudoune bleue – et même le blue-jeans au bas effiloché. Parce qu'il pourrait s'agir de n'importe qui. Donc il pourrait s'agir d'une erreur. Chaque jour, en Amérique, des millions d'adolescents portent les mêmes vêtements en vue d'exprimer leur individualité. Mais on serre indiscutablement le combiné dans la main, on a reçu l'appel, pas des millions d'autres parents. Donc, il y a forcément autre chose, un événement capable de faire voler l'univers en éclats. Puis le flic mentionne les chaussures de sport montantes vertes. Les Nike vertes. Et on a le souffle coupé, et on a la tête entre les mains et on entend le bruit sec du combiné tombant sur le dallage. Et on regarde la pendule, peut-être parce qu'on a besoin de voir bouger la grande aiguille pour se persuader que tout ça est réel. Puis on comprend que ça l'est. Et on comprend qu'on n'oubliera jamais 16 h 24, qu'on redoutera le début de la soirée jusqu'à la fin de ses jours et que rien, absolument rien, ne sera plus comme avant. Parce que la mort – le diable en personne, le fléau de l'univers – a franchi la porte.

– Totalement au hasard, conclut White.

– Je vois, fit Clevenger.

– L'absence d'indices de lutte, dit Ken Hiramatsu, Asiatique qui semblait avoir un peu plus de trente ans, est une constante. Relativement peu de traces de coups. Très peu de vêtements déchirés. Pas de corde. Pas de papier collant. Les victimes se sentent en sécurité avec l'homme qui les tue. Elles le laissent venir tout près d'elles.

– Il les drogue ? demanda Clevenger.

– Rien dans les analyses toxicologiques, dit Hiramatsu.

– Il les séduit, plus probablement, dit Whitney McCormick, les yeux fixés sur Clevenger.

Sa voix, elle aussi, séduisait, associait une douceur enfantine à un niveau désarmant d'assurance.

– Pas nécessairement dans une perspective amoureuse. Même si je suis prête à parier qu'il est beau. Attirant, en tout cas. Joli visage. Voix agréable. Bien coiffé. Le tout peut-être d'une façon légèrement exagérée. Bien habillé. Mais l'essentiel est qu'il est rassurant. Un charmeur. Il arrive à séduire ses victimes à tel point qu'elles ne parviennent pas à croire qu'il les tue. Elles sont si ébahies par ce qui se passe qu'elles ne se débattent pas tellement.

– Et il n'a pas de relations sexuelles avec elles, hasarda Clevenger.

– Non, dit White, qui adressa un bref regard à Hiramatsu.

– On n'a pas trouvé de sperme, dit le légiste. Il ne laisse aucun liquide corporel sur ou dans ses victimes, mais il leur en prend.

– À savoir ? demanda Clevenger.

– Sur tous les cadavres, on a trouvé une trace de phlébotomie, dit Hiramatsu. Un petit hématome et une piqûre, au creux du coude, caractéristiques d'une aiguille de seringue hypodermique.

Bob White posa trois autres photos sur la table. Toutes montraient le creux du coude d'une victime.

– Il prélève un échantillon de sang? demanda Clevenger.

– Exactement, répondit Hiramatsu, ou bien il leur injecte quelque chose que nous ne parvenons pas à détecter.

– Et l'intraveineuse est exécutée avec compétence? s'enquit Clevenger.

– Dans la plupart des cas, il réussit dès la première tentative, répondit Hiramatsu.

– Nous sommes sur le même axe de réflexion, dit White à Clevenger. Il pourrait s'agir de quelqu'un qui travaille dans un hôpital. D'un infirmier. Même d'un médecin.

– Il ne prend rien d'autre, à notre connaissance, intervint Greg Martino, l'analyste du VICAP. Seulement du sang. Il ne vole ni les sacs à main ni les portefeuilles. Rien ne permet d'affirmer qu'il s'empare d'une mèche de cheveux ou de bijoux.

– Le sang les maintient près de lui, dit Clevenger.

– Il vient très près et reste très près, dit McCormick. On en arrive forcément à penser à l'abandon. Ce type est-il orphelin? Son père, sa mère ou un ami d'enfance sont-ils morts prématurément?

Clevenger songea une nouvelle fois à Billy. Sa sœur avait été tuée, son père condamné à la prison à vie. Quel rôle ces disparitions finiraient-elles par jouer dans sa vie? Il secoua la tête, chassant la question de son esprit.

– Ou bien c'est lui? fit-il.

– Lui qui quoi? demanda McCormick.

– Qui est mort, répondit Clevenger, qui se tourna vers elle. Est-ce que quelque chose l'a amené à se considérer comme mort? C'est peut-être ce à quoi il veut assister... la raison pour laquelle il faut qu'il commence par se rapprocher de ses victimes. Elles lui permettent peut-être de ne pas regarder les parties mortes de lui-même.

– Sévices sexuels? demanda Kane Warner, assis en bout de table.

— Possible, admit Clevenger. Mais l'absence de viols sexuels va à l'encontre de cette théorie.

— La pénétration de l'aiguille peut être considérée comme un équivalent sexuel, fit remarquer McCormick.

C'était un raisonnement psychologique très élaboré et Clevenger comprit que McCormick n'était pas un poids léger.

— Possible, dit-il. Indiscutablement. Mais il me semble clair qu'il recherche le réconfort, pas la stimulation. L'intimité, pas l'excitation. Il ne cherche pas à exercer un pouvoir. C'est une chose à laquelle il est poussé. Il n'est pas animé d'une fureur dévastatrice. Il ne cherche ni à mutiler ni à défigurer. Il tue avec un minimum de violence. Une plaie unique. Il prend le temps d'enterrer ses victimes, quand il le peut, moins pour cacher les indices que parce qu'il se sent coupable vis-à-vis d'elles, et probablement coupable face à ce qu'il a fait. Mais il ne prendra aucun risque seulement pour être un type bien. Il est calme et lucide, même après avoir tué. Quand il est trop dangereux de prendre le temps d'enterrer le corps, il le laisse tel quel. Il ne veut pas qu'on l'arrête.

— Ils le veulent tous, dit Kane Warner. Au fond.

Clevenger n'était pas d'accord, mais garda le silence. Des tas de meurtriers seraient heureux de pouvoir tuer indéfiniment. Ils ne voulaient pas qu'on les arrête. Cependant ils voulaient qu'on les connaisse. C'était apparemment ce qui les faisait toujours trébucher. Ce bon vieil ego. Un meurtrier acceptant de rester anonyme pourrait probablement réussir.

Warner adressa un signe de tête à Dorothy Campbell, intellectuelle d'une cinquantaine d'années qui dirigeait le PROFILER, banque de données contenant des millions d'informations sur les tueurs en série, y compris les structures comportementales et les situations géographiques de criminels connus.

— De toute évidence, selon les probabilités statistiques, il s'agit d'un homme, dit-elle. Intelligence supérieure à la moyenne. Études universitaires probables. Peut-être plus. Il est extrêmement compétent sur le plan des relations sociales – agréable – mais c'est, au fond, un solitaire. C'est davantage un voyageur qu'un vagabond, quelqu'un qui tient absolument à se déplacer, du fait que les autoroutes sont son terrain de chasse. Et il ne tue pas dans les banlieues de Manhattan ou de L. A. Il n'aime pas les grandes villes. Il ne peut pas y rester assez anonyme. Il préfère les montagnes du Vermont, un parc naturel dans le Kentucky rural, les plaines de l'Iowa. Il a besoin d'espace. Il aime la vie au grand air… un chasseur, un randonneur ou un campeur.

Elle se tourna vers la carte, puis vers Clevenger, et reprit :

– Ce qui est incompréhensible, c'est qu'il brouille la limite entre les meurtriers organisés et les meurtriers désorganisés.

– Il ne la brouille pas, dit Bob White. Il la fait voler en éclats.

Clevenger connaissait la distinction à laquelle Campbell et White faisaient allusion. Les «tueurs en série organisés» projettent des meurtres, prennent des inconnus pour cible, exigent la soumission des victimes, les ligotent avant de les tuer d'une façon particulièrement horrible. Les «tueurs en série désorganisés», en revanche, frappent beaucoup plus spontanément, s'en prennent à des gens qu'ils connaissent, leur parlent peu, ne les ligotent pas, ont parfois des relations sexuelles avec le cadavre de la victime, laissent généralement l'arme sur les lieux du crime.

– Celui-ci, dit Campbell, ne semble pas projeter ses meurtres, mais parvient à établir une relation avec ses victimes… ou se comporte comme s'il partageait une sorte d'intimité avec elle.

– Il a été détruit, ajouta Clevenger. Il sait ce qu'elles ont subi. Il ressent leur souffrance.

Cette phrase amena Clevenger à penser à Jésus-Christ et il poursuivit :

– Il se considère probablement comme croyant, ou en contact avec Dieu, certainement pas avec le diable. Il est possible qu'il croie accomplir l'œuvre de Dieu.

McCormick acquiesça.

– Il laisse pratiquement les corps de ses victimes sur place, dit Campbell, comme si ce qu'il vient de faire l'horrifiait. Pourtant, il veut un souvenir d'elles. C'est une contradiction de plus.

– La seule chose qui semble claire comme de l'eau de roche, dit Kane Warner à Clevenger, est que les paradigmes que nous avons élaborés ne fournissent pas une image nette de ce type. Je propose donc que Whitney vous transmette toutes les informations dont nous disposons pendant les deux jours à venir et que vous vous joigniez à l'équipe, sous ma responsabilité directe. Il serait probablement préférable que vous restiez à la base pour le moment ?

C'était ce qu'on appelle être mis au pied du mur. Et le ton de Warner rappela à Clevenger un des avertissements de North Anderson. Le FBI ne le laisserait pas conduire l'enquête à sa guise. Warner voulait tenir Clevenger en laisse. C'était ce que signifiait *sous ma responsabilité directe*, sans parler de la nécessité de dormir dans un dortoir du FBI. Le moment de montrer qu'il ne se laissait pas marcher sur les pieds était venu.

— Vous m'avez fait cette proposition par téléphone il y a deux jours, dit Clevenger. Sauf pour le gîte et le couvert. Mais je ne suis pas convaincu que vous soyez prêt à arrêter ce type.

— Pardon ? fit Warner sans se départir de son sourire de politicien.

— Vous avez cette jolie petite carte et tout, et l'équipe a effectué un travail formidable au labo et grâce aux ordinateurs. Il est probable que Whitney a mis dans le mille en ce qui concerne certaines caractéristiques psychologiques du tueur. Mais vous restez à distance. Et c'est le genre de type qu'on devrait pouvoir toucher... si on en a le courage.

— Soyez plus explicite, docteur, dit Warner.

— Le tueur établit une relation avec ses victimes avant de les tuer, dit Clevenger en regardant les gens installés autour de la table. Il les amène à croire qu'il a de l'affection pour elles. Et tel est probablement le cas ou, du moins, c'est ce qu'il croit. Son problème est qu'il ne supporte l'intimité qu'à petites doses. C'est pourquoi il est obligé de se déplacer sans cesse. Pas de relations prolongées. Ce qui le fait beaucoup souffrir, comme cela ferait souffrir n'importe qui.

— On veut toujours ce qu'on ne peut pas avoir, fit remarquer McCormick.

Clevenger la regarda.

— Toujours, dit-il.

Puis il se tourna lentement vers Kane Warner et poursuivit :

— Le moyen d'amener ce type à commettre des erreurs, de le faire trébucher psychologiquement, consiste à le confronter à ses victimes. Faites sortir leurs proches de l'ombre. Montrez, dans les journaux télévisés, des photos d'elles lorsqu'elles étaient enfants. Réunissez les familles tous les mois. Arrangez-vous pour qu'on parle de ces réunions. Notre homme, dans ce cas, est exclu. Il est à l'extérieur et il en souffre. Il a treize échantillons de sang, mais les gens qu'il voit à la télévision ont beaucoup plus. Des photos, des souvenirs, des larmes sincères. Et ils sont ensemble. Son besoin de proximité – la proximité telle qu'il la conçoit – augmentera. Son désir grandira et il commettra des erreurs. Peut-être éprouvera-t-il le besoin de retourner sur les lieux de ses crimes. Peut-être téléphonera-t-il à une mère ou à un frère en deuil. Peut-être même se laissera-t-il arrêter, ne serait-ce que pour voir sa famille étendue, pour se trouver dans la même salle d'audience que les proches de ses victimes.

— Intéressant, fit Warner sans vraie conviction.

— Je crois que le docteur Clevenger a raison, dit McCormick à Warner. C'est presque comme si ce type savait si bien maintenir les gens à distance qu'il parvient à nous maintenir à distance. Il faut qu'on le fasse réagir.

Dorothy Campbell acquiesça.

— Je dis depuis des mois qu'on devrait attaquer carrément ce monstre, intervint John Silverstein, du Programme d'analyse des enquêtes criminelles, qui prit la parole pour la première fois. Il n'y a dans son cas aucune des structures habituelles permettant de déduire qui c'est, d'où il vient, où il risque de tuer à nouveau. Il faut l'obliger à se découvrir.

— Mais ça risque d'être dangereux, dit Bob White. Que se passera-t-il si on accentue son besoin de tuer et qu'il ne commet pas d'erreur ? Ce type est capable d'attendre entre les meurtres. Treize cadavres en trois ans. S'il augmente son rythme de cent pour cent, il pourra toujours choisir ses endroits.

Warner acquiesça.

— C'est possible, dit Clevenger à White. Ensuite, il faut augmenter la pression psychologique. Il faut que vous acceptiez d'accélérer sa violence jusqu'au moment où il craquera. Ça ne sera pas joli. Mais c'est le prix à payer pour l'empêcher de nuire.

On frappa à la porte, qui s'ouvrit. Une femme d'une vingtaine d'années resta immobile sur le seuil, les yeux fixés sur Kane Warner.

Warner se leva et la rejoignit. La femme lui dit quelque chose à voix basse. Warner poussa un long soupir et secoua la tête. Puis il pivota sur lui-même et ferma la porte.

– Le numéro quatorze, annonça-t-il. Dans un étang, à vingt mètres de la Route 7, dans l'Utah. Un handicapé... dans son fauteuil roulant.

L'ambiance, dans la pièce, se fit lourde.

Clevenger se tourna vers Whitney McCormick, qui échangea avec lui un regard qui lui rappela les moments où, à l'université de médecine, il se tenait aux côtés d'une infirmière près du lit d'un patient sur le point de mourir, avec la sensation que la proximité de la mort avait soudain aboli les frontières qui les séparaient habituellement. Et ce bref regard de McCormick le persuada presque de s'engager sur-le-champ à prendre part à l'enquête. Il recelait une invitation à laisser sa vie personnelle et sa vie professionnelle n'en faire qu'une, à laisser son besoin de vivre pleinement, d'aimer pleinement et d'être aimé complètement s'exprimer de la seule façon dont ils parvenaient à le faire : la traque d'un tueur.

– Selon le légiste local, le cadavre a au moins trois mois, poursuivit Warner. Les restes ont été envoyés ici.

Il se tourna vers Clevenger et son masque de politicien disparut soudain.

– Il faut que vous sachiez, reprit-il sans la moindre intonation interrogative dans la voix, que cette affaire m'obsède. Vous ne pouvez pas imaginer à quel point je veux coffrer ce type.

Le masque réapparut tout aussi soudainement et Warner conclut :

– Profitons du reste de la journée pour vous donner toutes les informations dont vous avez besoin pour décider ou non de vous joindre à nous.

Quand Kane Warner accompagna Clevenger à la porte de l'Académie, où une nouvelle voiture noire l'attendait, Clevenger avait en tête l'ébauche d'un profil du tueur des autoroutes. Il avait passé plus de deux heures dans la salle de conférences, où il avait réuni des indications supplémentaires sur les lieux des crimes et insisté pour que tous les participants lui donnent leur sentiment profond sur l'affaire.

Il croyait effectivement que le tueur était probablement un homme, non seulement à cause des statistiques, mais aussi en raison de la force avec laquelle les lames avaient tranché les carotides et le tissu fibreux de la trachée des victimes. Il avait sans doute au moins quarante ans car il était difficile d'imaginer un individu plus jeune possédant la compétence sociale et la prestance qui amenaient ses victimes à se sentir en sécurité auprès de lui. Il était séduisant, mais pas particulièrement sensuel, si bien que les femmes ne le considéraient pas comme une menace. Compte tenu de son aptitude à utiliser une seringue, il avait fréquenté les hôpitaux, les organismes de secourisme ou les banques du sang. Et il était probablement fils unique car son besoin de proximité – de «parents par le sang» – était si extrême qu'il était difficile d'imaginer son développement en présence d'un frère ou d'une sœur. La théorie de McCormick, selon laquelle il était orphelin ou avait été abandonné, était vraisemblablement juste.

Ce profil ne comportait aucune certitude, et était de toute façon schématique, mais Clevenger était sûr d'une chose : il faudrait examiner d'autres cadavres et étudier d'autres lieux du crime. Le tueur avait besoin de continuer de tuer. C'était devenu une drogue.

Tandis que la voiture regagnait National Airport, Clevenger pensa une nouvelle fois aux treize photos que Bob White avait disposées sur la table de la salle de conférences du Service des sciences du comportement. Treize vies. Et il y avait maintenant quatorze cadavres, sans qu'il soit possible de savoir combien d'autres on découvrirait.

Une haine familière s'empara de lui. Une antipathie. Parce que, pour Clevenger, la fin de la vie était l'ennemi. Il méprisait la mort, quelle que soit la forme que prenne ce monstre – cancer, vieillesse ou meurtre. Il avait simplement choisi le type de mort qu'il pouvait court-circuiter grâce à ce qu'il savait et à son mode de réflexion. Et si on disait parfois qu'il allait trop loin dans le cadre de son travail, on ne comprenait pas, voilà tout. Une enquête était une guerre. On fixait la mort dans les yeux et il fallait être prêt à tout miser si la mort faisait monter les enchères, même à se sacrifier, en cas de besoin, pour mettre un terme au carnage.

La voiture le déposa devant le terminal d'US Air. Les deux premières navettes à destination de Boston furent annulées, parce que Logan était dans le brouillard, si bien qu'il arriva à 17 h 15. Il alla chercher son pick-up au parking, puis appela le labo de Mass General sur son mobile.

– Docteur Frank Clevenger à l'appareil, dit-il à la femme qui décrocha. Je voudrais le résultat de l'analyse toxicologique de Billy Bishop.

– Date de naissance ?

– 11 décembre 1987.

– Un instant, docteur.

– Je vous en prie, faites qu'il soit négatif, souffla Clevenger.

Il ne croyait pas, bien entendu, que la marijuana soit la fin du monde. Et pas davantage que pratiquement tous les adolescents de seize ans ne fumaient pas un joint de temps en temps. Mais s'il y en avait des traces dans le sang de Billy, Billy lui avait carrément menti... Il fumait et, probablement, vendait aussi. Et cela signifiait que sa personnalité n'était en rien sur la voie de la guérison.

Une minute passa. Clevenger eut l'impression qu'elle en dura dix.

– Allô ? insista-t-il.

– Une seconde, dit la femme. Mon ordinateur... ah, voilà. Non. Nous n'avons rien.

– Il n'est pas venu ? demanda Clevenger.

– Apparemment pas, répondit-elle.

– Le résultat pourrait-il être enregistré ailleurs ?

– S'il avait subi une analyse toxicologique, elle serait dans l'ordinateur, même si le résultat n'était pas arrivé.

– Bon, je vous remercie, dit Clevenger, en proie à l'étrange cocktail de colère, de frustration et de tristesse que seul Billy Bishop pouvait susciter en lui.

– De rien.

Elle raccrocha.

Clevenger appela son loft, n'obtint pas de réponse. Il appela le mobile de Billy, obtint son message sec : « Vous savez quoi faire », puis le bip. Il raccrocha, appela une deuxième fois le mobile, obtint à nouveau le message.

— Emmerdeur, dit-il en raccrochant.

Il lança l'appareil sur le siège du passager et prit le chemin de chez lui.

6

Dans sa chambre du loft de Clevenger, assis sur le banc d'haltérophilie qu'il y avait installé, les Doors à fond, Billy Bishop regardait, par la baie vitrée, les gratte-ciel de Boston qui miroitaient
au-delà du chantier naval Fitzgerald.

La pièce était vide hormis le banc d'haltérophilie, un bureau tout
simple, son lit et les éléments d'une stéréo qui, empilés contre un
mur, étaient reliés entre eux par un enchevêtrement de fils. Les murs
étaient couverts d'affiches de groupes de rock : Puddle of Mud,
Pearl Jam et les Grateful Dead.

Il était parvenu à soulever six fois quatre-vingt-dix kilos. Son
corps était à la limite de la rupture et ses pensées se succédaient à
toute vitesse.

Il était très satisfait de lui-même. Il était allé au chantier naval,
avait vu Peter Fitzgerald et obtenu de commencer à travailler le
lendemain. Évidemment, c'était un service rendu à Clevenger mais,
au moins, il n'avait pas tout gâché. Il avait conclu le marché. Et
c'était forcément quelque chose, hein ? C'était, en plus, vachement
cool. Il apprendrait à réparer les moteurs des remorqueurs. Il traî-
nerait avec leurs capitaines. Et il toucherait dix dollars de l'heure
au début, ce qui était des clopinettes mais beaucoup mieux que le
bénévolat. Walsh et sa secrétaire guindée, Scott Dillard et le reste
d'Auden – ils pouvaient aller se faire foutre, cette putain de bande
d'hypocrites.

Dillard et ses potes, qui se prenaient pour des durs, n'aimaient
pas se faire casser la gueule, voilà tout. Il n'y avait rien à ajouter à
ça et c'était marrant, parce qu'ils avaient cherché la bagarre les

deux fois – Dillard racontant toutes sortes de conneries sur la coiffure de Billy et l'anneau qu'il portait dans le nez, ses potes se disant qu'ils allaient venger la raclée qu'il avait reçue.

Billy pensait qu'on ne commence pas quelque chose qu'on ne peut pas terminer. Si on le fait, on ferme sa gueule et on en accepte les conséquences.

Pas Dillard et compagnie. Ils avaient cafardé.

Il se leva, gagna le miroir qui se trouvait au-dessus de son bureau. Il était claqué. Son torse évoquait une armure de gladiateur: pectoraux parfaitement définis, abdomen comme un pack de six boîtes de bière, pas un gramme de graisse. Il fléchit les bras, regarda ses biceps gonflés, aussi durs que la pierre.

C'étaient des hypocrites, voilà tout. Et dire que Dillard était allé raconter qu'il y avait de la marijuana dans son placard, alors que Dillard était un de ses meilleurs clients! Ce fumier en fumait vingt-cinq grammes par mois jusqu'au moment où il avait décidé de se moquer des dreadlocks de Billy... en blaguant, au début, puis il était allé trop loin et l'avait harcelé. *Tu viens de la Jamaïque, mec? T'arrives de ton île, mec?* Donc Billy avait cessé de le fournir. Complètement. Plus un seul joint. Ne crache pas dans la main qui te nourrit.

C'était pour cette raison que Dillard avait cherché la bagarre: il voulait absolument avoir de quoi fumer et ne pouvait l'obtenir.

Billy se pencha vers le miroir et examina l'anneau qu'il portait dans le nez, s'assura que le piercing cicatrisait. Puis il recula et s'assit sur le banc d'haltérophilie. Il croisa les doigts sur sa nuque, fit pivoter ses épaules de gauche à droite, détendit ses muscles avant la séance suivante.

De toute façon, jamais Walsh n'aurait dû le renvoyer à cause d'un peu d'herbe. Pouvait-on sérieusement croire que le surveillant général ne s'offrait pas deux ou trois martinis, le soir, quand il rejoignait chez lui sa femme d'un mètre cinquante, aux grosses jambes et au rouge à lèvres rouge vif? En quoi était-ce différent d'un joint? Ou d'une ligne? À ceci près que l'État prenait sa part sur ce que rapportait l'alcool. En plus, l'alcool pouvait détruire le foie ou provoquer des accidents de la circulation, alors que l'herbe et un peu de coke de temps en temps ne faisaient pas de mal.

Il s'allongea sur le banc, saisit la barre posée au-dessus de lui. Il avait ajouté cinq kilos de chaque côté, si bien qu'il était parvenu à cent kilos tout juste. Il prit une profonde inspiration et dégagea la barre de son support. Il l'abaissa jusqu'au moment où elle toucha sa poitrine. Puis il chassa tout l'air contenu dans ses poumons et la hissa à bout de bras. Sans problème. Il exécuta le mouvement une deuxième fois puis, péniblement, une troisième. À la quatrième, ses pectoraux tremblèrent en raison de l'effort accompli pour ralentir la descente de la barre. Il eut l'impression que ses bras allaient céder. Mais il chercha des ressources au plus profond de lui-même et imagina que la barre *voulait* monter, que la pesanteur s'inversait, qu'il lui suffisait de profiter d'elle. Il ferma les yeux, tendit le cou et poussa de toutes ses forces, serra les dents tandis qu'il hissait la barre, la maintenait immobile, à bout de bras, pendant une fraction de seconde, puis la laissait brutalement tomber sur ses supports métalliques.

— Bien ! cria Clevenger, pour couvrir la musique, sur le seuil de la pièce.

Billy s'assit, respirant comme un soufflet de forge, trempé de sueur.

Clevenger montra la stéréo de la tête.

— Tu veux bien baisser ça ?

Billy alla diminuer le volume.

— Tu aurais pu me faire tout rater, dit-il en se retournant vers Clevenger. J'ai failli lâcher.

— Absolument pas, dit Clevenger, qui entra dans la pièce. Aucun risque.

— Cent kilos, dit Billy. Quatre fois.

— Un nouveau record, constata Clevenger. Félicitations.

Il montra le téléphone mobile de Billy, posé sur le plancher près du banc.

— J'ai essayé de t'appeler en revenant de l'aéroport.

— Je n'ai pas entendu, mentit Billy.

Clevenger acquiesça.

— J'ai vu Peter Fitzgerald aujourd'hui, dit Billy. Je commence demain.

— Bien, répondit Clevenger sur un ton neutre.

— Dix dollars de l'heure, dit Billy, exagérant l'enthousiasme qui transparut dans sa voix dans l'espoir que l'énergie entraînerait la conversation au-delà d'une allusion à l'analyse toxicologique. Et les types qui barrent les remorqueurs sont en fait…

— Parle-moi de l'analyse, coupa Clevenger.

— Je n'ai pas pu y aller, répondit machinalement Billy.

Il prit son tee-shirt.

— J'irai demain, reprit-il en l'enfilant. À la première heure.

— Comment ça, tu n'as pas pu y aller?

— Quand j'ai quitté le chantier naval, il était quatre heures et demie et j'avais promis à Casey, la fille dont j'ai fait la connaissance, de lui téléphoner, et ça a duré jusqu'à cinq heures et quart, cinq heures et demie, et ensuite il faisait nuit, donc je me suis dit que je pouvais aussi bien attendre.

— Pourquoi n'as-tu pas fait faire l'analyse avant d'aller au chantier naval, comme convenu? demanda Clevenger.

— Un million de choses à faire, répondit Billy.

— Un million…

— Franchement? J'ai dormi jusqu'à midi, puis je suis allé courir, plus ou moins pour m'éclaircir les idées, j'ai déjeuné et le reste. Ensuite, je me suis dit qu'il y aurait la foule à la clinique, que je risquais de manquer mon rendez-vous avec Peter. Tu comprends? Mais je peux le faire demain matin sans problème.

Clevenger connaissait bien les drogués – y compris lui-même – et savait qu'ils tentent toujours de retarder le moment de livrer leurs fluides corporels, de gagner du temps pour permettre à leur corps d'éliminer les toxines, à leurs reins et à leur foie d'effacer la vérité.

— Pourquoi pas maintenant? demanda-t-il. On pourrait passer au labo de mon pote Brian Strasnick, à Lynn. Au centre hospitalier de Willow Street. Il y passe la moitié de la nuit.

— J'ai dit à Casey que je la verrai, répondit Billy.

— Tu la verras après, dit Clevenger, tentant de garder le contrôle de la situation.

Billy sourit, secoua la tête.

— Ça va sûrement pas lui…

— J'en ai rien à foutre, s'emporta Clevenger. On avait décidé que tu irais faire une analyse à Mass General et que tu irais ensuite au chantier naval. Et tu m'as laissé tomber. Donc, maintenant, tu vas venir à Lynn avec moi.

— Parce que tu n'as pas confiance en moi, dit Billy, feignant d'être vexé.

— Parce que tu n'as pas rempli ta part du marché, dit Clevenger.

Billy secoua la tête. *Et merde*, pensa-t-il. La machine de ce Strasnick était peut-être détraquée. Peut-être aurait-il l'occasion de verser de l'eau dans son urine et de diluer les métabolites dus à la drogue de telle façon qu'il serait impossible de les détecter. Si ça ne marchait pas, il pourrait toujours passer une soirée de plus avec Casey avant que Clevenger ait le résultat de l'analyse.

— Bien, dit-il. Allons-y.

— Comment ça s'est passé à Quantico ? demanda Billy dès qu'ils furent installés dans le pick-up de Clevenger.

— Je crois que ça s'est très bien passé, répondit Clevenger.

Il espéra que Billy n'insisterait pas, et ce pour deux raisons. Premièrement, il était trop furieux pour bavarder. Deuxièmement, et surtout, il fallait qu'il maintienne Billy aussi loin que possible de son travail, qu'il évite de l'exposer continuellement aux ténèbres.

— Sur quelle affaire ils veulent que tu travailles ?

— Une affaire de meurtre.

— Le tueur des autoroutes ? demanda Billy avec enthousiasme. Ça te plairait ?

— On m'a demandé de ne pas parler de la réunion, répondit Clevenger.

Du coin de l'œil, il vit la déception de Billy, mais ajouta :

— À personne.

— C'est ça, fit Billy.

— C'est ce qu'ils veulent.

— Mais tu leur as dit que tu ne caches rien à North.

Clevenger comprit que Billy cherchait à assurer sa place. Une partie de Billy voulait ne rien avoir à faire avec Clevenger et une autre partie voulait être aussi proche que possible de lui. Plus proche que tous les autres. Et si Billy avait fait l'analyse toxicologique, peut-être Clevenger lui aurait-il partiellement raconté la réunion. Rien de vraiment horrible. Rien de secret. Simplement de quoi lui faire comprendre qu'il le mettait dans la confidence. Mais, compte tenu des circonstances, ce n'était pas le message qui convenait. Il fallait que Billy apprenne que la confiance se gagne.

– North ne m'a jamais laissé tomber, dit-il simplement.

Billy se tourna vers la vitre de sa portière.

Ils roulèrent en silence pendant les quelques minutes qui suivirent, sur la Route 16, et traversèrent Revere, Clevenger se demandant à quoi pensait Billy, se disant qu'il ne songeait sûrement pas à l'analyse mais se demandait s'il en aurait terminé à temps pour prendre le train à Lynn et rejoindre sa petite amie au centre commercial de North Shore, à Peabody, rendez-vous qu'il avait pris avant de quitter le loft. Peut-être se demandait-il si Tower Records aurait le CD qu'il voulait ou s'il avait de quoi payer une chambre au Motel 6 proche du centre commercial.

Mais Billy ne pensait pas à cela. Pendant ces deux minutes de silence, les yeux rivés sur la vitre, il se demanda quel effet cela ferait d'ouvrir la portière et de sauter hors du pick-up. Il imagina qu'il éprouverait un mélange détonant de panique et de plaisir juste avant de toucher la chaussée, l'essentiel de ce plaisir provenant de l'horreur que Clevenger éprouverait. Il entendit le hurlement des freins tandis que Clevenger déraperait sur le bas-côté, le bruit de ses pas tandis qu'il courrait en direction de Billy qui serait à plat ventre, ensanglanté, sur la chaussée. Et même si Billy n'aurait pas pu expliquer complètement la satisfaction qu'il éprouverait quand il tournerait la tête, verrait le chagrin et la panique sur le visage de Clevenger, il comprenait qu'elle serait liée au fait que Clevenger n'était pas prêt à lui faire autant de mal qu'il était lui-même prêt à s'en faire. C'était son dernier recours, son as dans la manche, même s'il ne savait pas à quoi ils jouaient, Clevenger et lui, même s'il ne comprenait pas que le contrôle que Clevenger exerçait sur lui-même était de l'amour et que c'était justement ça qu'il se refusait à lui-même.

Billy Bishop adorait son physique et sa chevelure, le petit anneau qu'il portait dans le nez, les lettres bleu-vert, le crâne et les tibias tatoués sur son dos. Il se glorifiait de savoir se battre, d'être un joueur de football formidable, d'attirer les jolies filles comme un aimant. Mais sa vanité n'était qu'un moyen de défense face à ce qu'il éprouvait à l'intérieur – laid, pourri jusqu'à l'os, méritant tous les coups qu'il avait reçus et tous ceux qu'il recevrait. Comme presque tous les enfants maltraités, il avait, au plus profond de son âme, accordé le bénéfice du doute à la personne qui le maltraitait, à l'homme à la cravache.

Pourtant, Billy ne se retrouva pas sur la chaussée. Quand les deux minutes de silence arrivèrent à leur terme, il changea brusquement de direction. Il se tourna vers Clevenger.

— Cette analyse est inutile, dit-il.

— On la fait, répondit Clevenger.

— Je peux te dire ce qu'elle donnera.

Clevenger adressa un bref regard à Billy et constata qu'il était sérieux. Il entra sur le parking d'un Dunkin'Donuts, gara le pick-up.

— D'accord. Qu'est-ce qu'elle donnera ?

— Marijuana, répondit Billy, qui résista à l'envie de sourire. J'ai fumé les deux ou trois joints que je n'avais pas pu vendre à l'école.

Le cœur de Clevenger se serra. Pendant quelques secondes, il se sentit totalement impuissant, ridicule parce qu'il tentait d'agir comme un père vis-à-vis d'un adolescent alors que personne ne l'avait fait vis-à-vis de lui. Et, de toute façon, qui tentait-il de sauver ? Billy ? Lui-même ? Pourquoi ne pas reconnaître, tout simplement, que leur relation ne conduisait à rien, que c'était l'aveugle guidant l'aveugle ?

— Est-ce que tu fumais… ?

— Elle ne donnera pas que ça, coupa Billy.

Clevenger soupira, se demanda quelle serait la suite.

— Marijuana…, poursuivit Billy, qui s'aperçut, avec une sorte de satisfaction perverse, que le mot blessait une nouvelle fois Clevenger. Cocaïne… et stéroïdes.

Le ton de Billy indiqua à Clevenger que Billy avait eu l'intention de le blesser, qu'il tentait de l'entraîner dans le seul type de relation qu'il connaissait : négative, fondée sur la confrontation. Et cela lui rappela que sauver Billy lui était toujours apparu comme un marathon. L'opposition des services sociaux à sa volonté d'adopter Billy lui avait au moins fait prendre conscience de cela. Pratiquement tous les gamins adoptés à l'âge de Billy et ayant un passé comparable au sien échouaient dans les rues ou en prison, ou bien mouraient avant vingt ans. Pour gagner la bataille de son âme, il fallait lui tenir la main tout en déracinant lentement, laborieusement, ses démons. Cela nécessitait de lutter pendant de nombreuses années, de perdre de nombreux accrochages.

— Qu'est-ce qu'on devrait faire, d'après toi ?

Billy haussa les épaules, sans cesser de fixer le visage de Clevenger.

— Tu crois que c'est mon boulot, dit-il, essentiellement pour lui-même.

Billy tourna la tête et fixa le pare-brise. Clevenger fit de même.

— Il y a la solution banale, dit-il : « Tu n'as plus le droit de sortir », mais elle ne marchera pas, si tu veux mon avis. Je crois que tu te trouverais très bien dans le loft pendant un mois, avec tes haltères, ta stéréo et les filles que tu y inviterais en catimini.

Il s'interrompit, puis reprit :

— Il y en a une autre qui consiste à dire à peu près : « Si tu n'acceptes pas d'entreprendre un programme de désintoxication en trente jours, tu quittes la maison et tu te débrouilles tout seul. » Et ce type de solution a ses avantages. L'amour vache marche de temps en temps. Mais, face à quelqu'un comme toi, c'est risqué. Tu te détestes tellement que tu pourrais te sentir à ta place dans les rues. Il est possible que tu te dises que c'est ce que tu mérites. Et ce n'est pas ce que je veux. En réalité, je ne le supporterais pas.

Il adressa un bref regard à Billy, se demandant s'il accepterait ce rameau d'olivier. Il ne le fit pas.

— Il y a des parents qui se contentent d'appeler les flics, poursuivit-il. Ils laissent le D.A. obtenir la condamnation de leur gamin pour possession et espèrent que le juge subordonnera la liberté conditionnelle à l'inscription aux Drogués anonymes accompagnée d'analyses toxicologiques à intervalles réguliers.

Il haussa les épaules et conclut :

— Ce n'est pas toujours une mauvaise solution. La perspective d'une peine de prison gâche souvent le plaisir de la défonce.

— Ou le stimule, dit Billy sans cesser de regarder droit devant lui.

Clevenger se tourna vers lui, vit l'expression satisfaite de son visage. Et, à cet instant, il aurait été vraiment agréable de lui saisir la nuque et de lui cogner la tête contre le pare-brise, d'écrabouiller son expression ironique, de lui montrer que, même s'il se prenait pour un vrai dur, il y avait des gens qui étaient foutrement plus durs que lui. Peut-être était-ce la leçon dont Billy avait besoin, celle que personne n'avait pu lui donner à Auden.

Mais tandis que sa fureur grandissait, que les battements de son cœur s'accéléraient, que sa mâchoire se crispait, Clevenger s'aperçut que les coups étaient exactement ce que Billy cherchait. Il tentait inconsciemment de ressusciter sa relation avec son père, de faire endosser à Clevenger le rôle de celui qui le maltraitait. Clevenger secoua la tête, se dit que le passé met très longtemps à mourir. Il était à une erreur — une gifle, un coup de poing — de devenir son père, de boucler la boucle pathologique qui transforme la victime en bourreau. Séduisante, cette compulsion de la répétition. La seule issue consistait à exprimer la dynamique au lieu d'agir sous son influence.

— Évidemment, dit-il, il y a des parents qui craquent et tabassent leurs mômes.

Billy se tourna vers lui.

— Je m'en branle. Vas-y, si tu veux.

— C'est ce que *tu* veux.

Billy leva les yeux au ciel.

— J'ai été dans la même ornière que toi, dit Clevenger.

— Quelle ornière ? demanda Billy.

Clevenger se tourna à nouveau vers le pare-brise.

— Tenter de démontrer que j'étais très fort en survivant à une succession de coups. Ceux de mon père, d'abord. Puis, quand il n'a plus été là, j'ai pris sa place sans problème. J'ai failli me tuer avec l'alcool et la cocaïne.

— Toi ? fit Billy. La cocaïne ?

Clevenger plissa les paupières, les yeux rivés sur la nuit.

— Elle émoussait la douleur, évidemment. Mais elle faisait aussi autre chose. Elle entretenait mon rêve de père. Le rêve où j'avais un père qui tenait à moi.

— Je ne pige pas, dit Billy.

— Aussi longtemps que je me maltraitais, dit Clevenger, qui se tourna vers lui, aussi longtemps que je ne méritais pas mieux, je pouvais croire qu'il m'aimait. Moi le raté. Moi le drogué. Le menteur. Qu'est-ce que ça pouvait faire si le vieux était un ivrogne ? Qu'est-ce que ça pouvait faire s'il me frappait avec sa ceinture quand il était en rogne ? Ce n'était pas comme si je ne le méritais pas. Il me suffisait de regarder le miroir pour voir que je le méritais.

Billy écoutait plus attentivement.

— On s'expose à beaucoup de souffrance, Billy, quand on s'aperçoit qu'on vaut quelque chose, poursuivit Clevenger. Enfin, qu'on vaut *vraiment* quelque chose… grâce à son cœur, pas à ses cheveux, son visage ou son corps. Parce que tu commences à comprendre, à ce moment-là, à quel point tu as souffert sous les coups destinés à détruire cette conviction, à quel point tu as souffert avant de finir par renoncer à elle. Tu commences à prendre conscience de ce qu'il t'en a coûté d'avoir un père qui ne t'aimait *pas*. Et là, tu commences à saigner vraiment.

— Ou à perdre tout ton sang, dit Billy.

Cette réaction prit Clevenger au dépourvu.

— Tout le monde dit toujours qu'il faut affronter les trucs, poursuivit Billy. Comme si ça allait rendre heureux. Mais qui peut affirmer que ça ne va pas aggraver les choses, et même te faire perdre la boule ?

Clevenger acquiesça. Billy avait raison. Quand on renonce à ses défenses et qu'on affronte ses démons, il est toujours possible qu'ils gagnent.

— Je ne te mentirai pas, dit-il. Ça arrive. La souffrance est parfois insupportable. Mais ça arrive rarement aux gens qui forment une équipe… comme on pourrait le faire, toi et moi. Si tu acceptais de parler avec moi quand tu as envie de te droguer, au lieu de le faire, si on pouvait parler surtout quand tu te sens déprimé, on pourrait prendre le dessus.

— Mais tu n'es pas mon psy, dit Billy.

Clevenger se demanda pendant quelques instants si Billy demandait enfin à consulter un thérapeute, ce qu'il le poussait à faire. Mais il s'aperçut que Billy demandait plus.

— Non, dit-il. Je ne suis pas ton psy. J'essaie d'être ton père.

Il vit Billy déglutir, ce qui signifiait soit que ce que Clevenger venait de dire l'avait ému, soit qu'il jouait la comédie.

— Alors où je te conduis, champion ? C'est toi qui décides. Je peux te déposer au centre commercial, te ramener au loft ou te conduire au labo de Strasnick. Quel que soit ton choix, je serai avec toi à cent dix pour cent.

— Pourquoi a-t-on besoin du labo ? demanda Billy. Je t'ai dit ce que donnerait l'analyse.

— Il est trop tôt pour te croire sur parole. Tu pourrais prendre plein d'autres drogues. Sans le labo, je ne serai pas absolument sûr de savoir à quoi nous sommes confrontés. Et je préfère savoir.

Billy se tourna vers la vitre de sa portière. Il se dit qu'il devait vraiment beaucoup à Clevenger. Il pensa que les propos de Clevenger étaient sensés – en tout cas ce qu'il en avait compris. Mais, surtout, il songea qu'il avait déjà parlé de tout ce qu'il avait pris, à part de l'ecstasy de temps en temps. Et il y avait à peu près une semaine qu'il n'en avait pas consommé. Donc l'analyse ne la décèlerait pas. Il avait dit à Casey qu'il ne pourrait pas être au centre commercial avant le milieu de la soirée. De ce fait, au bout du compte, il n'avait rien à perdre s'il donnait un peu de sang et d'urine. Il se tourna vers Clevenger.

— Allons au labo, dit-il.

7

Premières heures de la matinée du 23 février 2003
Canaan, Vermont

Il était presque 1 heure du matin, mais Jonah n'avait pas envie de dormir. Uniquement vêtu d'un jean et allongé, bras et jambes écartés, sur le lit, il souriait au plafond. Les muscles parfaitement modelés de sa poitrine, de ses épaules, de ses bras et de ses jambes frémissaient sous l'effet de la surexcitation. L'appartement lui était toujours étranger, était toujours libérateur. Son anonymat – ses murs vides, ses draps blancs et ses serviettes neuves, la moquette beige récemment nettoyée, les assiettes et les couverts en plastique, le canapé en vinyle et la table de salle à manger en bois vernis – lui donnait l'impression de renaître. Personne, dans l'immeuble, ne le connaissait. Personne, sur les cinq kilomètres qui le séparaient de l'hôpital, ne le connaissait. Depuis quelques semaines qu'il était à Canaan, il n'avait fait installer ni téléphone ni câble, n'avait pas commandé de journal. Il mangeait en vitesse à la cafétéria de l'hôpital ou dévorait des plats à emporter achetés au Chin Chin, un restaurant chinois situé à deux blocs de chez lui, ou bien au Canaan House of Pizza, qui se trouvait au carrefour.

Michelle Jenkins l'avait par deux fois invité à sortir avec elle, mais il avait poliment refusé. Il n'avait pas besoin de femme. Il était désormais responsable de huit patients, qui lui communiquaient leur souffrance, mais il assimilait aussi celle de leurs pères, mères, frères et sœurs troublés, qui assistaient aux réunions familiales au sein du service fermé. Huit passés devenaient rapidement seize, puis trente-deux, puis soixante-quatre. Chaque journée de travail était une orgie ininterrompue de souffrance.

Cela satisfaisait Jonah.

Il croisa les doigts sous la nuque, ferma les yeux et pensa à Naomi McMorris, six ans, violée à trois ans. Elle était restée assise en silence dans son bureau pendant la première demi-heure qu'ils avaient passée ensemble, les chevilles croisées, balançant ses jambes de petite fille d'avant en arrière, si effrayée qu'elle n'osait pas le regarder pendant plus de quelques secondes. Elle était jolie, quoique maigre, avec ses cheveux blonds raides et ses yeux gris-vert, des yeux profonds, beaucoup trop graves compte tenu de son âge, des yeux qui laissaient deviner tout ce qu'elle avait vu, trop tôt, de la cruauté des êtres humains. L'ami de sa mère, qui l'avait violée, était parti mais avait laissé en elle un savoir adulte et étranger. C'était pour cette raison que Naomi avait l'habitude de se couper, s'ouvrait les poignets avec les ongles quand elle ne pouvait se procurer un couteau, une fourchette ou un stylo à bille brisé, regardait fixement le sang couler. Parce qu'une enfant de six ans ne possède pas les mots capables d'exprimer la terreur qu'elle avait éprouvée quand elle s'était sentie pénétrée – quand sa *personne* avait été pénétrée –, la douleur horrible, le désespoir. En se coupant, elle racontait l'histoire sans recourir aux mots – le viol de l'intégrité de son corps, le liquide chaud et rouge coulant goutte à goutte sur la moquette. Très souvent, elle sortait de sa chambre du service fermé, gagnait la cafétéria et montrait ses poignets ensanglantés, les yeux dilatés, une expression triomphante sur le visage, comme pour dire: «Il faut que tout le monde le sache. J'ai été anéantie.»

Avant de partir à la retraite, le docteur Wyatt avait donné, dans le dossier de Naomi, des indications destinées à assurer sa sécurité. Il fallait lui limer les ongles un jour sur deux, veiller à ce qu'elle ne puisse pas se procurer d'objets tranchants et s'assurer toutes les cinq minutes que sa vie n'était pas en danger. C'étaient des mesures intelligentes, destinées à l'empêcher de se taillader. Il en allait de même des 75 milligrammes de Zoloft, destinés à la mettre de bonne humeur, qu'elle devait prendre tous les matins, des 2,5 milligrammes de Zypexa[1], destinés à calmer son agitation, qu'elle devait prendre tous les après-midi, et des 25 milligrammes de Trazodone[2], destinés à éloigner les cauchemars, qu'elle devait prendre tous les soirs.

Le problème était que Naomi saignait surtout à l'intérieur. Veiller à ce qu'elle ne coupe pas sa peau n'empêcherait jamais les éclats tranchants de son enfance brisée de mettre silencieusement sa psyché en pièces.

Jonah savait qu'il ne pouvait accéder à une petite fille telle que Naomi selon la technique habituelle. Elle ne se confierait pas à lui du simple fait qu'on l'appelait «docteur» ou parce qu'il promettait de ne pas lui faire de mal. Il fallait qu'il soit victime, comme elle. Il devait stimuler l'instinct qui l'amenait à réconforter et protéger les autres, instinct qui résiste souvent au trauma, se renforce, même, à cause de lui.

— Je ne me plais pas, ici, lui dit Jonah au terme de ces trente premières minutes de silence.

Naomi ne répondit pas mais, pour la première fois, lui adressa un bref regard.

— Je déteste cet endroit, ajouta-t-il.

Nouveau regard de la part de la petite fille. Haussement d'épaule. Puis, les yeux fixés sur ses pieds qui se balançaient :

— Pourquoi ?

Pourquoi ? Un mot, huit lettres, mais une ouverture tout aussi miraculeuse que la mer Rouge se retirant devant les Juifs sur le chemin de la Terre promise. Une âme de six ans, qui ignorait encore pratiquement tout de ce monde horrible, l'invitait en elle. Lui, souillé par plus de quatre décennies sur la planète. Lui dont les péchés étaient au-delà des mots. Lui vers elle. Vers Dieu.

— Tu promets de ne le dire à personne ? demanda-t-il.

Elle acquiesça.

— Tu le jures ?

— Je le jure, répondit Naomi.

— Ils sont méchants avec moi, dit Jonah.

---

1. Psychotrope.
2. Antidépresseur non tricyclique.

Les jambes de la petite fille s'immobilisèrent.

— Qui ?

— Les autres docteurs.

Elle le regarda, ne le quitta pas des yeux.

— Comment ? Qu'est-ce qu'ils te font ?

— Ils me traitent de toutes sortes de noms. Ils me tourmentent.

— Pourquoi ?

— Sûrement parce qu'ils ne m'aiment pas.

— Ils ne t'aiment pas ? demanda-t-elle.

— Ils ne veulent pas de moi. Ils ne veulent pas que je sois leur ami.

— Pourquoi ?

Il haussa les épaules. Un enfant de six ans est incapable de déterminer pourquoi un autre enfant de six ans lui en veut. Et en ce moment, Jonah avait six ans, il devenait l'ami d'une petite fille de six ans. Il fallait qu'il contrefasse la fidélité indéfectible dont les enfants de cet âge sont capables. *Nous* contre *eux*. Nous contre le reste du monde.

— C'est un secret, dit-il. Seulement entre toi et moi. Je ne devrais pas te le dire.

— Je ne répéterai rien, affirma-t-elle.

Il sourit.

— Tu peux venir ici demain ?

— D'accord.

D'accord. Nouvelle victoire sur l'isolement de Naomi. Victoire totale. Naomi regagna sa chambre et Jonah resta dans son bureau. Mais il était désormais sûr que peu à peu, jour après jour, elle se rapprocherait. En lui présentant une image de vulnérabilité, il lui donnerait la permission, dont elle avait besoin, d'être vulnérable face à lui. Et ensemble, victimes l'un et l'autre, ils fourniraient un public aux démons de la petite fille, les laisseraient hurler, pleurer, gémir et tempêter aussi fort et aussi longtemps que nécessaire.

Jonah ouvrit les yeux et fixa à nouveau le plafond de sa chambre. Il sentait presque l'odeur fraîche de la peau de Naomi. Il aurait voulu qu'elle soit près de lui. Il aurait voulu que Tommy Magellan, Mike Pansky et tous ses patients soient près de lui. Il aurait voulu ne pas être obligé de quitter le service fermé. Il aurait voulu pouvoir manger, dormir, faire sa toilette parmi les petits êtres brisés. Parce que fermer la porte derrière lui chaque soir revenait à emprisonner des parties de lui-même.

L'image de la porte fermée qui les maintenait lui d'un côté et eux de l'autre resta dans son esprit et dans sa gorge. Soudain, il se sentit plus seul que libre. Et la solitude était une région dangereuse. La solitude lui donnait envie de sortir de l'appartement et d'errer dans les rues, d'y rechercher la vérité, d'y piller des intimités.

Il n'avait jamais cédé au désir de prendre une vie dans la ville où il travaillait, mais il en était passé près. Trop près. En novembre et décembre 1995, il était à Frills Corner, en Pennsylvanie, tout près du parc national des Allegheny, et travaillait au centre hospitalier régional Venango. Le service de psychiatrie infantile n'était pas fermé et n'admettait que les patients capables d'accepter un «contrat de sécurité» par lequel ils s'engageaient à ne pas se mutiler. De ce fait, les enfants pouvaient obtenir l'autorisation de séjourner chez leurs parents. Le service se vida donc presque complètement de la veille de Noël jusqu'au lundi suivant. Pour Jonah, cela signifia cinq jours de solitude. Et le dimanche en fin de soirée, tout avait recommencé – les élancements dans le crâne, l'impression d'avoir la peau brûlante, la sensation de devoir faire un effort horrible pour emplir ses poumons d'air. Il était sorti se promener à pied juste après minuit. Pour respirer. Pour ne plus avoir trop chaud.

Elle l'attendait. Comme le reste. Ally Bartlett, vingt-huit ans, ni grande ni petite, un peu moins de dix kilos en trop, yeux marron et cheveux noirs bouclés, sur le banc d'un arrêt d'autobus proche d'un bar, vêtue d'un pantalon de laine beige et d'un caban bleu. Une volumineuse écharpe rouge était enroulée deux fois autour de son cou. Pas de chapeau. Pas de gants. Elle ne le quitta pas des yeux tandis qu'il se dirigeait vers elle.

– Vous devez geler, dit-elle, souriante, quand il s'assit près d'elle, à distance respectueuse.

Jonah portait des jeans délavés et un pull à col roulé gris.

– Le bus devrait arriver dans quelques minutes, dit-elle. Prenez ça, ajouta-t-elle en enlevant son écharpe. Au moins jusqu'à son arrivée.

— Je ne peux pas accepter, dit Jonah, certain qu'il le ferait.

— Ne soyez pas héroïque, dit-elle. Il gèle.

Elle termina de dérouler l'écharpe, dévoilant la croix en or qu'elle portait au cou. Il prit l'écharpe et la mit, huma l'odeur enivrante d'Ally, mélange de parfum, de maquillage, de sueur et d'haleine.

— Je m'appelle Phillip, dit-il. Phillip Keane. Je suis médecin au centre hospitalier Venango.

— Ally Bartlett, dit-elle.

Elle regarda la rue et ajouta :

— D'une seconde à l'autre maintenant, je parie.

Jonah était déstabilisé par sa faim dévorante et il l'interrogea maladroitement.

— Avez-vous passé de bonnes fêtes ?

— Horribles, répondit-elle avec un sourire plus large encore.

— Pourquoi ? demanda-t-il d'une voix qui lui parut plaintive. Qu'est-ce qui était horrible ?

Le sourire disparut.

— Longue histoire.

Ally fermait déjà la porte. Elle l'appâtait par sa gentillesse, puis le laissait dehors. Dans le froid glacial. Elle donnerait davantage à un sans-logis mendiant à un carrefour. Sans état d'âme, elle était prête à ne pas accorder son dû à Jonah. Elle l'ignorait, lui qui consacrait sa vie à soigner les autres. Il eut l'impression que son crâne allait s'ouvrir. Il imagina les pulsations de son artère basilaire, située à la base du crâne, les cellules nerveuses de sa paroi fibreuse hurlant de douleur chaque fois que les battements de son cœur les distendaient. Il fallait qu'il évacue la tension, même si le seul moyen de le faire consistait à entendre le cri étouffé d'Ally, à regarder ses yeux pleins de terreur, à percevoir sa souffrance. Il glissa la main dans sa poche, saisit le stylet qui s'y trouvait. Il jeta un coup d'œil sur la salle pratiquement déserte du bar qui se trouvait derrière eux, puis scruta la rue. Ils étaient seuls.

— Où est ce bus ? dit-il d'une voix tremblante.

Il se leva. Et il se serait approché d'elle, se serait – sans plus de joie qu'Abraham brandissant sa dague au-dessus de la poitrine d'Isaac – emparé de la vie dont il avait besoin, de la vie que Dieu lui donnait. Mais elle prit la parole.

– Ça va vous sembler idiot, dit-elle, mais vous voulez boire un verre, ou quelque chose? Enfin, on ne sait jamais qui on rencontre vraiment… ni pourquoi.

Un verre *ou quelque chose*. Jonah desserra son étreinte sur le stylet. Il prit une profonde inspiration, chassa l'air contenu dans ses poumons.

Ally inclina la tête.

– Enfin, vous êtes ici. Je suis ici. Pas de bus. Il gèle. Et il y a un bar à cinq mètres.

Elle leva ses mains ouvertes, ajouta:

– C'est comme si Dieu essayait de nous dire quelque chose, vous ne trouvez pas?

– Avec Dieu, on ne sait jamais, reconnut Jonah.

Il feignit d'hésiter, lâcha le stylet.

– Pourquoi pas? fit-il après quelques secondes.

Ils prirent une table au fond du Sawyer's Grub and Pub et commandèrent deux bières.

– Vous avez une voix incroyable, constata Ally. Est-ce qu'on vous le dit?

– Parfois.

– Elle est presque bizarre.

Jonah leva un sourcil.

– Ce n'est pas ce que je voulais dire, protesta-t-elle avec un rire ravissant. Pas bizarre, étrange. Étrange, mais en bien. Douce. Mais plus que douce. Réconfortante, quelque chose comme ça.

– Alors, pourquoi avez-vous passé des fêtes horribles? demanda Jonah.

Elle fixa sa bière.

– Vous êtes têtu, n'est-ce pas?

– C'est ce qu'on me dit. Tout le temps.

Elle le regarda.

– Mon père…, commença-t-elle, puis sa voix se mua en murmure, ses yeux se fermèrent. Il est mourant.

Puis elle se mit à pleurer.

Jonah resta silencieux, fasciné. Peut-être, malgré ce qu'il était devenu, malgré toutes les choses horribles qu'il avait faites, Dieu lui avait-il véritablement envoyé un ange.

Ally ouvrit les yeux, le regarda. Elle essuyait sans cesse ses larmes, mais d'autres coulaient continuellement.

— Je suis désolée. Je ne vous ai pas demandé de m'accompagner ici pour m'effondrer comme ça. Mais je n'arrive pas à…

— À… ?

Il se pencha sur la table. Elle laissa les larmes rouler sur son visage.

— À m'y faire.

Jonah prit une de ses mains entre les siennes. Elle ne résista absolument pas à ce contact.

— De quoi votre père meurt-il ? demanda-t-il.

— Un virus quelconque a infecté son cœur, répondit-elle. Il est enflé et ne fonctionne pas convenablement. Endo…

— Endocardite virale, dit-il.

Elle s'essuya les yeux avec la manche de son pull.

— Vous êtes vraiment médecin.

— Oui.

— Cardiologue ? demanda-t-elle.

— Dans un sens, j'imagine, répondit-il. Psychiatre.

Elle sourit à nouveau.

— Ah, ce n'est pas étonnant, dit-elle.

— Qu'est-ce qui n'est pas étonnant ?

Son sourire se fit chaleureux, presque tendre.

— Pas étonnant que j'aie l'impression de pouvoir tout vous dire.

Jonah s'aperçut que ses muscles étaient moins crispés, sa peau moins brûlante. Il constata qu'il n'avait plus mal à la tête.

— Parlez-moi de lui, dit-il.

Et Ally l'avait fait. Sans que Jonah soit obligé d'interroger, d'insister ou de menacer, elle lui confia la vérité. Elle lui dit ce qu'elle aimait chez son père, et ce qu'elle haïssait. Elle lui raconta son enfance à Ithaca, dans l'État de New York. Elle lui dit qu'un étudiant de première année de Cornell l'avait violée alors qu'elle avait quatorze ans. Elle dit que son père lui avait demandé ce qui, dans son comportement, avait amené le jeune homme à croire qu'elle avait envie de faire l'amour, puis que son père l'avait serrée dans ses bras tandis qu'elle pleurait, lui avait caressé les cheveux et lui avait promis que tout s'arrangerait. Elle lui dit qu'elle voudrait pouvoir, aujourd'hui, faire la même chose pour lui. Elle lui raconta que sa mère, très croyante, s'était remariée et n'était allée voir son père à l'hôpital que deux fois. Elle lui dit que son frère aîné était dans un pénitencier fédéral, où il purgeait une peine de dix ans pour transport de cocaïne d'un État à un autre. Elle lui dit que le souvenir de son viol entravait toujours son plaisir sexuel.

Jonah conclut qu'Ally Bartlett était effectivement un ange. Et il l'avait emmenée chez lui, avait fait l'amour avec elle, avait passé la nuit avec elle. Cette nuit seulement. Parce qu'il savait qu'Ally finirait par avoir envie de le connaître comme elle l'avait laissé la connaître. Les lambeaux de vies qu'il avait moissonnés chez les autres ne l'abuseraient pas.

Jonah s'assit sur son lit. Le souvenir d'Ally Bartlett, comme le souvenir des patients du service fermé de Canaan Memorial, ne fit qu'accentuer sa solitude. Son appartement commençait à lui faire davantage l'effet d'une prison que d'une forteresse.

Il était presque 2 heures du matin. Il avait une envie dévorante d'errer dans les rues. Une envie dévorante de trouver quelqu'un. D'avoir quelqu'un. Il prit le flacon de Haldol qui se trouvait sur la table de nuit, l'ouvrit et en mastiqua trois milligrammes, les fragments du cachet lui griffant la gorge quand il se força à les avaler. Puis il regarda, au-delà de la porte de la chambre, sa vieille serviette à sangles posée sur le plancher du séjour.

Il ne voulait pas. C'était sale et écœurant, et il ne comprenait pas ce qui l'avait poussé à le faire, la première fois. C'était peut-être imprimé dans son cerveau, un appétit aberrant programmé génétiquement. Peut-être était-ce un vestige de rituels primitifs enfoui dans l'enchevêtrement des milliards de neurones qui constituaient son cortex. Il arrivait, après tout, que des gens aient, à la naissance, les mains ou les pieds palmés. Peut-être était-ce une régression comportementale.

Quelles que soient les racines de cet acte, quel que soit son étrange pouvoir, il lui était devenu pratiquement impossible d'y résister après l'avoir accompli une première fois. Parce qu'il apaisait partiellement son envie dévorante. Au terme de longues journées de solitude, il l'aidait parfois à supporter l'horreur des dernières heures.

Il se leva. Il gagna le séjour, prit sa serviette et s'assit sur le canapé. Il ouvrit une sangle, puis l'autre. Il aligna les roulettes de la serrure à combinaison et l'ouvrit. Puis il ouvrit la gueule de la serviette, glissa une main à l'intérieur, en sortit un petit étui en cuir noir, à fermeture Éclair, semblable à ceux qui contiennent un tensiomètre ou des diamants.

Il s'appuya contre le dossier du canapé, caressa l'étui, perçut la présence du tube en verre qu'il contenait. Parfois, le simple fait de le toucher, de savoir qu'il était là, suffisait. Mais cela ne suffirait pas cette nuit. Il transpirait déjà. Il salivait déjà. Il imaginait déjà les yeux pleins de terreur d'Anna Beckwith, cette nuit-là, au bord de la Route 90 est.

Il ouvrit l'étui et en sortit l'objet dont il avait besoin : un tube à essai à moitié plein de sang. Il le fit rouler entre ses paumes, le réchauffa. Il passa sa base de verre lisse sur ses lèvres, puis l'introduisit dans sa bouche, perçut presque la saveur du précieux liquide.

Il se sentait intensément coupable. Presque honteux. Mais pourquoi ? Peut-on condamner les enfants parce qu'ils tètent ? Les croyants se sentent-ils coupables parce qu'ils mangent le corps du Christ ? Ne formons-nous pas tous, au bout du compte, un être unique et magnifique ? Et si Jonah ressentait cela plus ardemment que les autres, s'il le savait mieux que les autres, était-il condamnable pour autant ?

Il se laissa glisser sur les genoux au pied du canapé. Il enleva le petit bouchon en caoutchouc rose du tube. Il versa quelques gouttes de sang sur sa langue, en étendit une autre sur ses lèvres, puis il remit soigneusement le bouchon en place. Le sang était chaud, avait un goût de sel, de naissance et de mort, mais, surtout, recelait la saveur des autres. De tous les autres. Un collage surnaturel de leurs vies, sans frontières, qui tournoyait en lui. Une réincarnation de l'océan primordial où la vie était apparue. Sa tension s'estompa presque immédiatement. Trente secondes plus tard, il se sentit véritablement apaisé. Le rythme de son cœur ralentit, il respira plus librement. Sa migraine s'évanouit, remplacée par des picotements agréables sur les tempes et la nuque. Avec l'aide de Dieu, il tiendrait jusqu'au bout de la nuit. Il tiendrait jusqu'au matin et il y aurait Naomi, Tommy, Mike, Jessie, Carl et les autres... les parties de lui qui lui manquaient.

Le matin fut pluvieux, gris et froid. Jonah gagna hâtivement le service fermé, y arriva juste avant 7 heures, comme il en avait pris l'habitude. Il adorait y entrer très tôt parce que l'endroit n'avait pas encore pris son rythme ordinaire. Les autres psychiatres n'étaient pas là. C'était le moment du changement d'équipe : les infirmières de nuit partaient, les infirmières de jour prenaient leur service. Des patients dormaient encore, d'autres se réveillaient, d'autres encore somnolaient au terme d'une nuit sans sommeil. Quelques-uns venaient de prendre leur douche, d'autres étaient encore en pyjama. Les lits n'étaient pas faits. Jonah humait les odeurs musquées des draps, des taies d'oreiller et des couvertures, des chevelures broussailleuses et des sueurs nocturnes. C'était le moment où ces enfants enfermés se sentaient terriblement isolés, terriblement dépendants d'une institution, et c'était le moment où Jonah se sentait véritablement utile, véritablement à sa place, véritablement intégré à sa famille étendue.

Il gagna immédiatement la chambre de Naomi McMorris. La porte était entrouverte. Il jeta un coup d'œil à l'intérieur, constata qu'elle était réveillée, ses cheveux d'or déployés sur l'oreiller, serrant dans un poing l'oreille molle d'un lapin rose. Il frappa doucement, poussa légèrement le battant et attendit qu'elle se tourne vers lui. Quand elle le fit, il eut l'impression que tout l'amour accumulé en lui s'écoulait, et il éprouva le soulagement exquis que les femmes ressentent, imaginait-il, quand leur bébé tète leur sein gonflé de lait.

– Tu n'as parlé de notre secret à personne, n'est-ce pas ? demanda-t-il.

Elle s'assit et secoua la tête.

– Bien.

– Et toi ? s'enquit-elle.

Un frisson parcourut la nuque de Jonah. Naomi voulait pouvoir compter sur lui comme il voulait pouvoir compter sur elle.

– Jamais, dit-il.

– Bien.

Jonah lui adressa un clin d'œil.

– À tout à l'heure ?

Elle acquiesça.

Il recula.

– J'ai rêvé de toi, dit-elle.

Jonah se figea, n'osant pas croire qu'il avait entendu ce qu'il venait effectivement d'entendre, à savoir que Naomi et lui avaient été réunis pendant la nuit alors qu'allongé sur son lit, chez lui, il fixait le plafond. Il entra dans la chambre et attendit la suite.

– Tu veux que je te raconte mon rêve ? demanda-t-elle après quelques secondes de silence.

– S'il te plaît, répondit-il.

– On se promenait au bord d'un lac très profond, dit-elle. Il y avait du soleil, il faisait chaud et beau et je…

Elle rougit.

– Tu quoi ?

– Je te tenais par la main.

Jonah faillit sursauter. Il sentit la main de Naomi dans la sienne.

– Et ?

– Et après…

Elle eut un rire étouffé.

– Après… ?

Elle se força à cesser de rire.

– Je t'ai poussé, tu es tombé dans l'eau et tu t'es noyé.

Elle haussa les épaules.

– Tu ne savais sûrement pas nager. Désolée.

– Et ensuite tu t'es réveillée, dit Jonah.

– Hon-hon.

– Tu avais très froid.

— J'étais gelée, reconnut-elle.

— Et tu avais du mal à reprendre ton souffle.

— Je n'arrivais pas à respirer.

Elle plissa les paupières, demanda :

— Hé, comment tu connais le reste de mon rêve ?

Le rêve de Naomi indiquait à Jonah que la petite fille projetait ses peurs sur lui. Elle redoutait en réalité qu'il la repousse – qu'il l'entraîne tout près de ses sentiments les plus profonds puis qu'il la précipite dans l'eau, où elle coulerait ou devrait se débrouiller pour nager. Et au plus profond de son cœur, Naomi avait peur de mourir si Jonah agissait ainsi. De ne pas pouvoir maintenir la tête hors de l'eau après une nouvelle trahison. C'était pour cette raison qu'il lui avait semblé, à son réveil, qu'elle se noyait.

— Je sais beaucoup de choses sur les rêves, dit Jonah, qui s'interrompit puis reprit : tu veux que je te dise ce qui est le plus important, dans le tien ?

— Ouais. Qu'est-ce que c'est ?

Il lui adressa un clin d'œil.

— Je serrerai ta main très fort si on va se promener au bord d'un lac.

Elle leva les yeux au ciel.

— Je ne te pousserai jamais pour de vrai, dit-elle.

— Moi non plus, je ne te pousserai pas, dit-il. Tu peux compter là-dessus.

— O.K., fit-elle.

— À tout à l'heure ? demanda-t-il.

— À tout à l'heure.

8

Clevenger arriva au bureau juste après 9 heures, suspendit sa veste dans le placard du couloir et passa la tête dans le bureau de North Anderson.

– Ça va ?

– Richie Egbert a besoin de ce rapport en vitesse, dit Anderson pratiquement sans lui adresser un regard. Il apparaît que quelques-unes des personnes qui témoignent contre Sonny Raveno ont de graves problèmes de crédibilité.

Il se mit à taper et ajouta :

– Egbert les interroge demain.

– J'imagine que c'est une bonne nouvelle.

– Pour Sonny, répondit Anderson.

Le téléphone sonna, mais il ne cessa pas de taper.

– Tu veux que je décroche ? demanda Clevenger.

– Il sonne sans arrêt.

Anderson prit la pile de messages, notés sur des formulaires roses, posée sur son bureau, fit pivoter son fauteuil, la lui donna et ajouta :

– Il faut que j'envoie ce rapport.

Clevenger prit les messages et les feuilleta. Le premier émanait de Cary Shuman, du *Boston Globe*, qui demandait qu'il la rappelle. Le deuxième était de Tom Farmer, du *Herald*. Josh Resnek, du *Chelsea Independent*, avait laissé les trois suivants.

– Qu'est-ce qui se passe ?

Anderson prit le journal posé sur son bureau.

– Le *New York Times* d'aujourd'hui, dit-il en le donnant à Clevenger.

117

Clevenger lut les titres.

— Et-ce que quelque chose m'échappe ?

— Ne sois pas vexé. Tu es en bas de page.

Clevenger retourna le journal. Son regard s'immobilisa sur un titre du coin inférieur droit : LE FBI FAIT APPEL À UN EXPERT PSYCHIATRE INDEPENDANT DANS L'AFFAIRE DU TUEUR DES AUTOROUTES.

— Ce putain… J'ai décidé de ne pas accepter l'affaire.

— Tu leur as carrément dit non ? demanda Anderson.

— J'ai dit qu'il fallait que je réfléchisse. J'ai pris ma décision hier soir.

— Je suppose que le Bureau a ses priorités. Pendant que tu ruminais les tiennes, il confiait les siennes à la presse.

Tout en lisant les deux premiers paragraphes, Clevenger sentit sa tension augmenter :

ASSOCIATED PRESS

La nécessité de résoudre la succession de meurtres qualifiés d'assassinats des autoroutes se faisant de plus en plus pressante, le FBI s'est assuré la collaboration de Frank Clevenger, expert psychiatre basé à Boston, qui doit sa renommée à la résolution du meurtre de Brooke Bishop, fille du milliardaire Darwin Bishop, il y a deux ans à Nantucket.

«Nous explorerons toutes les pistes, a déclaré Kane Warner, directeur du Service des sciences du comportement. Nous nous adressons au meilleur et au plus intelligent et nous lui donnons tout ce dont il a besoin.»

— Je suis arrivé à huit heures, dit Anderson. Il y avait onze messages sur le répondeur. Uniquement des journalistes. Donc je suis descendu acheter les journaux. Le *Washington Post*, le *Globe* et le *Herald* sont sur ta table de travail.

Clevenger traversa le couloir, entra dans son bureau, saisit le téléphone et appela Kane Warner. Il déplia les journaux en attendant qu'on décroche.

— Secrétariat de M. Warner, annonça une voix masculine.

— Frank Clevenger à l'appareil.

— Un instant, docteur.

Clevenger feuilleta les journaux. L'article du *Globe* n'était pas plus long que celui du *Times*, mais le *Herald* consacrait deux pages au tueur des autoroutes, publiait une carte rudimentaire des endroits où l'on avait découvert les corps et une photo sur trois colonnes de Clevenger lors de la conférence de presse qu'il avait donnée à Nantucket au terme de l'affaire Bishop.

— Docteur Clevenger? dit finalement Warner.

Clevenger se mit à faire les cent pas.

— Qu'est-ce vous fabriquez?

— Pardon?

— Je vous ai dit que je n'avais pas pris ma décision.

— Les articles dans la presse vous contrarient?

— Vous voulez que je vous dise? Allez vous faire...

Il se prépara à raccrocher.

— Une minute. S'il vous plaît. Je n'ai pas organisé une fuite.

Du coin de l'œil, Clevenger vit une camionnette de New England Cable News se garer devant l'immeuble.

— Vous espérez que...

— J'ai décroché quand l'AP a téléphoné. «Pas de commentaire» n'aurait de toute façon pas enterré la nouvelle. Mais je vous jure que je n'ai averti personne. J'ai interrogé tous ceux qui ont assisté en notre compagnie à la réunion d'hier; tous affirment qu'ils n'ont pas parlé. Je regrette que ça se soit produit. Je ne sais pas comment c'est arrivé.

— Quoi qu'il en soit, mettons les choses au point, dit Clevenger. Je ne travaillerai pas sur cette affaire.

— Je vous demande de bien vouloir réfléchir encore un peu. Vous...

Une deuxième ligne se mit à sonner, dans le bureau de Clevenger, puis une troisième.

— Ma décision est non, dit-il. Catégoriquement. Définitivement. Pigé? J'expliquerai à la presse que j'ai refusé pour des raisons personnelles. Vous pourrez lui dire la même chose. J'espère que ça nous permettra de sauver la face. Je ne veux faire de tort à personne.

— Une discussion sur votre rémunération pourrait-elle vous amener à reconsidérer votre position ? demanda Warner.

— Avez-vous entendu ce que je viens de dire ?

Les téléphones cessèrent de sonner au moment où une deuxième camionnette de télévision – Channel 7, cette fois – s'arrêtait dehors.

— Je suis habilité à aller jusqu'à cinq cents dollars de l'heure. C'est, pour nous, un chiffre important.

— Écoutez, dit Clevenger tandis que les supports des paraboles montaient au-dessus des camionnettes, le nombre n'y changera rien. Ce n'est pas une question d'argent.

Du coin de l'œil, il vit North Anderson dans l'encadrement de la porte de son bureau. Il lui fit signe d'entrer.

— Et le nombre quatorze ? demanda Warner.

— Quatorze… ? fit Clevenger.

— Victimes.

Clevenger garda le silence.

— Quatorze personnes tuées, docteur. Et je vous le dis carrément : nous n'avançons pas. De mon point de vue, vous n'êtes pas un accessoire. J'ai besoin de vous.

Quarante-neuf virgule neuf pour cent de Clevenger avait envie de dire oui, d'opposer son énergie à celle du tueur des autoroutes, de se consacrer entièrement à une tâche utile et épuisante capable de balayer tous les doutes qu'il entretenait sur son existence – à savoir était-il totalement vivant, était-il entièrement bon, était-il capable d'être père ? Si on y ajoutait une histoire d'amour potentielle avec Whitney McCormick, ses pieds n'auraient plus touché le sol.

— Je ne peux pas. Pas en ce moment, dit-il. Ce n'est pas de la petite bière. Si je prends part à cette affaire, il faudra que j'aille jusqu'au bout. Ça signifiera vivre par elle et respirer par elle aussi longtemps qu'elle durera. Je ne suis pas dans une situation qui me permet de le faire.

Une des autres lignes se remit à sonner.

— Dites-moi ce qui vous ferait changer d'avis, fit Warner.

— J'espère que vous arrêterez ce type, dit Clevenger. J'aimerais vraiment que vous le coinciez. Mais il faudra que vous le fassiez sans moi.

Il raccrocha. Il décrocha l'autre ligne et raccrocha également.

Anderson regarda, par la fenêtre, un homme et une femme qui déchargeaient une caméra de télévision, un trépied et du matériel de son de la camionnette de New England Cable News. L'autre équipe se dirigeait déjà vers la porte de l'immeuble.

— Tu veux que je le leur annonce?

— C'est mon boulot, dit Clevenger qui fixa la fenêtre, les paupières plissées, et secoua la tête.

— Quelle est la vraie raison de ton refus? demanda Anderson.

Clevenger ne répondit pas.

— Parce que si c'est à cause de moi, ne le fais pas, reprit Anderson. J'aurais mieux fait de me taire, hier.

— Non. Tu avais raison, dit Clevenger.

Il se tourna vers Anderson et ajouta:

— Billy se drogue.

La nouvelle fit à Anderson l'effet d'un coup de pied dans le ventre.

— Merde, Frank. Je suis désolé.

— Il deale, aussi. Il a été renvoyé d'Auden.

On frappa à la porte de l'immeuble.

— Ils attendront, dit Anderson. Quand l'as-tu appris?

— Il y a deux jours.

— Marijuana?

— Entre autres.

— Il a besoin d'une désintox?

Clevenger secoua la tête.

— Je me demande un peu de quoi il a besoin. Mais je crois, au bout du compte, qu'il a plus que jamais besoin de moi. Je ne peux pas disparaître en ce moment.

Il prit une profonde inspiration, soupira et reprit:

— En réalité, c'est la première fois que quelqu'un compte sur moi.

Il s'aperçut qu'Anderson était sur le point de protester et poursuivit:

— Hors du cadre du boulot, évidemment. J'espère que tu sais que je te soutiendrai quoi qu'il arrive. Je crois que mes malades ont toujours su qu'ils pouvaient compter sur moi. Mais en dehors de ça, dans ma vie personnelle, je n'ai jamais été responsable que de moi... et l'inverse est un phénomène très récent. Pas de femme. Pas de mômes. Billy est la première personne qui m'ait donné envie de prendre vraiment des responsabilités, de faire passer quelqu'un avant moi. Il faut que j'aille jusqu'au bout. Il faut que je fasse ce qu'il faut.

Une troisième camionnette de télévision s'arrêta devant l'immeuble.

— Si je peux faire quelque chose, tu n'as qu'un mot à dire.

— Continue de m'avertir quand je suis sur le point de déconner.

Le téléphone se remit à sonner.

Anderson eut un large sourire.

— Seulement si tu promets de faire pareil.

— Marché conclu.

Tandis que Clevenger sortait de son bureau et allait à la rencontre des journalistes, trois cent soixante-quatre kilomètres plus au nord, à Canaan, Vermont, Jonah Wrens ouvrait la porte de son cabinet à Naomi McMorris. Elle portait des couettes attachées avec des rubans roses. Elle avait une salopette en jean avec trois souris et une part de gruyère brodées sur la bavette. Les infirmières lui avaient offert des chaussures de sport en cuir blanc ornées de cœurs en plastique rouge qui s'allumaient quand elle posait le pied par terre.

— Ça va maintenant ? demanda-t-elle.

— C'est parfait, répondit Jonah.

Naomi s'assit devant la table de travail de Jonah. Cette fois, Jonah s'installa près d'elle, sur l'autre chaise. Il regarda les pansements de ses avant-bras. Il avait vu la peau martyrisée qui se trouvait dessous, les cicatrices, les plaies récentes et récemment cicatrisées.

— Pourquoi te coupes-tu, Naomi ? demanda-t-il.

Elle plaça les bras de telle façon que Jonah ne puisse voir les pansements.

— Pourquoi ? répéta Jonah.

— Parce que, répondit-elle timidement.

– Parce que…

– Ça fait du bien.

– Qu'est-ce qui fait du bien ? demanda Jonah. La coupure ? Le sang qui coule ? La peur des gens quand tu le fais ? Tout ça ?

Elle garda les yeux fixés sur ses genoux.

– Tu peux me le dire. Il n'y a pas de problème.

Elle garda le silence.

– Si je te confiais d'abord un autre secret ?

Elle leva la tête.

– Mais il faut promettre de ne pas le répéter aux autres docteurs, ajouta-t-il.

– Jamais, dit-elle.

Jonah déboutonna ses manches, les monta, tourna les bras. Les yeux de Naomi se dilatèrent quand elle vit les cicatrices horizon-tales de ses poignets et de ses avant-bras, vestiges de ses gestes suicidaires.

– Moi aussi je l'ai fait, dit-il.

– Pourquoi ?

Jonah la fixa comme pour dire : *tu sais pourquoi.*

– Pour faire sortir le truc dégoûtant, dit-elle.

Jonah acquiesça. Il fixait ses cicatrices, mais voyait le violeur de Naomi écarter violemment les genoux de la petite fille, imaginait la peur et la confusion qui se peignaient sur son visage. La confusion dominait, parce qu'elle était dans l'incapacité de deviner l'horreur qui était sur le point de se produire. Elle comprenait seulement qu'on manipulait son corps comme on ne l'avait jamais fait avant, ses bras et ses jambes écartés l'ouvrant à un homme, un homme dont le visage était beaucoup trop proche du sien. Et alors que sa confusion grandissait, tandis que l'homme approchait davantage encore, sa peur se déchaînait, éclipsait tout le reste. L'homme s'introduisait de force en elle et son univers tout entier était plongé dans les ténèbres. Quand Jonah pensa cela, le ressentit, ses yeux s'emplirent de larmes.

Naomi le regarda comme le font les enfants sensibles, les enfants pour qui le monde est si neuf que tout ce qui les entoure – y compris la souffrance des autres – est aussi chaud et brillant que le soleil de midi. Instinctivement, elle eut envie de lui donner davantage d'elle-même, une part plus grande de la souffrance qu'elle avait enfermée en elle-même. Parce qu'il semblait la désirer. Ou en avoir besoin.

— Je l'ai senti couler dans moi, dit-elle. Un truc dégoûtant, collant.

— Et tu te demandes s'il est encore là.

Des larmes brillèrent dans les yeux de Naomi.

— En parler de cette façon te donne envie de te couper, dit Jonah.

Une larme roula sur sa joue. Elle frotta ses mains l'une contre l'autre.

— Je connais le moyen d'être sûr qu'il est parti. Le truc dégoûtant.

— Lequel ?

Jonah tendit les mains vers elle.

— Grâce à elles.

La petite fille serra les genoux.

— Nous nous faisons confiance. Exact ?

Elle acquiesça, mais croisa les chevilles.

— Ferme les yeux, si tu veux bien, dit-il.

Il retint son souffle, attendit de voir si elle y parviendrait, si — contrairement à Anna Beckwith et aux autres — elle était prête à se laisser soigner, capable d'accepter la guérison. Parce que l'aptitude à faire confiance, qui exige moins de croire en la gentillesse des autres qu'en sa propre force, était ce dont Naomi avait réellement besoin, plus que de Zyprexa, de Zoloft et de Trazodone. Il fallait qu'elle se remette entre les mains de quelqu'un et constate qu'elle pouvait en sortir indemne. Tel était l'antidote à tout ce que le viol avait laissé en elle.

Jonah ferma les yeux et pria intérieurement le Dieu qu'il aimait, le Dieu qui l'aimait, demanda au Seigneur de lui accorder la force d'emplir la partie de lui-même qui était cette jolie petite fille. Et quand il ouvrit les yeux, Naomi manifesta cette force. Elle ferma les yeux et les garda fermés, des pattes d'oie se déployant aux coins, le front visiblement crispé par l'effort qu'elle devait consentir pour ne pas les rouvrir immédiatement.

La peau de Jonah se couvrit de chair de poule.

— Tu sentiras mes mains sur toi, dit-il d'une voix plus mélodieuse, plus rassurante que jamais. Promets-moi que tu n'ouvriras pas les yeux.

— Promis, souffla-t-elle.

Jonah se leva et posa doucement les paumes de ses mains sur sa tête.

— Je peux sentir s'il y a un truc sale en toi, dit-il. S'il y en a un, je peux le faire sortir… l'attirer en moi.

Il fit glisser les mains sur ses tempes, ses joues, débordant d'enthousiasme quand il sentit ses larmes.

— Il ne va pas te faire de mal? demanda-t-elle en reculant légèrement.

L'inquiétude qu'il suscitait chez elle lui coupa presque le souffle.

— Je suis plus âgé que toi, dit-il, et je suis très fort. Je contiens beaucoup plus.

Il posa les doigts sur ses oreilles, fit glisser les mains jusqu'à son cou, appuya légèrement les pouces sur la chair tendre qui borde la trachée.

— Je me sentirai bien. Et tu te sentiras bien.

Les pattes d'oie s'estompèrent puis disparurent. Les pouces de Jonah massèrent la mâchoire de la petite fille et la tension, là aussi, disparut. Elle resta immobile tandis que ses mains descendaient sur ses épaules, ses flancs, son abdomen. Elle ne bougea pas quand il s'accroupit devant elle, les mains sur ses cuisses. Elle ne se crispa à nouveau qu'au moment où il les posa sur ses genoux.

— Ça va aller, dit-il. Le truc sale s'en va. Je le sens.

Elle se détendit de telle façon qu'il put glisser les mains entre ses genoux, puis passer les paumes sur l'intérieur de ses cuisses. Ce ne fut qu'à l'instant où elles se trouvèrent de part et d'autre de son entrejambes – qu'il veilla à ne pas toucher – qu'il les éloigna. Il massa ses mollets, puis ses chevilles, lui ôta ses chaussures et fit de même sur la plante de ses pieds.

Finalement il se redressa, posa à nouveau les mains sur sa tête.

— Ouvre les yeux, dit-il.

Naomi obéit.

Il s'agenouilla devant elle, fixa pendant un long moment ses yeux gris-vert brillants.

— Il est parti, dit-il.

— Tu en es sûr?

— Oui.

Elle plissa le front tout en contemplant le paysage intérieur de son âme.

— Je crois que oui.

Elle hocha la tête, ajouta:

— Oui. Il est parti.

Il reprit place sur sa chaise et lui sourit.

— Où est-il allé? demanda-t-elle.

— D'abord en moi, répondit-il. Puis il est monté jusqu'à Dieu.

— Il faut que je prie pour qu'il reste loin de nous?

— Je crois que c'est une très bonne idée.

— Je le ferai, dit-elle. Tous les soirs.

— Je le ferai aussi, dit Jonah. Ainsi, où que tu sois, où que je sois, nous serons ensemble.

— Pour toujours, dit-elle.

DEUXIÈME PARTIE

Trois semaines plus tard

9

Presque minuit, 16 mars 2003
Route 45 nord, Michigan

Son cerveau était chauffé à blanc. Ses phalanges étaient douloureusement crispées sur le volant. La stéréo de la BMW, volume à fond, diffusait des parasites. Il avait quitté Canaan avec les meilleures intentions, résolu à entreprendre une randonnée dans Pine Creek Gorge, en Pennsylvanie, de se baigner dans une eau cristalline, de respirer l'air intact des montagnes, de se purifier. Mais il n'était sur la route que depuis trois jours et souffrait déjà le martyre : migraine, nuque et mâchoire raides, cœur et poumons surmenés. Il avait pris cinq milligrammes de Haldol, avait même recouru au précieux liquide rouge de sa serviette, mais rien n'avait endigué la marée du mal qui montait en lui.

Toutes les cellules de son corps appelaient désespérément ceux qu'il avait laissés derrière lui : Naomi McMorris, Mike Pansky, Tommy Magellan, quinze autres patients qu'il avait assimilés à Canaan Memorial, des centaines avant eux. Toucher leur peau, ressentir leur souffrance, voir son reflet dans leurs yeux lui manquait.

Michelle Jenkins lui manquait aussi. Elle l'avait invité à dîner, lors de sa dernière soirée à Canaan, et il avait accepté.

— Où allez-vous ensuite ? lui avait-elle demandé au restaurant.

— Je vais prendre quelques semaines de repos avant mon prochain remplacement, répondit-il, et ensuite qui sait ? Je peux pratiquement choisir n'importe quel État.

— Mystérieux jusqu'au bout, dit-elle, souriante.

Sa chevelure d'un noir soyeux luisait, ses dents blanches étincelaient et, du point de vue de Jonah, Jenkins était aussi belle que toutes les femmes qu'il avait connues. Il la désirait.

– Je regrette qu'on n'ait pas pu faire plus ample connaissance, dit-il. Je sais que je maintiens les gens à distance.

Il ménagea une pause théâtrale, puis reprit :

– Surtout quand je suis attiré par quelqu'un.

Il scruta son visage tandis qu'elle recevait cet aveu, cette ode à ce qui aurait pu être, et lut dans ses yeux qu'il avait suscité cette puissante combinaison de désir de protéger et de sensualité qu'il était capable d'éveiller chez les femmes.

– Pourquoi érigez-vous de si nombreux murs ? demanda-t-elle d'une voix douce.

– Je ne suis pas sûr de connaître entièrement la réponse à cette question, dit-il. Une des raisons est que je n'ai cessé de déménager pendant mon enfance. Tout ce que je construisais – les amitiés, les histoires d'amour adolescentes, les exploits sur le terrain de football – m'était arraché tous les ans ou tous les deux ans. Au bout d'un moment, j'ai compris qu'il était ridicule de tenter de m'enraciner.

– La profession de votre père ?

Jonah acquiesça.

– Le chemin de fer. Il était ingénieur. Nous allions là où on construisait des voies. À douze ans, j'avais vécu dans neuf États d'un bout à l'autre de notre pays.

Elle inclina la tête, le regarda dans les yeux.

– Vous étiez obligé de suivre les déplacements de votre père lorsque vous étiez enfant. En tant qu'adulte, rien ne vous oblige à continuer de vous déplacer. Vous pourriez construire quelque chose qui dure.

– Il m'arrive de le croire, répondit-il en adressant à Jenkins un bref regard destiné à lui faire comprendre qu'il l'associait à cette potentialité d'engagement.

Elle prit une profonde inspiration, tendit le bras sur la table, posa la main sur la sienne.

– Donc je suppose que ce n'est pas par hasard que vous avez attendu votre dernière soirée à Canaan pour sortir avec moi, dit-elle.

Pas par hasard, effectivement. Et ce ne fut pas davantage par hasard que Jonah se sentit libre de faire l'amour avec elle, ce soir-là, libre d'être complètement avec elle, parce qu'il la quittait pour toujours. Quand ils furent nus, il anticipa tous ses gestes, libéra des désirs cachés au plus profond de son inconscient, la toucha et la savoura comme jamais elle n'aurait pu se résoudre à le lui demander. Il la fit jouir et jouir encore grâce à la plus légère pression du bout d'un doigt ou de la langue exactement au bon endroit et exactement au bon moment. Et quand il la pénétra enfin, ce fut à l'instant où elle en avait désespérément envie, si bien qu'ils ne formèrent véritablement plus qu'une seule personne, de cette façon ultime dont les hommes et les femmes rêvent mais à laquelle ils n'accèdent jamais, parce qu'ils sont des êtres distincts, autonomes.

Il n'en allait pas de même avec Jonah. Il était capable de sortir de sa peau, de se glisser dans celle des femmes, de leur faire tout ce qu'elles se feraient si elles se connaissaient assez bien pour le réaliser. Parce qu'il devenait elles.

Dans la brume de son plaisir, écoutant les gémissements feints de Jonah, Jenkins ne s'aperçut vraisemblablement pas qu'il n'avait pas éjaculé. Il ne le faisait jamais pendant les relations sexuelles. Il voulait que les femmes déversent leurs énergies érotiques humides en lui, pas l'inverse. Son plaisir consistait à assimiler le leur.

Et, roulant dans la nuit, il était à nouveau sec. Totalement. Et personne ne pouvait comprendre la profondeur de la souffrance issue de ce dessèchement. Personne ne pouvait imaginer comme il était horrible de vivre sans frontières personnelles, sans ego, de mener une existence où la vie des autres – leurs souffrances, leurs espoirs, leurs peurs, leurs passions – devenait sienne, mais lui était chaque fois inévitablement arrachée. Son existence était une fausse couche sans fin qui l'enterrait sous des strates et des strates de chagrin – un chagrin solitaire dépourvu du terme d'un enterrement, de la consolation d'une pierre tombale, du réconfort d'une épaule sur laquelle pleurer.

Imaginez aimer tous ces gens et les perdre tous.

Pendant les deux nuits précédentes, il avait fait le même rêve. Il était allongé sur un lit de fleurs printanières dans une vallée verdoyante ; le soleil chauffait son visage, une douce brise le caressait.

Il se sentait véritablement apaisé, en contact avec les choses vivantes, enfin guéri et enfin lui-même. Il fermait les yeux, étirait ses membres, inspirait l'air du petit matin.

Il dormait presque quand il sentait une ombre sur lui. Il ouvrait les yeux et s'apercevait qu'une femme d'une beauté radieuse à la chevelure d'or, aux yeux d'émeraude, à la peau d'ivoire parfaite s'était agenouillée près de lui.

— Qui es-tu ? demandait-il.

Quand elle parlait, sa voix était la plus tendre qu'il eût jamais entendue.

— Ton cœur ne t'appartient pas.

Jonah y voyait une métaphore élégante de l'amour.

— Je te le donnerais avec plaisir, disait-il.

— Mais tu n'as plus le droit de le donner. Depuis très longtemps.

C'était vrai. C'était parfaitement exact. Jonah avait la sensation d'avoir enfin trouvé une âme sœur, qui comprenait la place particulière qu'il occupait dans le monde, le fardeau qu'il portait.

— Je porte en moi de nombreuses âmes, disait-il.

La femme déboutonnait sa chemise, écartait le tissu, embrassait sa poitrine.

Il basculait la tête en arrière et fermait les yeux, attendait qu'elle arrive au bouton de sa ceinture, à la fermeture Éclair qui se trouvait dessous, qu'elle *le* prenne en *elle*.

— Tu es si fatigué, soufflait-elle en passant le bout de sa langue sur son abdomen. Il faut que tu te détendes.

— Oui, répondait-il, le souffle court.

Il se cambrait sous l'effet du plaisir, se tendait vers elle. Et, à cet instant, il percevait le premier éclair brûlant de douleur sur le sternum. Il tentait de s'asseoir, mais c'était à peine s'il pouvait lever la tête. Il apercevait la lame trempée de sang d'un scalpel. Son sang. Il voulait absolument fuir, mais ses mains et ses pieds étaient paralysés. Puis elle entreprenait de le dévorer, ses dents aussi tranchantes que des rasoirs déchirant la peau et les muscles, griffant si violemment le sternum que l'os se brisait. La douleur était inexprimable, une torture infernale qui le réveillait, hurlant, tremblant de terreur, les draps trempés de sueur.

Il ne pouvait échapper à son isolement. Ni de jour. Ni de nuit. Et le remplacement suivant débuterait dans une semaine.

La route était floue. Le désir dévorant d'un autre être humain le rendait presque aveugle. Il prit la sortie suivante, s'engagea sur la Route 17 en direction d'Ottawa National Forest. S'il y parvenait, peut-être réussirait-il à vaincre ses désirs. L'eau et la nourriture dont il disposait lui permettraient de camper pendant une semaine. Il pourrait gravir Mount Arvon, monter plus près de Dieu, s'éloigner de la tentation.

Mais Dieu lui réservait une autre épreuve. Deux kilomètres après la sortie, un homme qui portait un sac à dos se retourna et leva le pouce. Au milieu de la nuit. En pleine campagne. Un homme exactement au mauvais endroit, exactement au mauvais moment. Jonah tourna la tête, serra les dents, le dépassa. Puis, presque contre sa volonté, comme attiré là par la part de lui-même qui était Benjamin Herlihey, neuf ans et condamné à ne pas quitter son fauteuil roulant, son regard glissa sur la droite, jusqu'au rétroviseur. Il vit l'homme secouer la tête, abattre le poing sous l'effet de la frustration. Et il vit quelque chose d'autre. L'homme avait un bandeau sur un œil.

Une chose toute simple, ce bandeau. Il pouvait s'expliquer d'une douzaine de façons. Un accident du travail. Une malformation congénitale. Une sclérose. Une hémorragie rétinienne due au diabète. Un coup. Pour tout autre que Jonah, cela serait resté une curiosité. Mais cette curiosité pénétra en Jonah comme un harpon, se ficha dans sa chair, dans son âme. Elle l'obligea à ralentir, le tira, l'entraîna sur l'accotement et l'y immobilisa.

Jonah regarda l'homme se diriger vers lui. Il était mince et robuste. Sa démarche était énergique, malgré le poids du sac à dos.

Il gagna la vitre de la portière du passager.

Jonah se tourna vers lui, constata qu'il avait environ trente ans, qu'il était d'une beauté un peu fruste, qu'il avait une barbe de plusieurs jours, les cheveux rougeâtres tombant jusqu'aux épaules sous un bonnet de ski à rayures noires et grises. Il baissa la vitre.

— Est-ce que vous allez dans la direction de Trout Creek ? demanda l'homme, nerveux.

— Pratiquement, répondit Jonah, qui frotta sa mâchoire crispée. Mettez votre sac sur la banquette arrière.

L'homme se débarrassa de son sac à dos, le posa à l'arrière et s'installa près de Jonah. Il tendit la main.

— Doug Holt.

— Jonah Wrens.

Il serra la main glacée de Holt.

— J'ai bien cru que personne ne me prendrait de la nuit. Les gens ne s'arrêtent plus.

— J'ai fait pas mal de stop, dit Jonah, incapable de quitter le bandeau de Holt des yeux. Il fallait que j'aille voir ma petite amie, quand j'étais en faculté de médecine. Je n'avais pas de quoi payer le bus.

Il secoua la tête, comme s'il se souvenait de ces années de vaches maigres, et ajouta :

— Je peux vous conduire pratiquement jusqu'à Trout Creek.

— Vous n'imaginez pas à quel point c'est formidable, dit Holt. Dieu sait combien de temps j'aurais…

Il s'interrompit, s'apercevant soudain que Jonah le dévisageait. Il posa le bout des doigts sur son bandeau, reprit :

— Fusil à plomb. Un copain. J'avais cinq ans.

Était-ce à nouveau Ally Bartlett, prête à tout dévoiler à Jonah ? Doug Holt était-il un autre ange, juste au bon moment ?

— Êtes-vous parvenus à rester amis ? demanda-t-il.

— Jusqu'à aujourd'hui. Mais Troy s'est installé à l'autre bout du monde. Il enseigne l'anglais au Japon. Et il est marié, avec trois enfants. On se voit deux fois par an.

Jonah n'avait pas espéré autant d'informations. Il en savoura chaque mot. Sa migraine s'estompa. Sa vision se fit plus nette. Il engagea la transmission de la voiture, regagna la chaussée. Peut-être, après tout, tiendrait-il jusqu'à la fin de la nuit.

— Et vous, Doug ? Vous êtes marié ?

— Je l'espère, répondit-il. Je vais chez les parents de mon amie. Elle m'y attend. J'aborderai la question demain soir. Un genou à terre. La totale.

— Demain soir.

Jonah sentit que l'enthousiasme remplaçait le désespoir ; il ajouta :

— C'est merveilleux.

— Elle est formidable.

— De quelle façon ?

Holt haussa les épaules.

— L'amour inconditionnel, vous savez ? Elle me soutient quoi qu'il arrive.

— Comment vous êtes-vous rencontrés ?

— Le destin.

— Ah ?

— Elle est interne en ophtalmologie. Je suis allé voir mon type habituel pour une visite de contrôle et elle le remplaçait.

Il haussa les épaules et poursuivit :

— Bizarre la façon dont les choses marchent, hein ? Le fusil à plomb de Troy m'a privé de quelque chose, mais m'a donné quelque chose en échange, vingt-cinq ans plus tard. Sans cet accident, je n'aurais jamais rencontré Naomi.

Naomi. Ce prénom pouvait-il être une coïncidence ? Jonah évoqua Naomi McMorris assise dans son bureau. Une vague de réconfort déferla sur lui. Dieu était toujours avec lui.

— Les voies du Seigneur sont impénétrables, dit-il, souriant, à Holt.

Holt lui rendit son sourire et lui adressa un clin d'œil.

Jonah le dévisagea pendant quelques secondes, puis tourna la tête et fixa la route. Son pouls s'accéléra. Une douleur sourde crispa sa nuque. Parce qu'il comprit que Doug Holt – si tel était bien son nom – lui avait menti. Un homme borgne depuis l'âge de cinq ans n'apprend pas à cligner de l'œil, ne décide pas de s'aveugler. Même pendant un instant.

— Elle est enceinte, en fait, dit-il, songeur. De quatre mois. Donc ma vie est en train de changer. J'ai beaucoup de raisons d'espérer.

Jonah ne perçut pas beaucoup d'enthousiasme dans la voix de Holt, probablement parce que ses fiançailles et le bébé étaient des mensonges.

— Avez-vous raconté à Naomi ce que vous venez de me confier... à propos de votre copain Troy ? demanda-t-il. À propos du plomb que vous avez reçu dans l'œil ?

— Évidemment, répondit Holt, qui haussa les épaules. Elle était sous les ordres de mon médecin.

— Où est-ce arrivé ?

— Quoi ?

— L'accident. Le fusil à plomb.

— Dans les prés qui se trouvaient derrière chez moi, répondit Holt. Il y avait un étang et on s'y amusait, on jouait aux cow-boys et aux Indiens. En fait, Troy ne savait pas que c'était un fusil à plomb. Il appartenait à son frère aîné. Il l'avait pris dans sa chambre.

— Je vois, dit Jonah. Pouvez-vous travailler malgré votre handicap ?

— Je suis artiste, confia Holt.

— Dans quel domaine ?

— La sculpture sur verre, les bijoux en verre, les vitraux.

— Très intéressant.

— Parfois, dit Holt. Quand le verre fait ce que je veux qu'il fasse.

Il garda le silence pendant quelques instants, puis demanda :

— Et vous ?

— Psychiatre.

— Whoa. *Ça*, c'est intéressant.

— Toujours. J'aime pouvoir découvrir la vérité sur les gens.

Jonah se tourna vers Holt et le fixa jusqu'au moment où il se crispa visiblement. Puis il reporta son regard sur la route.

— Ça vous semblera peut-être bizarre, mais j'aimerais le voir.

— Mon travail sur le verre ?

— Non. Votre œil. Enfin, ce qu'il en reste.

Il se tourna brièvement vers Holt, qui parut soudain très inquiet, ajouta :

— C'est trop demander ?

— Vous blaguez, hein ?

— Je suis tout à fait sérieux.

Holt posa une main sur la poignée de sa portière.

— Je vous assure que ce n'est pas joli. Je ne le cache pas sans raison.

— Les gens ont toujours des raisons de cacher, dit Jonah. Mais j'ai vu – et entendu – des choses très laides au cours de ma vie. Vous pouvez me le montrer.

Quelques secondes s'écoulèrent en silence.

– Allez-y.

– Je ne le montre jamais.

Jonah se força à sourire.

– Si la raison pour laquelle vous portez ce bandeau n'est pas celle que vous m'avez donnée, vous devriez simplement me le dire.

– Comment ça ?

Jonah ralentit, s'arrêta sur l'accotement.

– Je veux simplement la vérité, Doug. Si tel est bien votre nom.

L'autre main de Holt avança vers le bouton du verrouillage électrique, situé sur le tableau de bord.

Jonah tendit la main vers le couteau de chasse collé sur la partie inférieure de sa portière. Il avait une lame de vingt centimètres aussi tranchante qu'un rasoir. Il ne voulait pas s'en servir, savait que ce serait pécher contre le Dieu qu'il aimait, mais il avait désespérément envie de vérité, même si la seule vérité qu'il pourrait obtenir de cet homme serait sa panique à l'instant où il lui trancherait la gorge.

– Je vais vous donner un exemple. Disons que ce bandeau n'est qu'un moyen habile de vous faire remarquer au bord de la route, d'augmenter vos chances d'être pris. Ça n'aurait plus d'importance, maintenant. Ce qui compte c'est que vous le reconnaissiez franchement.

Holt resta immobile et garda le silence.

– Dites-moi simplement la vérité, ajouta Jonah. Je vous en prie.

Holt tourna la tête et regarda par la vitre de sa portière.

– O.K., dit-il. Voilà.

Puis, sans autre avertissement que la crispation de ses avant-bras, il appuya sur le bouton de déverrouillage puis tira sur la poignée de sa portière. Ses gestes furent coordonnés, mais un peu lents. Parce qu'au moment où sa portière s'ouvrit, le bras de Jonah décrivit un arc de cercle et le poignard qu'il serrait dans la main trancha les carotides, l'œsophage et la trachée de Holt.

Holt se retourna et adressa à Jonah le regard ébahi de toutes ses victimes. Peut-être sa vision fut-elle nette assez longtemps pour lui permettre de voir que Jonah, en larmes, tendait les bras vers lui. Et il vécut probablement assez longtemps pour entendre les mots murmurés à son oreille, des mots complètement sincères, parce qu'ils venaient du fond du cœur de Jonah :

— Je suis désolé.

Il traîna Doug deux mètres au-delà de la lisière de la forêt et l'y abandonna, ses deux yeux fixant le ciel noir, son bandeau tenant lieu de garrot autour du bras où Jonah avait prélevé du sang. Il alla chercher le sac à dos sur la banquette arrière de la voiture, le posa près du cadavre et s'éloigna. Mais il ne put résister à la curiosité. Il revint sur ses pas, gagna le sac à dos, s'accroupit dans l'intention de voir ce que Holt transportait – qui il était, au bout du compte.

Il trouva les objets prévus : vêtements de rechange, tente en nylon, gourde d'eau. Mais il trouva aussi l'imprévu : des chapitres du passé de Doug.

Le premier était une assignation, vieille de onze jours, à comparaître devant le tribunal du comté de Bristol, Connecticut, pour détention de marijuana et de cocaïne dans l'intention d'en faire le commerce. Cela expliquait le déguisement rudimentaire. Il était en fuite.

Le deuxième était deux billets d'United Airlines à destination du Brésil, le premier au nom de Holt et l'autre à celui du docteur Naomi Caldwell. Ils projetaient de quitter le pays ensemble.

Puis Jonah trouva quelque chose qui le blessa au plus profond de son être : une photo d'une brune d'un peu plus de trente ans, les mains posées sur son abdomen distendu ; un coffret en velours noir contenant une modeste bague de fiançailles ornée d'un diamant ; une boîte en carton blanc dans laquelle se trouvait une magnifique conque en verre soufflé, où tournoyait un arc-en-ciel.

Il y avait également une enveloppe dans la boîte. Jonah l'ouvrit et lut la carte qu'elle contenait.

Pour M. et Mme Caldwell,
Je vous prie d'accepter ce petit symbole de la recon-
naissance impérissable que je vous dois, du fait que

*vous avez mis Naomi au monde. Elle a à jamais trans-
formé mon univers.*

Doug

Impérissable. Jonah tomba à genoux sur la terre gelée. Malgré
son déguisement, Holt avait dit la vérité. Pas sur tout. Pas sur sa
cavale. Mais sur ce qui comptait. La femme qu'il aimait. L'enfant
qu'il allait avoir. Et Jonah, arrogant, pris de panique et furieux,
parce qu'il avait l'impression d'être trompé, parce qu'on lui refusait le sang vital dont il avait désespérément besoin et qu'il méritait
entièrement, n'avait pas perçu cette vérité, n'était pas parvenu à la
suivre jusque dans le cœur de Doug.

Pour une fois, il n'avait pas entendu.

Les larmes roulèrent sur son visage. Un déluge de questions adres-
sées à Holt lui traversa l'esprit. Naomi et lui avaient-ils projeté
la grossesse ? Comment envisageait-il la perspective d'être père ?
Quelles étaient ses relations avec son propre père ? Connaissait-il le
sexe du bébé ? Avaient-ils choisi un prénom ?

Holt le lui aurait dit. Il aurait répondu à ces questions et à d'autres. Sincèrement. Et, ce faisant, il aurait entraîné Jonah au sein de
sa famille qui grandissait.

Mais Holt était mort, un bébé naîtrait sans père, la psyché
affligée d'une plaie béante.

Dieu lui avait effectivement envoyé un deuxième ange, mais Jonah
ne l'avait pas compris. Il avait été pitoyable. Il avait tué l'homme
et n'avait pratiquement rien assimilé de son âme. Il l'avait détruit.
Oblitéré.

Définitivement.

Roulant à toute vitesse sur l'autoroute, il se détesta comme jamais
il ne l'avait fait. Il se sentait vil. Grotesque. Et d'autant plus que
sa tête, sa mâchoire, son cœur et ses poumons ne le faisaient plus
souffrir. À lui seul, le meurtre de Holt, sans la potentialité de sa
résurrection à l'intérieur de Jonah, avait empli le vide farouche de
son existence.

La destruction pure n'apaise que les monstres.

Il envisagea une nouvelle fois le suicide, vaguement. Il désirait toujours ardemment ce que le Christ avait promis sur la croix. Il voulait guérir dans cette vie. Être pardonné. Il avait envie de rédemption. Même s'il fallait tout risquer pour l'obtenir. Parce qu'alors – alors seulement – il pourrait mourir en paix.

10

31 mars 2003
Chelsea, Massachusetts

Le *New York Times* publia la lettre de Jonah en première page. Quand Clevenger arriva en voiture devant son bureau, à 9 heures, une armée de journalistes, qui tendirent vers la vitre des micros sur lesquels étaient indiqués CNN, Fox, MSNBC et Court TV, l'attendait. Il jeta un coup d'œil sur l'immeuble et croisa le regard de North Anderson qui se tenait devant, apparemment très mal à l'aise, ses bras énormes croisés sur la poitrine, un journal plié dans un poing.

Les journalistes l'entourèrent quand il descendit de voiture, jouèrent des coudes et des épaules afin d'obtenir une meilleure place, crièrent des questions. *Êtes-vous en contact avec le FBI ? Quel est votre avis sur la lettre ? Comment interprétez-vous les trois cents maîtresses ? Allez-vous répondre ?*

Clevenger leur adressa le « sans commentaire » habituel tout en se frayant un chemin parmi eux, gravit le perron de l'immeuble et se réfugia à l'intérieur en compagnie d'Anderson.

Anderson ferma la porte à clé derrière eux.

– Qu'est-ce qui se passe ? demanda Clevenger.

Anderson lui donna le journal.

– Le *Times* a publié une lettre du tueur des autoroutes en première page.

Clevenger secoua la tête.

– Et tout le monde est venu me demander ce que j'en pense ?

Il déplia le journal.

– La lettre t'est adressée.

Clevenger s'immobilisa, dévisagea Anderson.

– Il a dû voir les informations, quand tu as refusé de travailler avec le FBI. Je suppose que ce qu'il a vu lui a plu.

Clevenger finit de déplier le journal. Son cœur se mit à cogner quand il lut le titre du coin supérieur droit de la première page : LE TUEUR DES AUTOROUTES VEUT GUÉRIR. Il lut :

UNE EXCLUSIVITÉ DU *TIMES*

Le 26 mars 2003, notre journal a reçu une lettre d'un individu prétendant être le tueur des autoroutes, assassin en série coupable d'au moins 14 meurtres dans tout notre pays. La lettre, adressée au directeur de notre rédaction, est un appel à Frank Clevenger, expert psychiatre de Boston qui doit sa renommée à la résolution du meurtre de Brooke Bishop, sur l'île de Nantucket. Des éléments objectifs contenus dans la lettre nous ont convaincus de son authenticité.

Après avoir mûrement réfléchi et sollicité les conseils du FBI, nous publions la lettre dans son intégralité. Nous nous réservons le droit de publier ou de ne pas publier les éventuels courriers à venir.

– Kane Warner, dit Clevenger, qui leva la tête.

– Forcément, répondit Anderson. Il a fallu que quelqu'un donne le feu vert au *Times*.

– Et le persuade de publier sans m'avertir.

– Ainsi, tu ne pouvais pas obtenir qu'un avocat fasse arrêter les rotatives.

– Tu crois qu'elle est authentique ? demanda Clevenger.

Anderson acquiesça.

– Prends le temps de la lire, et on verra ensuite ce qu'on fait.

Clevenger entendit *on* cinq sur cinq.

– Merci, dit-il.

– De rien.

Anderson pivota sur lui-même et s'en alla.

Clevenger s'assit à sa table de travail, captivé dès la première phrase :

Docteur Clevenger,

Le sang des autres me couvre et me souille, pourtant mon cœur n'est pas dénué de bonté. Je n'ai pas de raison de tuer, mais je ne peux pas m'empêcher de tuer. Mon désir dévorant de la vie des autres est plus grand que l'envie de nourriture, de sexe ou de savoir. Il est irrésistible.

J'ai envisagé de me détruire. J'ai vaguement tenté de le faire. Vaguement parce que détruire la totalité de moi-même ne serait pas une victoire. De même, me rendre aux «autorités» pour être ensuite jugé par des hommes à l'esprit étroit, puis enfermé dans une cage comme un animal, ne serait pas une victoire.

Le succès serait de vaincre les ténèbres de mon âme, de libérer la lumière éternelle afin qu'elle brille. Et le seul juge possible de ma réussite ou de mon échec est notre Seigneur Jésus-Christ, Roi de l'univers.

Mon combat n'est-il pas, après tout, le reflet du grand combat de l'homme? Mon existence n'est-elle pas justement un microcosme de l'espoir que l'humanité fera un jour triompher le bien sur le mal? En affrontant ma volonté de détruire, ne fais-je pas le premier pas vers la rédemption?

Et si je suis racheté, ne le sommes-nous pas tous un peu? Si je ressuscite, l'humanité tout entière ne s'élève-t-elle pas en même temps que moi?

J'entends les mots de Jung:

«La triste vérité est que la véritable vie de l'homme est un ensemble d'opposés irréductibles — jour et nuit, naissance et mort, bonheur et désespoir, bien et mal. Nous ne pouvons pas être sûrs que l'un prévaudra sur l'autre, que le bien vaincra le mal, que la joie terrassera le chagrin. La vie est un champ de bataille. Elle en a toujours été un et en sera toujours un; et s'il n'en était pas ainsi, l'existence cesserait d'être.»

Aidez-moi à livrer cette bataille. Mon Armageddon. Aidez-moi à renaître, bon et convenable, comme je l'étais autrefois. Soignez-moi.

Je suis un homme. Je suis au milieu de ma vie. Je n'ai jamais été emprisonné. Je n'ai jamais suivi de traitement psychiatrique. Je n'entends pas de voix. Je n'ai pas de visions. Je ne consomme ni alcool ni drogues illicites. Je n'ai pas de maladies organiques.

Mon QI est très élevé, pourtant mon intellect est impuissant face aux vils besoins qui s'emparent de moi.

Si j'étais assis en face de vous, je vous dirais qu'une solitude écrasante, un trou béant inflexible m'habitent. La souffrance est à la fois physique et psychologique. Elle me fait pleurer comme un enfant. Et c'est cet isolement insupportable qui m'amène à prendre des vies. Parfois, le spectacle de la pureté et de la sincérité de la mort me relie à tout ce qui vit, et m'apaise. Je repose près de chacune de mes victimes.

Elles ont davantage de chance que moi : mon repos n'est jamais durable. Mon désir dévorant renaît des heures, des jours, parfois des semaines après.

Je ne peux pas nourrir mon âme comme on le fait ordinairement. Je n'ai pas d'amis, pas de famille aimante. Je n'ai pas d'animal de compagnie. Je n'ai pas de foyer. J'erre interminablement.

Ma mère était douce et tendre, irréprochable. Mon père était un monstre. J'incarne peut-être cette dichotomie.

Je suis le fruit d'une grossesse et d'un accouchement normaux. Enfant, j'étais psychologiquement et physiquement en bonne santé, hormis un épisode de phobie scolaire paralysante.

Je m'intéressais à peu de choses, dans ma jeunesse, mais j'ai facilement suivi des études universitaires, eu de nombreuses amies, mais ne me suis pas marié.

J'ai eu plus de trois cents partenaires sexuels au cours de ma vie. Je suis hétérosexuel.

Comme le FBI vous a très vraisemblablement exposé mon cas, vous savez que je prélève du sang sur mes victimes. J'emporte ce petit morceau d'elles. Un talisman, peut-être.

Mais je porte aussi leurs âmes en moi. Et, de cette façon, elles sont toujours en vie.

Afin de vous éviter des recherches, je vous dirai que j'ai appris à faire les piqûres alors que j'étais infirmier militaire. J'ai été décoré, démobilisé avec les honneurs. Aucune action disciplinaire.

Ma proposition: vous pouvez me poser toutes les questions. Je vous dirai tout ce qu'il me sera possible de dire sans mettre en danger ma liberté (qui est simplement la liberté de trouver Dieu, ce que je ne pourrais selon toute probabilité pas faire si j'étais incarcéré, vraisemblablement dans le couloir de la mort). Je voudrais que vous tentiez de vous montrer tout aussi ouvert avec moi, du fait que je me sentirais plus seul encore si vous ne le faisiez pas, et aurais davantage besoin du sang de la vie des autres.

Pour vous faire confiance, j'ai besoin que vous me fassiez confiance.

Vous résolvez des crimes? Quels crimes ont été perpétrés contre vous? De quels crimes, grands ou petits, êtes-vous coupable?

Vous avez adopté un adolescent instable. Étiez-vous un adolescent instable? Êtes-vous toujours cet adolescent?

Comme moi – et comme Billy Bishop –, luttez-vous pour renaître?

Prenez ma main, regardez dans mon cœur, permettez-moi de voir dans le vôtre. Déterrez mes démons et aidez-moi à les chasser de mon âme.

Un croyant
Qu'on surnomme le tueur des autoroutes

Il y a des moments de la vie qui sont comme une réaction chimique, qui cristallisent tout ce qui les a précédés et change la nature même de tout ce qui les suit. Ils altèrent et définissent la vie. Pour Clevenger, la lecture de la lettre du tueur des autoroutes fut un de ces instants. Sa peau se couvrit de chair de poule. Des frissons parcoururent sa nuque. Il gagna la porte du bureau de North Anderson.

— Qu'est-ce que tu en penses ? demanda Anderson, qui se tourna vers lui, faisant pivoter le fauteuil de son bureau.

— C'est vrai. Il cherche de l'aide.

— Qu'est-ce que tu vas faire ?

— Une partie de moi-même a envie de rester à distance, simplement pour vexer Warner, mais je ne vois pas comment je pourrais le faire maintenant.

— Moi non plus. À ta place, j'irais à Quantico et j'étudierais toutes les informations disponibles sur ce type. J'irais sur les lieux des crimes. Je verrais les corps. Ne crois personne sur parole. Si tu te charges de cette affaire, fais-le complètement. Je t'aiderai dans la mesure où tu auras besoin de moi.

Clevenger acquiesça.

— Tu as l'air soucieux.

— L'allusion à Billy m'inquiète, expliqua Clevenger. Il ne faut pas qu'il soit entraîné là-dedans. Il se débrouille très bien. Au travail tous les jours. Analyses négatives. Et il commence vraiment à sortir de sa coquille.

Il haussa les épaules, reprit :

— Hier soir, il est venu dans ma chambre et m'a dit que l'herbe… ainsi que la coke lui manquaient beaucoup. Et il m'a parlé de Casey, cette fille avec qui il sort.

— Formidable.

— Mais je ne peux jamais être certain que l'analyse suivante ne sera pas positive. Avec lui, je ne peux être sûr de rien.

— En ce qui le concerne, je suis sûr d'une chose, dit Anderson.

— Laquelle ?

— Il sait ce qu'on ressent quand on perd quelqu'un à cause d'un meurtre. Au plus profond de lui-même, il comprend pourquoi tu fais ce que tu fais.

— Pense au nombre de journalistes qui sont dehors. Et c'est le premier jour. Ça ne fera que s'accentuer. Il ne faut pas qu'il ait l'impression de me perdre. Ce serait trop cher payer.

— Je crois que si tu lui dis ça, il comprendra que ça ne peut pas arriver.

Clevenger appela Kane Warner. La secrétaire le lui passa.

— Docteur, dit Warner.

— Si on travaille ensemble, dit Clevenger, plus de surprises. Si vous me mettez une nouvelle fois devant le fait accompli, je laisse tout tomber.

— D'accord, fit-il, sec.

— Le *Times* a-t-il publié l'intégralité du texte du tueur des autoroutes ?

— Il n'a rien gardé pour lui.

— J'espère la même chose.

— Je comprends, dit Warner. Mais il faudra que vous collaboriez avec l'équipe que vous avez rencontrée ici.

— Je voudrais venir demain.

— Je vous attendrai.

— Encore une question, dit Clevenger.

— O.K.

— Pourquoi avez-vous décidé de le publier ?

— Ce n'est pas moi qui ai décidé de le faire, dit Warner.

— Je suis censé croire ça ?

— J'ai demandé au *Times* de ne pas le publier. Jouer Freud à distance est, de mon point de vue, beaucoup trop dangereux. Si vous appuyez sur un bouton psychologique explosif, pendant une de vos « séances », on risque de payer avec des cadavres.

— Si vous n'avez pas donné le feu vert, dit Clevenger, qui...

— Le journal s'est adressé directement au directeur.

— Jake Hanley ?

— Jake et Kyle Roland, le directeur du *Times*, sont amis. Il envisage aussi de se présenter aux élections sénatoriales chez lui, dans le Colorado. Un tueur en série en liberté n'est pas bon pour sa popularité. Il veut que ça finisse, peu importe comment.

Warner resta quelques instants silencieux, puis demanda :

— Je peux vous poser une question ?

— Allez-y.

— Il y a un mois, vous avez refusé de travailler avec moi. Carrément. Qu'est-ce qui a changé ? Il y a enfin assez de publicité à votre goût ?

Clevenger fut si furieux qu'il n'aurait pu répondre que par des injures. Il garda donc le silence. Et, pendant ce silence, il fut obligé de se poser la question que Warner venait de lui adresser. S'était-il laissé séduire ? Sa rétribution, sous forme de narcissisme, avait-elle enfin été versée ?

— Vous ne le savez probablement pas vous-même, dit Warner. Peu importe. Nous appartenons désormais à la même équipe… mais deux cadavres plus tard.

Clevenger s'éclaircit la gorge.

— J'arriverai demain à dix heures.

— Whitney McCormick vous attendra dans le hall d'entrée. Elle pourra commencer à vous informer des derniers développements.

Clevenger raccrocha. Il regarda, par la fenêtre, la foule des journalistes. Il se leva, tira les stores et reprit place à sa table de travail. Il relut la lettre du tueur des autoroutes. Puis il alluma son ordinateur et entreprit de préparer sa réponse.

Son objectif était clair. Il croyait que tous les tueurs ont été assassinés émotionnellement. Lorsqu'ils prenaient une vie ou des vies, ils répétaient leur mort, se plaçaient dans le rôle de l'agresseur et plus dans celui de la victime – du fort et plus du faible. Il fallait qu'il remonte lentement, méthodiquement, jusqu'aux racines de la violence du tueur des autoroutes, jusqu'aux traumas de la petite enfance qui étaient à son origine. Il fallait qu'il l'amène à prendre conscience de sa destruction au lieu de la répéter sans cesse.

L'enfant torturé enfoui dans le tueur ressusciterait alors, renaîtrait.

Cet enfant avait une conscience, pouvait éprouver de la culpabilité et pourrait être persuadé de livrer le tueur ou de le faire trébucher.

L'enfant éprouvait un désir ardent d'intimité. Pour espérer pouvoir trancher la tige de la violence du tueur des autoroutes, Clevenger devrait fournir cette intimité.

Mais l'enfant était également en proie à une peur intense. Tenter de se rapprocher trop vite de lui risquait de le faire fuir.

Clevenger se mit à taper :

J'accepte de répondre à vos lettres. Je comprends que vous me direz tout ce qui ne risquera pas de compromettre votre liberté. Je vous dirai tout ce qui ne risquera pas de violer l'intimité d'autres personnes, y compris celle de mon fils.

Je sais que vous n'êtes pas, au fond, un tueur. Quelque chose qui vous est étranger prend inlassablement le dessus sur votre bonté. Un parasite, en vous, suscite une faim si dévorante que vous le nourrissez de la vie des autres. J'appellerai ce parasite : le tueur des autoroutes. Comment dois-je m'adresser au reste de vous-même ?

Comment avez-vous été infecté ? Qu'est-ce qui, dans votre vie, a été le plus douloureux ? Qu'est-ce qui vous faisait le plus peur, quand vous étiez enfant ? Les raisons de votre « phobie scolaire paralysante » ont-elles été éclaircies ? Et à quel âge ce trouble a-t-il été plus particulièrement grave ?

Comment votre angoisse se manifestait-elle – physiquement et émotionnellement ?

Vous affirmez que votre mère était irréprochable et votre père un monstre, mais cela laisse de nombreuses questions sans réponse. Comment, précisément, exprimait-elle sa bonté et comment, précisément, vous faisait-il souffrir ? Ont-ils divorcé ? Sinon, qu'est-ce qui les a amenés à rester ensemble ? Sont-ils toujours en vie ?

Par qui vos trois cents maîtresses étaient-elles attirées... le tueur des autoroutes ou vous ? Contribuaient-elles à satisfaire ses appétits ou les vôtres ? S'agit-il d'un désir d'union sentimentale, d'union sexuelle, ou des deux ?

À quelle guerre avez-vous pris part ? S'il s'agit du Vietnam, dans quelles régions ? Avez-vous combattu ?

Si nous parvenons à exorciser le tueur qui est en vous, que restera-t-il ? Qui êtes-vous en l'absence du tueur des autoroutes ?

Quand avez-vous pris conscience de son existence ?

Comment vous sentez-vous quand le tueur des autoroutes vient de frapper ? Combien de fois a-t-il tué ? Dressez la liste des endroits où il y a un corps.

Vous m'avez posé plusieurs questions. En ce qui concerne la première, les coups et les humiliations de mon père comptent au nombre des crimes dont j'ai été victime. Comme vous, j'ai l'expérience des monstres. En ce qui concerne la deuxième, la consommation d'alcool et de drogue, dans l'espoir d'atténuer la souffrance, compte au nombre des crimes que j'ai commis.

À quelles drogues avez-vous recouru dans l'espoir de soumettre le tueur des autoroutes ?

Que faites-vous du sang que vous prélevez sur vos victimes ?

Comme vous avez visiblement lu les mots des grands hommes, je terminerai par ceux de Thomas Hardy : « Si un chemin peut conduire au meilleur, il passe par un regard attentif sur le pire. »

Ainsi commençons-nous, deux hommes contre un tueur.

Dr Frank Clevenger

Quand Clevenger rentra chez lui, ce soir-là, Billy Bishop était assis à la table de salle à manger, en jean et torse nu, son tatouage souligné par «*Let it bleed*» tranchant particulièrement sur son dos parfaitement dessiné, devant une pile de livres et des dizaines de photocopies d'articles de journaux.

— Qu'est-ce que c'est ? demanda-t-il en s'immobilisant derrière lui.

Puis son cœur se serra quand il lut les titres des articles, tous consacrés au tueur des autoroutes. Les livres traitaient des tueurs en série. Un mauvais pressentiment s'empara de lui.

Billy écarta les dreadlocks qui cachaient son visage et le regarda. Un enthousiasme pur illuminait son regard.

— Je me disais que je pourrais aussi bien t'aider pendant mon temps libre.

— M'aider...

— Une bande de journalistes est venu au chantier naval, dit-il, parlant un peu trop vite. Je leur ai répondu que je n'avais rien à dire. Puis j'ai couru chercher le *Times*. Je sais que tu acceptes l'affaire. Tu n'as pas le choix, évidemment.

Il lui adressa un clin d'œil et ajouta :

— À propos, il y une vingtaine de messages de journalistes sur le répondeur.

Clevenger regarda à nouveau les articles. Ils provenaient de journaux de tout le pays.

— J'ai tout ce qui a été publié sur ce type, dit Billy. Tout, de l'*Oregonian* au *Washington Post*.

Clevenger n'avait pas prévu que Billy, loin de lui reprocher son implication dans l'affaire du tueur des autoroutes, serait attiré par elle. Mais c'était logique. L'événement le plus important de sa vie avait été le meurtre de sa sœur. Et, avant cette tragédie, son père, brutal, l'avait sans cesse maltraité. La destruction de la vie des autres résonnerait toujours en lui.

Clevenger s'assit au bout de la table.

— Je ne crois pas que ce soit une bonne idée, dit-il. Ta priorité, c'est de rester sobre et de te préparer à reprendre l'école.

— Je ne pouvais pas rester au chantier naval au milieu des équipes de télévision. M. Fitzgerald m'a dit de prendre ma journée.

— Je comprends, dit Clevenger. Et je vois que tu veux te rendre utile.

Il prit une profonde inspiration, rassembla ses pensées en vue de les partager d'une façon profitable et reprit :

— Mais je sais aussi ce que tu as connu. Et je crois que tu dois édifier des fondations plus solides avant de participer à ce genre de chose.

— Je ne participe pas. Je me contente...

— Il ne faut pas que cette affaire te préoccupe.

Billy fixa Clevenger pendant plusieurs secondes. Puis il rejeta la tête en arrière et fixa le plafond.

– Je pige, dit-il. Tu crois que si je m'intéresse à ce truc, je m'y intéresserai trop.

– Je crois que ça risque de prendre beaucoup de temps, dit Clevenger. Je crois que ça risque d'être troublant. Et je crois, à la réflexion, que c'est très déprimant. Tu as tout intérêt, en ce moment, de rester à l'écart de ce type de négativité.

Billy fixa sur lui le regard perçant qui le caractérisait chaque fois que son intelligence émotionnelle fonctionnait comme un radar.

– Tu crois, en réalité, que ça pourrait m'obséder. Peut-être même au point de me faire devenir comme lui. Un tueur.

– Ce n'est pas ce que je crois, répondit machinalement Clevenger.

Mais n'était-ce pas ça ? N'était-il pas possible que Billy soit complètement entraîné dans son ombre, s'il plongeait dans les ténèbres ?

– Tu as fait de bonnes choses, dans ta vie, Billy, et des mauvaises. Il ne s'est écoulé qu'un mois depuis les bagarres d'Auden. Il n'y a que quelques semaines que tu ne te drogues plus. Je crois que le contact prolongé avec la violence serait une erreur, rien de plus.

– Pas de problème, fit-il sur un ton neutre.

Il haussa les épaules, ferma les livres et reprit :

– Ne te gêne pas pour jeter un coup d'œil sur tout ça. J'ai mis longtemps à le rassembler.

Sa lèvre supérieure se mit à trembler, mais il poursuivit :

– Il y en a une partie qui provient du Web, mais je me suis procuré le reste sur microfiches, à la bibliothèque.

Il se leva et prit la direction de sa chambre.

– Une minute, s'écria Clevenger.

Il voulait ajouter quelque chose, rendre justice à la partie du travail de Billy qui était vraiment une tentative de se rendre utile – une main tendue.

– Je te suis reconnaissant d'avoir…

– Ouais, fit Billy sans se retourner.

Il entra dans sa chambre et ferma la porte derrière lui.

Clevenger se leva et gagna la chambre. La porte s'ouvrit alors qu'il en était à quelques dizaines de centimètres.

Debout sur le seuil, Billy fixait le plancher.

– On ne peut pas laisser tomber ? demanda-t-il. Tu ne peux pas me respecter assez pour me laisser du champ quand je te le demande ?

Clevenger acquiesça à contrecœur.

La porte se referma.

11

La porte était toujours fermée, à 6 h 30, quand Clevenger partit prendre la navette de 8 heures à destination de Washington. Il s'entretint avec Whitney McCormick dans son bureau du bâtiment principal de l'Académie du FBI, à Quantico. Elle portait un pantalon noir, un justaucorps noir et un blazer noir qui allaient parfaitement avec ses cheveux blonds et raides. Elle était aussi belle que lors de leur première rencontre.

— Bienvenue au sein de l'équipe, dit-elle en lui tendant la main. Et invité par le tueur en personne.

En vue d'élever Billy, Clevenger avait réduit le niveau de sa sensibilité à la beauté féminine, mais pas jusqu'à zéro. Quand il serra la main de McCormick, la douceur de la peau, ses longs doigts élégants, ses ongles manucurés, peut-être même la tendresse particulière de la pression, ne lui échappèrent pas.

— J'ai terminé hier soir le premier jet de ma réponse, dit-il. Je l'ai apporté.

— Formidable, répondit-elle. Je pourrai l'approuver d'autant plus rapidement.

Elle contourna sa table de travail, s'assit et ajouta :

— Installez-vous.

Elle montra le canapé en cuir qui occupait un des murs de la pièce.

— L'approuver ? demanda Clevenger en prenant place.

— C'est ainsi que nous avons structuré les choses en accord avec le *Times*. Ils me soumettent tout avant de le publier. Si j'estime que c'est discutable, Kane Warner prend la décision en dernier recours.

— Je n'ai pas prévu que mes textes pourraient être révisés.

— Détendez-vous, dit-elle d'une voix véritablement apaisante. Personne n'aura la main lourde.

— Merci de me rassurer, dit Clevenger. Mais, pour que les choses soient claires, qu'est-ce qui pourrait être « discutable » ?

— Il m'est difficile de préciser dans l'abstrait, répondit-elle. En ce qui vous concerne, je suppose qu'il pourrait s'agir de la divulgation d'informations secrètes sur l'enquête. En ce qui concerne le tueur des autoroutes, je pourrais censurer des propos que les familles des victimes risqueraient de trouver insupportables – inhumains.

— O.K.

— Je suppose que le Bureau pourrait aussi manifester son opposition si vous alliez trop loin, dit-elle sur un ton moins réconfortant. Si vous exerciez une trop forte pression sur lui.

— Le Bureau ? Il y a une minute, c'était vous qui validiez mes lettres.

Elle sourit.

— J'irai avec vous jusqu'au bout, vous pouvez compter sur moi, d'accord ? En fonction de ce que vous avez dit lors de notre dernière réunion, je sais ce que vous pensez de ce type. Il faut le combattre, il ne faut pas rester les bras croisés en attendant le cadavre suivant. C'est pourquoi je n'ai pas soutenu Kane au moment de décider s'il fallait ou non publier les lettres.

— Mais…

— Mais je crois, comme Kane, qu'il y a un risque. Ça pourrait se retourner contre nous. Son état pourrait s'aggraver au lieu de s'améliorer.

— Absolument.

— Dans ce cas, on est sur la même longueur d'onde.

— On en est au début, dit Clevenger.

Il vit, sur le mur situé en face de lui, les diplômes de McCormick, qui avait fait ses études de médecine et sa spécialisation en psychiatrie à Yale. Près d'eux était accroché un tableau blanc partiellement couvert de bribes de phrases reliées entre elles par des flèches, où des mots étaient soulignés trois fois et d'autres barrés. Il le montra de la tête et dit :

– Tempête sous un crâne ?

– Brouillard dans un crâne, plutôt, répondit-elle. En surface, ce type nous donne tout : les corps à découvert, une signature indubitable qui comporte l'égorgement et le prélèvement de sang, des tas d'empreintes digitales... même sur les timbres de la lettre adressée au *Times*. Mais tout cela ne conduit nulle part. Les empreintes ne sont pas répertoriées dans notre banque de données. Les corps sont retrouvés des jours, des semaines ou des mois après les meurtres. Et il n'y a absolument aucun point commun entre les victimes.

– Il agit au hasard parce qu'il ne se contrôle pas, dit Clevenger. D'après ce qu'il a écrit au *Times*, ce ne sont pas le sexe, l'apparence physique, la couleur des cheveux ou l'âge qui l'amènent à tuer. La solitude le pousse à tuer. Il sort de lui-même. Il ne traque pas une gamine de douze ans, aux yeux marron et aux cheveux blonds, dans l'intention de l'enlever.

– Blonde aux yeux marron ? demanda McCormick, qui inclina la tête. D'où ça vient ?

Clevenger s'aperçut qu'il avait pris pour exemple les couleurs des cheveux et des yeux de McCormick.

– Désolé.

Elle esquissa un sourire.

– Rappelez-moi que je ne dois pas vous mettre en colère.

– Pourquoi faudrait-il que je vous le rappelle ?

Large sourire, cette fois.

– Même si ce type est irrésistiblement poussé à faire ce qu'il fait, il est méthodique, reprit-elle. Aucun témoin ne l'a aperçu. Il n'y a pas eu d'échecs... Personne n'a réussi à s'échapper. Il ne laisse rien, sur les lieux, dont on puisse remonter la piste. Au bout du compte, ça exige beaucoup de discipline et de préparation, même s'il veut nous faire croire qu'il perd simplement les pédales.

– Peut-être voudrait-il le croire lui-même, dit Clevenger. Ça l'exempterait de toute responsabilité morale.

— Et juridique. Comme ça, il pourra plaider l'irresponsabilité quand il aura été appréhendé. Il pourra dire : « Hé, regardez, je ne pouvais pas m'en empêcher. Lisez ce que j'ai écrit au *Times*. »

Elle s'interrompit, puis reprit :

— Je commence à me demander comment il assouvit son désir quand il ne tue pas. Parce qu'il reste de longues périodes sans le faire. Il entretient vraisemblablement des relations très intimes avec des gens qui ne sont pas ses victimes.

— Plein de partenaires sexuels, dit Clevenger.

— Mais ça n'entraîne pas nécessairement une intimité, répondit-elle.

— D'accord.

— Il pourrait s'agir d'un chauffeur routier se déplaçant dans tous les États-Unis, dit-elle. Il prend des auto-stoppeurs qui lui racontent leur vie, rencontre une femme déprimée par-ci, par-là, dans un bar ou un restaurant, joue le rôle d'un thérapeute, paie peut-être des prostituées et les persuade de se confier à lui… et parfois, ça suffit. Mais, d'autres fois, il ne peut pas établir le contact. Et c'est alors qu'il tue.

— Ou quand le contact n'est pas assez profond…, dit Clevenger.

— Continuez.

— S'il parvient à se rapprocher vraiment d'une personne, s'il obtient sa dose émotionnelle, peut-être laisse-t-il cette personne s'en aller. S'il n'y arrive pas, il la tue pour partager l'instant de la mort, jouer le rôle d'un membre de la famille au chevet du mourant.

McCormick acquiesça.

— Ça pourrait expliquer pourquoi les gens ne tentent pas vraiment de lui échapper. Il les a pratiquement séduits.

— Et si telle est la réalité, dit Clevenger, il y a des gens qui ont été extrêmement proches de lui… et qui ont survécu. Ceux qui tissent des liens profonds avec lui s'en sortent. Ils ont fait ce qu'il exigeait d'eux.

— Il ne sera pas facile de les identifier, dit McCormick. Ils ignorent sans doute totalement qu'ils auraient pu être ses victimes.

— Au plus profond d'eux-mêmes, peut-être pas.

Il la regarda dans les yeux et poursuivit :

– Vous savez qu'on rencontre parfois des gens dont on se sent immédiatement proche.

– J'ai vu ça dans les films, répondit-elle. Dans la réalité, je crois que c'est très rare.

On ne pouvait pas accuser McCormick de flirter.

– C'est rare, admit Clevenger, et c'est pourquoi on ne l'oublie pas quand ça arrive.

Il se pencha et reprit :

– Si je parvenais à suggérer, dans le *Times*, que notre homme suscite ce type de sentiment, ça inciterait peut-être des gens à réfléchir. Quelqu'un se ferait peut-être connaître.

– Ça vaut la peine d'essayer.

On frappa à la porte.

– Entrez, dit McCormick.

Kane Warner poussa le battant. Il était une nouvelle fois très élégant : costume bleu foncé à fines rayures, cravate rouge sang et chemise blanche à col boutonné.

– Docteur Clevenger, dit-il, sa voix évoquant celle d'un entomologiste identifiant un insecte prélevé sur un brin d'herbe.

– Kane, fit Clevenger.

– Si vous pouvez vous interrompre, dit-il en adressant un bref regard à McCormick, nous avons reçu un colis adressé au docteur Clevenger, aux bons soins du docteur McCormick. Federal Express l'a livré il y a une demi-heure. L'étiquette est tapée à la machine. Le nom de l'expéditeur est Anna Beckwith. Ce salaud a également utilisé son numéro de carte de crédit.

Clevenger et McCormick suivirent Warner au sous-sol du Service des sciences du comportement, jusqu'à une pièce équipée une paroi inclinée en verre de quinze centimètres d'épaisseur, à travers laquelle on découvrait un espace plus petit, au sol de béton, aux murs de parpaings, où on accédait par une porte en acier poli qui évoquait celle d'un coffre-fort. Une boîte en carton ordinaire, d'une vingtaine de centimètres de haut et d'une trentaine de long, était posée sur un support en béton qui se dressait au milieu de cet espace.

Warner décrocha le téléphone mural et dit dans le combiné :

– Nous sommes prêts.

– Où a-t-il été posté ? demanda Clevenger.

– Au nord de la Pennsylvanie. Dans une petite ville nommée Windham, près de la frontière de l'État de New York. Il a utilisé un conteneur de Federal Express située dans un quartier de boîtes de strip-tease.

– Il pèse combien ? demanda McCormick.

– Un peu plus d'un kilo, répondit Warner.

La porte de la pièce s'ouvrit et un homme, qui portait un masque de soudeur et avait un long bouclier en Plexiglas, se dirigea vers le carton. Il glissa les mains dans les trous du bouclier, puis dans les gants capables de résister aux explosions qui y étaient fixés. La paume de ces gants comportait une lame en fibre de carbone. L'homme entreprit de couper les arêtes du carton.

– On a envoyé des agents à Windham, au cas où quelqu'un aurait remarqué quelque chose, dit Warner. Les gens qui travaillent à proximité du conteneur n'ont rien vu d'exceptionnel. Les agents sont en train de visiter les motels et les terrains de caravaning.

L'homme avait fini de couper les arêtes et ouvrait le carton.

– Ça pourrait être une mauvaise blague, dit McCormick. Avec toute cette publicité, il y a sûrement des gens qui vont essayer de prendre le train en marche.

Warner secoua la tête.

– On a trouvé des empreintes sur le ruban adhésif. Elles correspondent à celles des lieux des crimes et de la lettre adressée au *Times*.

Des feuilles de journal froissées tombèrent du flanc ouvert du carton. Les paupières plissées, Clevenger scruta ce qui se trouvait derrière : une grosse conque en verre avec une spirale colorée à l'intérieur.

– Qu'est-ce que c'est que cette connerie ? demanda Warner.

L'homme qui avait ouvert le carton en sortit prudemment le coquillage en verre. Il y avait, dessous, une petite carte manuscrite et une lettre tapée à la machine. Warner reprit le téléphone.

– On jettera un coup d'œil dessus quand elles auront été analysées.

L'homme leva les pouces.

Clevenger, en quête d'une explication, se tourna vers McCormick.

— On va y rechercher des empreintes, s'assurer qu'elles ne contiennent rien de toxique… notamment de l'anthrax.

— Ça prendra longtemps ? demanda Clevenger.

— Deux ou trois heures, répondit McCormick.

— Pourquoi ne pas lui demander de nous les montrer tout de suite, à travers la vitre ? s'enquit Clevenger.

— Écoutez-vous, ironisa Warner. Cramponné au moindre mot de ce buveur de sang. Vous croyez qu'il piaffe d'impatience, qu'il feuillette le *Times* tous les matins à la recherche de votre lettre ? Il joue avec vous.

— Au moins, maintenant, la partie a commencé, dit Clevenger.

— Il est inutile d'attendre deux heures, Kane, intervint McCormick.

L'homme quitta ses gants, appuya son bouclier contre le bloc de béton et enfila des gants en caoutchouc. Il prit la carte et la feuille de papier, gagna la vitre et les plaqua sur sa surface.

La carte était celle que Doug Holt avait écrite aux parents de sa fiancée, Naomi, où il les remerciait de l'avoir mise au monde.

La lettre tapée à la machine disait :

> *Docteur Clevenger,*
>
> *L'idée de vous voir travailler pour le FBI me contrarie, même si cet instinct initial est compréhensible et prévisible de votre part. Je vous ai tendu une main fraternelle. Je vous crois capable de m'aider à mettre un terme à ma violence. Tenter d'y parvenir par l'entremise de ma capture est un gaspillage de temps et d'énergie. Laissons les petits esprits se préoccuper de ces stupidités.*
>
> *Avez-vous lu les écrits du docteur McCormick ? Ce sont ceux d'une chasseresse, pas ceux d'une soignante. D'une personne qui traque pour le compte du gouvernement. Elle ne voit pas, contrairement à Alexandre Soljenitsyne, que « la frontière qui sépare le bien du mal passe dans le cœur de tous les êtres humains ».*

Même dans le sien.

Toute tentative visant à m'enfermer, peut-être à m'exécuter, à me dépouiller de mon droit divin de vaincre le mal qui est en moi ne fera qu'enflammer ce mal. Qui pourrait, après tout, en vouloir au lion qui se retournerait contre celui qui le tient en joue?

Imaginez comme vous vous sentiriez violés, le docteur McCormick ou vous, si je décidais d'abréger votre voyage jusqu'à la guérison.

Un croyant
Qu'on appelle le tueur des autoroutes

P.-S.: Veuillez transmettre cette carte et cette sculpture en verre aux parents du docteur Naomi Caldwell, qui habitent Trout Creek, Michigan. Leur futur gendre, Doug Holt, a réalisé ce coquillage en l'honneur de leur fille. Il aurait voulu qu'ils le reçoivent. Moi aussi.

Il faut que Naomi puisse récupérer le corps de son fiancé*. Son âme est en moi.

---

* *Michigan, Route 17 est, un kilomètre et demi après l'embranchement, au bord de la Route 45 nord.*

Clevenger et le Service des sciences du comportement se réunirent dans la salle de conférences.

— C'est une menace directe, dit Bob White, du Programme d'analyse des enquêtes criminelles, les yeux fixés sur lui. Il faudrait réévaluer cette idée de psychothérapie publique. Il nous dit d'entrée que le risque est trop élevé.

Kane Warner acquiesça.

Clevenger se pencha sur la table.

— Il est évident que ses menaces ne me plaisent pas, dit-il. Mais il est possible que ce soit davantage un gain qu'une perte.

— Un gain? demanda Warner.

— Nous avons déstabilisé sa structure alors que nous n'avons encore rien publié dans le *Times*, expliqua Clevenger. Jusqu'ici, il s'en est pris à des inconnus, a tué au hasard. S'il approche véritablement à ce point, lie sa fureur à moi ou à Whitney, nous pourrons peut-être le coincer plus tôt que nous pensions.

— Il est invisible, dit White. Même s'il approche – au point de pouvoir tuer l'un d'entre vous –, ça ne signifie pas qu'on parviendra à l'arrêter. Il risque de disparaître à nouveau sur les autoroutes, plus célèbre que jamais.

— Dorothy? dit Kane Warner, qui se tourna vers Dorothy Campbell, responsable du programme PROFILER.

— Il s'agit manifestement d'un cas où la poursuite du dialogue avec le sujet augmente les chances d'arrestation, dit-elle. C'est vrai pour tous: les tueurs en série, les pirates de l'air, Unabomber[1]. Ça aurait été vrai à Waco. Le problème, ici, est que nous sommes confrontés à quelqu'un de très intelligent, qui sait manifestement comment nous travaillons et – du moins en ce qui concerne Whitney – qui nous sommes.

— En réalité, il n'a pas eu besoin de déchiffrer un code, dit McCormick. Le standard donne mon nom à tout le monde. Ma photo se trouve sur le site du Bureau.

— Je veux simplement souligner, dit Campbell, avec gentillesse, à McCormick, qu'il est possible qu'il nous manipule… même vous.

— Dans quel but, Dorothy? demanda Kane Warner.

— Dans le but de nous faire perdre le contrôle de la situation, répondit-elle. De conduire le Bureau à s'investir de plus en plus dans la recherche de son identité alors que son unique intention – comme Bob y a déjà fait allusion – est peut-être d'occuper le devant de la scène, de se faire un nom. La lettre au *Times* entre tout à fait dans le cadre de ce paradigme.

Elle s'interrompit, puis ajouta:

— Tuer une des personnes qui le recherchent aussi, bien entendu.

— Il peut le faire sans le *New York Times*, dit Clevenger.

— Mais avec le *Times*, dit Campbell, il en fait profiter des millions de personnes. Il devient le tueur en série le plus célèbre de

---

1. Ted Kaczinski, qui a envoyé des colis piégés de 1978 à 1995.

tous les temps. Narguer le FBI est une chose. Prendre des agents, ou des consultants, pour cible en est une autre.

— Je crois que ce type nous tend un piège, dit White.

John Silverstein, équipier de White, secoua la tête.

— Peut-être, dit-il. Cependant j'estime qu'il faut garder le cap. Nous cherchions l'occasion d'accélérer l'enquête. La voilà. On ne peut pas reculer au moment où il se dévoile.

— Je ne crois pas qu'il tente de nous faire perdre le contrôle de la situation, dit McCormick. Je crois qu'il espère qu'on va renoncer. Il essaie de nous faire peur.

— Comment ça ? demanda White, sceptique.

— C'est lui qui est assiégé... psychologiquement, expliqua McCormick. Si le docteur Clevenger réussit, notre homme devra affronter des démons que son inconscient tient absolument à laisser enfouis. Le tueur qui est en lui tente de court-circuiter le processus thérapeutique pour pouvoir continuer de verser le sang.

Clevenger réfléchit à cette possibilité. Elle était logique.

— Et si nous renonçons, dit-il, il pourra se dire qu'il a tendu la main en vain. Que personne ne veut l'aider. Il pourra continuer de tuer en toute bonne conscience.

Il resta quelques instants silencieux, puis reprit :

— Je crois qu'il faudrait accepter son bluff, affirmer que je m'occupe seul de lui, que mon but est de le soigner, pas de le faire arrêter.

— Ce qui doit se produire, pour que ça marche, dit McCormick, qui fixa Clevenger dans les yeux. Si on le capture, ce sera à cause de la guérison, pas en dépit d'elle. Si vous faites votre boulot et que nous faisons le nôtre, on l'aura.

— Je crois que vous devriez réfléchir, lui dit Warner. Vous sur-estimez la sensibilité des psychopathes à la psychothérapie, quelle qu'elle soit, sans parler d'une thérapie réalisée en public. Et vous sous-estimez les risques personnels que ça implique.

— Je ne crois pas que nous ayons une meilleure idée, répondit McCormick. Et je ne crois pas que la confiance de la population augmentera si je privilégie ma sécurité aux dépens de la prochaine victime.

Warner prit une profonde inspiration et soupira.

– Je ne crois pas que le directeur changera de position si l'équipe ne le demande pas unanimement, dit-il.

Il se tourna vers Bob White qui, consterné, secoua la tête.

– Ne me faites pas porter le chapeau, dit McCormick. La porte de Jack Hanley n'est jamais fermée. Tous ceux qui croient vraiment qu'on devrait laisser tomber devraient aller le voir.

– Je n'ai pas assez d'influence, dit Warner, qui lui adressa un clin d'œil.

John Silverstein grimaça.

Dorothy Campbell s'éclaircit la gorge.

Le visage de McCormick se crispa.

– Qu'est-ce que ça veut dire ?

– Rien, répondit Warner.

– Vous croyez que Jake Hanley s'en remet à mes propositions ? demanda McCormick.

– Je ne m'en prends pas à vous, Whitney, répondit Warner. Mais je ne ferai pas semblant de croire que tout le monde est à égalité dans cette affaire. En ce moment, du point de vue du directeur, les McCormick comptent beaucoup. Si vous ne voulez pas le croire, c'est votre affaire.

Il haussa les épaules avec arrogance et conclut :

– Je ne voulais pas vous vexer.

– Bien entendu, dit-elle.

Le silence s'abattit sur la pièce.

Warner entreprit de rassembler les documents disposés devant lui. Son téléphone mobile sonna. Il glissa la main dans la poche de sa veste, le sortit et l'ouvrit.

– Kane Warner, dit-il.

Un silence, puis :

– Très bien. J'avertirai le docteur Hiramatsu.

Il ferma l'appareil et annonça :

– La police d'État du Michigan a trouvé le corps de Doug Holt, exactement à l'endroit indiqué par notre homme. On l'amène ici par hélicoptère.

Le silence, dans la pièce, se fit plus lourd.

– Y a-t-il autre chose ? demanda Warner, qui regarda successivement toutes les personnes présentes.

Quelques-unes d'entre elles secouèrent la tête.

– Très bien, dit Warner.

– De quoi s'agissait-il ? demanda Clevenger à McCormick tandis qu'ils regagnaient le bureau de la jeune femme.

– De mon père, répondit-elle. Dennis McCormick.

– *Le* Dennis…, commença Clevenger, qui s'interrompit quand il lut la réponse sur le visage de Whitney.

Il s'étonna de ne pas avoir fait le lien. Le père de Whitney McCormick était un agent du FBI de premier plan devenu membre du Congrès des États-Unis, puis collecteur de fonds politiques. Il avait contribué à l'arrestation du Night Stalker[1] et du Son of Sam[2] avant de démissionner pour se présenter aux élections. Tout récemment, il avait contribué à l'élection de républicains conservateurs dans tout le pays.

– Kane croit que mon père peut exercer une influence sur les décisions du Bureau. Il croit aussi que je lui dois mon poste.

Clevenger garda le silence.

McCormick s'immobilisa et se tourna vers lui.

– Allez, posez-moi la question.

– O.K., fit Clevenger, qui regarda McCormick dans les yeux. Votre père exerce-t-il une influence sur les décisions du Bureau ?

– Je ne sais pas, répondit-elle.

– C'est une réponse honnête, dit-il.

– Vous n'avez pas posé la partie la plus difficile de la question.

Clevenger hésita.

– Vous ne me vexerez pas.

– Devez-vous votre poste à votre père ? demanda-t-il.

---

1. Richard Ramirez, dit le «Chasseur de la nuit», tueur en série qui a sévi à Los Angeles au milieu des années 1980.

2. David Berkowitz, dit le «Fils de Sam», tueur en série qui a sévi dans la région de New York à la fin des années 1970.

— Je ne sais pas, répondit-elle.

Ses épaules s'affaissèrent légèrement.

— Nouvelle réponse honnête, dit-il. Maintenant, puis-je poser la seule question qui compte ?

McCormick acquiesça.

— Méritez-vous ce poste ? Quel âge avez-vous, trente-cinq ans ? Chef du service psychiatrique du FBI ? Vous êtes vraiment bonne à ce point ?

Quelque chose de nouveau apparut sur le visage de McCormick : un mélange d'orgueil amusé et de détermination féroce. Il répondit à la question sans qu'elle eût besoin de prononcer un mot.

— Je le crois aussi, dit Clevenger. J'ai travaillé avec les meilleurs experts psychiatres de notre pays. Vous êtes largement au niveau.

Elle sourit.

— Est-ce que ça veut dire que vous me laisserez réviser tranquillement vos lettres au *Times* ?

— Absolument pas.

— C'est bien ce que je pensais.

12

Le jeudi 3 avril 2003, le *New York Times* publia intégralement la lettre de Clevenger adressée au tueur des autoroutes, y compris son engagement à ne pas travailler directement avec le FBI. Le 5 avril, le journal reçut la réponse du tueur, envoyée par Federal Express, depuis une boîte située près d'un immeuble de bureaux de Rogers City, Michigan, ville située au bord du lac Huron, non loin de Mackinaw State Forest :

> *Docteur Clevenger,*
> *Mon premier souvenir (légèrement transformé afin de ne pas stimuler la mémoire d'autres personnes) est la fête d'anniversaire organisée par ma mère pour mes quatre ans. Elle s'est déroulée dans un petit parc proche de chez nous. Une journée ensoleillée de mai. Herbe verte. Fleurs. Une petite brise. Une balançoire et un toboggan. Des jeux d'enfant.*
> *À mon intention et à celle d'une douzaine d'amis, ma mère avait loué un manège avec des chevaux de bois de couleurs vives. Elle nous a offert un banquet de glaces à la menthe, de barbe à papa et de cookies. Des faveurs de jour de fête.*
> *C'étaient là des extravagances rares. Nous n'étions pas riches.*
> *J'ai aimé cette journée. Je me souviens que je débordais de fierté. C'était mon anniversaire. C'étaient mes amis. Ils tenaient à moi, m'offraient des voitures*

miniatures, des animaux en peluche, des livres, des boîtes de gouaches.

Mais, plus encore que mon anniversaire et mes amis, il y avait ma mère… jolie, radieuse, par-dessus tout douce et tendre. Sur mon cheval de bois, je la voyais sourire, rire, m'envoyer un baiser. Des instantanés d'un ange. Elle m'a offert, ce jour-là, un cadeau que j'ai aujourd'hui encore, une babiole qui me rappelle que j'étais autrefois pur et vulnérable – un enfant aimant qui n'avait fait de mal à personne.

Nous avons joué pendant des heures, mes amis et moi. Quand je suis rentré chez nous en compagnie de ma mère, j'avais l'impression d'être un conquérant rapportant son butin et les merveilles sans doute promises à un enfant de quatre ans me donnaient le vertige. J'étais sur le point d'apprendre à lire, à nouer seul les lacets de mes chaussures, à faire de la bicyclette.

La porte de notre maison était ouverte. Ma bonne humeur a disparu. Mon père était là. Il s'est dirigé vers nous dès notre arrivée, a giflé ma mère, hurlé qu'il lui avait dit qu'il n'y avait pas d'argent pour fêter « le putain d'anniversaire du petit bâtard ». Je me suis interposé et il m'a également giflé. Ma vision est devenue floue. Je suis tombé sur le plancher. J'avais un goût de sang dans la bouche. Une de mes incisives a bougé quand j'ai passé la langue dessus. J'ai vu des pages déchirées de mes livres, des morceaux arrachés de mes animaux en peluche, mes voitures miniatures tomber tout autour de moi. Puis je l'ai vu écraser une par une toutes les autos sous son talon.

Ma mère, tassée sur elle-même dans un coin, pleurait. J'aurais voulu être plus âgé, plus grand, plus fort, capable de la défendre. Elle a posé un doigt sur ses belles lèvres, pour me faire comprendre que je devais me taire, et m'a envoyé à nouveau un baiser. Et malgré le goût du sang, dans ma bouche, je me suis senti

calme, apaisé, victorieux même du monstre qui préten-
dait être mon père.

J'étais victorieux, du sang dans la bouche. À quatre
ans. Cela explique-t-il le calme que suscite en moi le
goût du sang des autres ?

Ou bien l'impuissance que j'ai éprouvée ce jour-là,
l'impossibilité totale où j'étais d'aider une personne que
j'aimais sont-elles de meilleurs indices ? Parce que lors-
qu'on tue, comme dans le sexe, il y a un pouvoir indé-
niable, une victoire, une sensation terrible et ultime de
triomphe.

Il y a aussi un sentiment d'union. Sommes-nous morts
émotionnellement ensemble, ma mère et moi, dans cette
petite maison des horreurs ? Quand je serre contre moi
un homme ou une femme en train de mourir, est-ce que
je retourne dans ses bras, comme j'ai parfois envie de
le faire ?

Faute de répondre à vos questions directes sur ma
famille proche (ce qui pourrait permettre de m'identi-
fier), je dirai cependant que mon père est mort au cours
de ma vie. Ma mère vivra toujours.

En réponse à une autre de vos questions, je crois que
mon angoisse s'est concentrée sur l'école du simple fait
que j'étais séparé de la personne que j'adorais. Peut-
être m'inquiétais-je pour sa sécurité, chez elle. Je ne
m'en souviens pas.

Mais je me souviens de la sensation produite par cette
angoisse. Elle me dissolvait. Il n'y avait pas de douleur
physique mais une impression de désordre total. D'en-
tropie. La panique à l'idée que ma réalité, moi-même,
partions à la dérive et risquions de dériver à jamais.

J'éprouve la même angoisse au plus fort du désir de
prendre une vie. Mais, désormais, la douleur physique
est une composante majeure de ma souffrance. Migraine
horrible. Douleur dans la mâchoire. Palpitations.
Essoufflement.

Après un meurtre, ces symptômes disparaissent. J'éprouve une intense sensation de paix. Je me sens parfaitement en harmonie avec l'univers.

J'ai recouru à la marijuana et à l'alcool dans l'espoir d'apaiser le tueur des autoroutes, en vain.

Comment appeler l'enfant effrayé qui est en moi? Comment celui qui me soigne pourrait-il nommer la partie de moi qui a avalé du sang sur le plancher de la maison de ses parents, qui pleurait sa mère dans la cour de l'école? Ce bon enfant? Appelez-le Gabriel, messager de Dieu, écho de mon innocence.

Vous indiquer la dernière demeure de tous les corps serait prématuré. Notre relation ne fait que commencer. Mais je comprends que les dépouilles comptent beaucoup pour les familles. Toutes seront rendues le moment venu. Pour commencer, fouillez les cinquante premiers mètres de la sortie 42 de la Route 70 près de Moab, Utah.

Avez-vous eu envie de tuer, Frank? Avez-vous recouru à l'alcool et à la drogue pour émousser cette pulsion? Tentez-vous de comprendre les meurtriers dans l'espoir de vous comprendre vous-même?

Comment votre père vous a-t-il humilié? Soyez précis. Si vous voulez que je demeure ouvert vis-à-vis de vous, soyez-le vis-à-vis de moi.

Vous ne pouvez espérer atteindre le noyau de ma psychopathologie si vous restez à distance.

Un croyant
Qu'on appelle le tueur des autoroutes

Quelques heures plus tard, Clevenger prit l'avion à Boston afin de rejoindre Whitney McCormick dans l'Utah, à l'endroit indiqué par le tueur des autoroutes. Il avait demandé à North Anderson de veiller sur Billy pendant son absence.

Il commença sa réponse pendant le vol. Il fallait qu'il redonne du pouvoir à Gabriel, la partie encore innocente et honnête du tueur.

172

D'après lui, la raison qui empêchait Gabriel de mettre un terme aux meurtres était sa faiblesse – il était trop pur, trop innocent, totalement séparé de l'aspect sombre de sa nature, de cette part «d'ombre» qui inclut l'agressivité.

Gabriel n'était que compassion, le reflet de sa mère. Le tueur des autoroutes n'était que fureur, le reflet de son père.

Pour prendre le contrôle de la situation, Gabriel devrait puiser dans la part de ténèbres. Comme le chirurgien retirant une tumeur, il faudrait qu'il plonge le scalpel dans son âme et le manie avec détermination.

Le tueur des autoroutes avait raison d'insister pour que Clevenger lui raconte les humiliations subies pendant son enfance. Il avait raison de demander si l'activité de Clevenger, qui consistait à rechercher les meurtriers, reflétait une fascination pour l'aspect destructeur de sa personnalité. Parce qu'il fallait qu'il apprenne, grâce à un exemple, comment transformer sa fureur en désir de protéger les autres.

Vous ne pouvez espérer atteindre le noyau de ma psychopathologie si vous restez à distance.

Il faudrait que Clevenger commence par ses cicatrices, son authenticité d'homme qui se souvenait de ce qu'on éprouve lorsqu'on souffre pendant son enfance.

Cette perspective l'effrayait, d'une part parce qu'il n'avait guère envie de revisiter ses traumas, d'autre part parce que des millions de gens liraient des choses intensément personnelles – et gênantes – le concernant.

Notamment North Anderson, Kane Warner, Whitney McCormick et Billy.

Mais quel était le risque ? L'abandon ? L'isolement ? Ne croyait-il pas, au plus profond de lui-même, ce qu'il aurait dit à un malade, à savoir que se dévoiler – notamment la partie de soi qui supplie de pouvoir rester enfouie – est le chemin de l'amour et de l'estime de soi authentiques ?

S'il ne pouvait supporter de dire sa vérité dans le *New York Times*, comment pourrait-il demander à Gabriel de le faire ?

Vous ne pouvez espérer atteindre le noyau de ma psychopathologie si vous restez à distance.

Il prit son stylo et se mit à écrire :

Gabriel,

Mon père, aujourd'hui décédé, avait des façons ordi-naires et exceptionnelles de m'humilier. Quand il était ivre, il me frappait avec sa ceinture. J'ai appris à ne pas tenter de me cacher, car les corrections étaient encore plus violentes quand il me trouvait. Je me souviens que je me demandais comment un homme qui tenait à peine debout parvenait à m'extraire des coins les plus reculés de la maison – au plus profond d'un placard, sous un lit, tassé sur moi-même derrière un manteau suspendu dans le sous-sol.

Clevenger se laissa aller contre le dossier de son siège, se souvint. Il sentait presque l'haleine alcoolisée de son père, voyait presque ses yeux injectés de sang, qui restaient d'une fixité effrayante même lorsqu'il frappait. Il prit une profonde inspiration, puis se remit à écrire.

Quand il rentrait, il avait envie de violence. Contrai-rement à la vôtre, ma mère n'avait pas le courage d'ab-sorber sa fureur. Souvent, à son retour, elle se plaignait exagérément d'une mauvaise action que j'étais censé avoir commise pendant la journée. Du désordre dans ma chambre. D'un repas non terminé. De « réflexions » réelles ou imaginaires.

Au bout du compte, je l'attendais avec elle derrière la porte, pour en finir.

Un autre souvenir lui traversa l'esprit, puis supplia de ne pas être couché sur le papier. Il se contraignit à l'écrire :

Je ne portais rien sous mon jean parce que sentir mon père baisser mes sous-vêtements était trop humiliant et trop effrayant. J'ai souvent pensé que cette partie était celle qu'il préférait. Et je ne savais pas si ce plaisir était purement sadique ou partiellement sexuel. Je suppose que je n'avais pas envie de savoir, que je n'en ai probablement toujours pas envie.

Quand il n'avait pas bu, il était plus créatif encore, préférait la torture psychologique à la torture physique. Une de ses favorites consistait à me tendre un piège en nous disant, à ma mère et à moi, qu'on irait au parc d'attraction, à la plage ou acheter le chien dont j'avais désespérément envie. On allait parfois jusqu'à la rue, ou même jusqu'au parking d'une fête foraine. Là, il secouait la tête et riait. Seule la chute variait :

« Tu crois que tu vas t'amuser ou faire des tours de manège avec une chambre comme la tienne ? Pour qui tu te prends ? »

« Tu crois que je vais te confier la responsabilité d'un chien alors que tu n'es pas capable d'être responsable de toi-même ? Pour qui tu te prends ? »

À la réflexion, le plus étrange, dans toute cette routine, est le nombre de fois où j'ai marché, mon désir intense de vouloir croire à son aptitude à la gentillesse, l'espoir de voir mon univers s'éclairer... ne serait-ce que pour une journée.

Je le haïssais. Dans une certaine mesure, je le hais toujours, même si je sais que c'était un homme brisé qui, lui aussi, souffrait beaucoup.

Enfant, j'ai plus d'une fois envisagé de le tuer. Ce tueur est-il toujours en moi ?

Clevenger posa son stylo et se laissa une nouvelle fois aller contre le dossier du siège.

La secousse de l'atterrissage à l'aéroport de Canyonland Field le réveilla. Il retrouva Whitney McCormick au siège de la police d'État, situé dans le comté de Wayne. Ils prirent la Route 70 dans une camionnette de la police d'État, en compagnie de deux agents et du docteur Kent Oster, coroner du comté.

Une matinée de pluie glaciale avait cédé la place à une fin d'après-midi ensoleillée. À l'approche de Moab, la Route 70, qui traverse le désert de San Rafael, contourne les majestueuses falaises Brook et Arches National Park puis se dirige vers les canyons du Colorado, permet de découvrir des paysages miroitants.

Ils s'arrêtèrent à la sortie 42. Au terme de quinze minutes de recherches, l'agent Gary Novick appela ses compagnons.

Quand Clevenger le rejoignit, McCormick était déjà arrivée.

— C'est moche, dit-elle, les yeux fixés sur un chemin d'herbes piétinées.

Clevenger suivit son regard et découvrit le cadavre en décomposition d'une femme vêtue d'une robe toute simple, à motif floral, et d'un gilet vert. Il se dirigea vers lui, s'immobilisa après trois pas. La tête avait été coupée. Il scruta le sol et la découvrit à un ou deux mètres du corps, sur un tas de feuilles, yeux ouverts et fixes rivés sur lui, mèches de cheveux gris flottant au vent.

— Mon Dieu, souffla-t-il.

Le docteur Oster s'agenouilla près du cadavre, tendant le cou afin d'examiner la plaie.

— C'est un homme robuste, dit-il. La colonne vertébrale a été proprement coupée.

Il se pencha et reprit :

— Elle est ici depuis plusieurs mois, au moins.

Il enfila des gants de chirurgien, regarda sous l'encolure de la robe de la femme, jeta un coup d'œil sur le visage parcheminé, désincarné.

— Soixante-dix ans, constata-t-il. Peut-être soixante-quinze.

Il se leva et alla s'accroupir près de la tête.

— Traumatismes faciaux graves. Fractures multiples… mâchoire, arcade zygomatique. Les sinus frontaux sont écrasés.

— Rien à voir avec le côté doux et tendre du tueur des autoroutes, dit Jackie McCune, un des agents, avec un clin d'œil.

— Il ne se connaissait plus, dit McCormick. Celle-ci l'a vraiment touché au plus profond.

176

Les agents entreprirent de fouiller les lieux à la recherche d'indices.

Clevenger gagna le corps. Il examina les bras nus de la femme.

— On dirait qu'il n'a pas prélevé de sang, dit-il.

Oster le rejoignit. Il leva délicatement chaque bras et regarda le creux du coude.

— Pas de trace de piqûre, dit-il. Il y en a peut-être une ailleurs. Je ne manquerai pas de signaler ça à l'équipe de légistes du Bureau.

L'autre agent, qui avait indiqué qu'il s'appelait Matt, sortit d'entre les arbres avec un sac à main.

— À dix mètres, annonça-t-il.

Il montra un permis de conduire et ajouta :

— Paulette Bramberg. Soixante-treize ans. Elle habitait Old Pointe Road.

Il se tourna vers Clevenger et McCormick et précisa :

— C'est à quinze kilomètres d'ici.

— Je vais y envoyer quelqu'un, dit Jakie McCune.

13

Une pluie glacée se mit à tomber. Les vols de Clevenger et de McCormick furent retardés de deux heures, si bien qu'ils dînèrent à l'aéroport.

— Celui-ci ne colle pas avec le reste, dit-elle.

— Sur plus d'un plan. Je sais que j'ai dit que ses victimes ne présentaient pas de structure démographique, reconnut Clevenger, mais c'est, à notre connaissance, la première femme âgée.

Elle secoua la tête et ajouta :

— Pourquoi ne nous en sommes-nous pas aperçus plus tôt ?

— Il est difficile de distinguer une incohérence dans une structure aussi diffuse que celle que le tueur des autoroutes a créée, dit Clevenger. Je crois que Paulette Bramberg est au centre de cette structure. Le point névralgique. Je crois qu'elle a catalysé, en lui, quelque chose d'explosif.

— Si nous ne nous trompons pas sur son âge, elle pourrait être sa mère. Mais il affirme qu'il adore sa mère. Enfin, c'est ce qu'il écrit.

Elle but une gorgée d'eau gazeuse.

— Il l'idéalise, dit Clevenger. Personne n'est entièrement bon. Mais comme son père le maltraitait quotidiennement, il avait besoin de croire que quelqu'un l'aimait parfaitement. Ma déduction : elle a fini par le laisser salement tomber et c'est un événement qu'il n'a jamais affronté.

— Laissons cette question de côté pour le moment. Il ne faut pas le mettre en relation avec le réservoir de fureur qui le pousse à décapiter au lieu d'égorger.

— Je ne crois pas qu'il soit possible de remettre le génie dans la bouteille, dit Clevenger.

Le serveur s'immobilisa près de la table.

— Tout va bien ?

Clevenger adressa un bref regard à McCormick, qui acquiesça.

— Parfaitement, répondit-il.

McCormick reprit à l'endroit où ils avaient été interrompus.

— Ne le mentionnez pas, voilà tout.

— Il nous a livré un cadavre sur Dieu sait combien. Consciemment ou inconsciemment, il veut parler de ce qu'on a vu. Et on a principalement vu qu'il ne se connaissait plus.

McCormick secoua la tête.

— Si un patient que vous avez en psychothérapie faisait une allusion vous amenant à croire qu'il a peut-être été maltraité pendant son enfance, vous ne l'exploiteriez pas nécessairement. Vous pourriez vous contenter de la garder en mémoire et y revenir beaucoup plus tard… très prudemment.

— Peut-être ou peut-être pas.

— Je veux simplement dire qu'il ne faudrait pas provoquer un effondrement en allant trop loin trop vite.

— Il ne s'agit pas, de sa part, d'une allusion. Il a décapité quelqu'un. Il ne fait pas dans la subtilité.

Elle sourit.

— Écrivez votre lettre, on en discutera ensuite.

— Pourquoi pas maintenant ?

Elle esquiva.

— Vous l'avez commencée ? La lettre ?

Clevenger acquiesça.

— Vous voulez que j'y jette un coup d'œil ?

Il éprouva une sensation familière d'hésitation qu'il attribua à la résistance, à cette appréhension qu'il avait ressentie, face à son analyste, avant de se dénuder complètement.

— Je finirai de toute façon par la lire, dit-elle.

Il sortit la lettre de sa poche revolver, la déplia et la lui donna.

Elle la lut, le regarda brièvement à plusieurs reprises, un mélange d'inquiétude et de chaleur dans les yeux. Elle posa la feuille sur la table.

– Je ne savais pas que vous aviez subi ça.

– En général, je n'en parle pas, dit-il.

– Vous êtes sûr de vouloir le faire ?

– Non, répondit-il. Mais il a dit dès le départ que c'était un échange. Si je donne quelque chose, j'obtiens quelque chose. Et je le crois.

– Et s'il demande plus que ce que vous pouvez donner ? Il n'y a rien qui soit en dehors des limites ?

– Il faut que je fasse l'effort nécessaire. Parce que je finirai par exiger beaucoup plus de lui. Je lui demanderai de renoncer à sa liberté.

– Qu'est-ce que vous vous refuseriez à lui dire ?

Clevenger sourit.

– Vous d'abord.

McCormick recula.

– Voici ce qui compte à mes yeux : quoi que ce soit, c'est votre dernière monnaie d'échange. Ne le mettez pas trop tôt sur la table.

– Bon conseil.

– Ça m'arrive de temps en temps.

Quelques secondes passèrent. Elle posa sa fourchette et le regarda, inclinant la tête d'une façon très élégante, très féminine.

– D'accord, je commence.

Il crut qu'elle allait s'en tirer par une blague.

– Vous êtes sûr de vouloir mettre ça sur la table si tôt ?

– Pourquoi pas ?

Elle rougit, comme elle l'avait fait dans son bureau de Quantico.

– Mon père a représenté une force si puissante dans ma vie que tous les autres hommes ont fini, comparativement, par paraître pâles.

Cet aveu stupéfia Clevenger.

– Ça n'a absolument rien de sexuel, s'empressa-t-elle d'ajouter. Mais c'est un homme très talentueux. Il est intéressant sur beaucoup de plans. Et il s'est toujours très bien occupé de moi. Quand quelque chose me tourmente, il m'écoute. Il m'écoute *vraiment*.

– Et vous n'avez retrouvé ça chez personne.

– Je l'ai cru à plusieurs reprises, mais ça n'a jamais duré très longtemps. Apparemment, quand on couche avec un type, il se ferme, émotionnellement, au lieu de s'ouvrir. Je ne sais pas si ça vient de moi ou d'eux. Et je ne sais pas si ce sont tous les hommes ou seulement ceux que je choisis.

— Lesquels avez-vous choisis ? demanda Clevenger.

— Des chirurgiens, depuis la faculté de médecine, répondit-elle. Un neurochirurgien. Un chirurgien esthétique. Un ophtalmologiste. Même un pédicure.

— Pas vraiment des spécialités de l'écoute.

Elle prit une profonde inspiration.

— Si mon père ne m'avait pas accordé toute son attention, j'accepterais peut-être de me contenter de moins.

— Ou, si vous ne vous contentiez pas de moins, peut-être auriez-vous l'impression de le remplacer, de le trahir.

Cela la toucha.

— Possible.

— Au bout du compte… vous n'avez pas forcément besoin de vivre avec quelqu'un, dit Clevenger, étonné par la tonalité affectueuse de sa voix.

Il lut, dans les yeux de McCormick, que la remarque lui faisait plaisir.

— À votre tour, dit-elle. Quelle est la chose que vous ne voudriez pas voir publiée dans le *New York Times* ?

La réponse vint très rapidement.

— Je crois que les coups de mon père…

Il s'interrompit, plissa les yeux afin de distinguer la vérité au plus profond de son esprit, puis reprit :

— Je crois qu'il m'a forcé à me demander si je valais quelque chose… en tant que personne. Qu'homme. Je crois que j'ai passé toute ma vie à prouver que j'ai une valeur en tant que personne.

— Seulement vous ? demanda-t-elle. Ou bien voulez-vous démontrer que tout le monde a une valeur à un niveau donné ? Même les tueurs ? Même le tueur des autoroutes ?

Ce fut au tour de Clevenger de prendre une profonde inspiration, de chasser l'air contenu dans ses poumons. Il s'aperçut qu'il ne pensait pas seulement à sa vie, mais aussi à celle de Billy Bishop.

— Quand on n'est pas considéré comme une personne par son père, il est très difficile d'estimer qu'on en est une, de voir la part de soi-même qui est réelle et substantielle – la part qui est réellement digne d'amour. C'est peut-être devenu une habitude, chez moi. J'ai probablement envie de faire pour tout le monde ce que je n'ai pas pu – ou pas voulu – faire pour moi.

Bizarrement, il avait la gorge serrée. Peut-être parce qu'il en avait assez dit, peut-être parce qu'il en avait trop dit.

– Vous voyez? ajouta-t-il.

En guise de réponse, McCormick glissa la main sur la table, puis dans la sienne. Il passa le pouce sur le sien, puis sur l'intérieur de sa paume.

– Je vous vois, dit-elle.

La pluie s'était muée en tempête. Une seule chose était claire, dans la nuit: aucun avion ne quitterait Canyonland Field. Clevenger et McCormick gagnèrent le Marriott de l'aéroport en taxi.

Pendant le trajet, Clevenger téléphona à Billy.

– Salut, dit-il.

Il semblait fatigué.

– Ça va?

– Bien, répondit-il, indifférent.

– La tempête m'oblige à passer la nuit ici. On pourrait parler tranquillement demain, à mon retour.

– Sûr.

– Je devrais être à la maison vers quinze heures.

– Peu importe. Je serai là.

– Écoute, commença Clevenger, tu me…

Mais Billy avait coupé. Clevenger fut vexé et cela transparut sur son visage quand il ferma son portable.

– Il vous partage avec le Bureau, dit McCormick. Et avec le tueur des autoroutes.

Clevenger acquiesça.

– Vous devriez peut-être l'emmener avec vous à Quantico, la prochaine fois. On pourrait le faire profiter de la visite réservée aux VIP.

– Il faut que je le maintienne à l'écart de ce que je fais, dit Clevenger. Il a vu assez de violence.

McCormick acquiesça sans enthousiasme.

— À quoi pensez-vous ? demanda Clevenger.

— En réalité, ça ne me regarde pas.

— Faites comme si.

Elle hocha la tête.

— Au bout du compte, il vit avec vous à cause de ce que vous faites. Vous étiez psychiatre expert, après tout, quand vous êtes entré dans son existence et lui avez évité de passer sa vie en prison.

— Et ?

— Et vous êtes toujours psychiatre expert. Pourquoi devriez-vous faire comme si ce n'était pas le cas ?

— Depuis quelque temps, il a des problèmes de violence et de drogue, dit Clevenger.

— Et vous redoutez qu'il craque s'il côtoie votre travail de trop près. Vous croyez qu'il pourrait devenir beaucoup plus violent.

Billy avait tiré la même conclusion de l'inquiétude de Clevenger.

— Peut-être, fit Clevenger.

— Intéressant, dit-elle.

— Comment ça, *intéressant* ?

— Vous êtes sûr que vous ne vous projetez pas ? D'après la lettre que vous venez de me montrer, vous redoutez qu'il y ait un tueur en vous. Ça ne signifie pas qu'il y en ait un en lui.

— Je vois ce que vous voulez dire.

— C'est ce qu'on dit, en général, quand on n'est pas d'accord avec ce qu'on vient d'entendre.

Clevenger lui sourit. Peut-être serait-il préférable d'inviter Billy dans sa vie professionnelle, même dans ses recoins les plus ténébreux. Peut-être Billy était-il moins fragile que le croyait Clevenger. Néanmoins, cela semblait risqué.

— Bon…, dit McCormick, il faut que je sois directe… On prend deux chambres.

— On peut même en prendre trois, répondit Clevenger.

Il lui prit la main et ajouta :

— Je ne suis pas pressé, Whitney.

Prononcer son prénom lui fit plaisir.

– Mais il faut que vous sachiez que je n'arrêterai pas de vous écouter après avoir fait l'amour avec vous, ajouta-t-il.

– Si on fait l'amour.

– Si, admit Clevenger.

McCormick posa la main sur son genou.

Clevenger travailla jusqu'à minuit pour terminer sa lettre au tueur des autoroutes.

Enfant, j'ai plus d'une fois envisagé de le tuer. Ce tueur est-il toujours en moi ?

Sans aucun doute. Quoique sous forme d'embryon. Et plus je parviens à toucher cette partie de moi qui n'a pas vu le jour, plus je suis proche de l'impuissance et de la fureur viscérales que la violence de mon père a fait naître en moi, moins il est probable que cet embryon voie le jour.

J'accepte ma souffrance. Vous refusez la vôtre. Vous dites que vous vous sentiez victorieux «avec du sang dans la bouche» parce que vous saviez que l'amour de votre mère vous était acquis. Mais votre sensation de triomphe n'était qu'un moyen de défense contre des sentiments plus profonds de terreur et de faiblesse. À quatre ans, vous n'avez pas affronté la vérité horrible, à savoir que c'était votre sang qui s'écoulait de votre bouche, que vous étiez dans l'incapacité de vous protéger et que personne ne voulait ou ne pouvait vous protéger.

Désormais, vous cherchez à exercer le pouvoir ultime sur les autres – qu'ils vivent ou meurent – comme si cela pouvait effacer votre humiliation et votre impuissance.

Vous dites que vous éprouvez de grandes souffrances physiques – migraines, douleurs dans la mâchoire. Vous ressentez une angoisse horrible – palpitations, essoufflement. Mais je doute que vous éprouviez une tristesse ou une fureur viscérales. Parce que le pire de ce que vous avez subi pendant votre enfance demeure prisonnier de votre inconscient.

À quel trauma avez-vous tourné le dos, Gabriel ? Quelle fureur enfouie a explosé quand vous étiez en compagnie de Paulette Bramberg ? Qu'est-ce qui, chez une femme âgée (une femme de l'âge de votre mère ?), vous a privé de tout contrôle sur vous-même, si bien que la proximité d'un mourant ne suffisait plus, mais qu'il devenait nécessaire de tuer si violemment, si monstrueusement ? Et pourquoi ne lui avez-vous pas pris de sang ? La présence de Paulette Bramberg en vous serait-elle un poison ?

Ou bien le péché de Paulette Bramberg a-t-il simplement été son indifférence au tueur des autoroutes, sa distance, son incapacité à percevoir l'intimité immédiate et extraordinaire que vous suscitez chez les gens, j'en suis sûr, si bien qu'ils vous ouvrent leur cœur comme ils ne l'ont jamais fait, se confient à un inconnu de telle façon qu'ils s'en souviendraient toute leur vie, si cette vie n'était pas interrompue ?

Je vous ai demandé les corps de toutes les victimes du tueur des autoroutes. Celui que vous m'avez donné est différent de tous les autres. Pourquoi ?

Je crois que la réponse à cette question sera le commencement de la fin du tueur des autoroutes.

On frappa à la porte de sa chambre. Il regarda sa montre : 0 h 50.
— Qui est-ce ? demanda-t-il.
— Whitney.
Il gagna la porte et l'ouvrit. Elle était dans le couloir, pieds nus, vêtue d'un blue-jean décoloré et d'un sweat-shirt du FBI usagé. Dans cette tenue décontractée, elle était plus magnifique encore.
— Vous ne pouvez pas dormir ? demanda-t-il.
— Je suis heureuse qu'on ait pris deux chambres, dit-elle.
— O.K…

– Mais je crois qu'on ne devrait pas les utiliser toutes les deux.

Clevenger lui prit la main, l'attira dans la pièce puis dans ses bras, la poussa doucement contre le battant quand il fut fermé. Ils s'embrassèrent intensément, s'abandonnèrent à leurs lèvres et leurs langues, apaisèrent mutuellement leur soif. Puis, sans avertissement, McCormick le repoussa, presque avec colère. Elle sourit, face à son étonnement, ôta son sweat-shirt et le laissa tomber sur le plancher. Elle ne portait rien dessous. Il approcha, tendit le bras et passa doucement les doigts sur ses seins, vit les mamelons se dresser sous l'effet de la caresse. Puis il s'agenouilla, déboutonna son jean et en ouvrit la fermeture Éclair, embrassa la partie inférieure de son abdomen.

– J'ai eu envie de toi dès notre première rencontre, souffla-t-il.

– Ça pourrait être un mauvais présage, dit-elle, traînant sur les mots, quand Clevenger glissa la main entre ses cuisses.

– Possible, fit-il.

Il se redressa, la prit dans ses bras et l'emporta jusqu'au lit.

Ils firent l'amour tendrement, au début, puis avec fureur, deux personnes au bord du précipice, se mêlant l'une à l'autre, et libérèrent leurs passions, leurs frustrations, leurs espoirs, leurs besoins jusqu'au moment où, épuisés, ils restèrent allongés côte à côte et se regardèrent dans les yeux.

– Tu as connu beaucoup de femmes, dit-elle.

– Pardon? blagua-t-il sur un ton très sérieux. Je n'écoutais pas.

Elle rit.

– Je t'emmerde, dit-elle.

Puis ils firent une nouvelle fois l'amour.

6 avril 2003
En quittant l'Utah

Clevenger montra sa lettre terminée à McCormick juste avant leur embarquement, le vol de la jeune femme décollant à 12 h 25 et celui de Clevenger à 12 h 50. Elle secoua la tête.

– Écoute, dit-elle, j'ai promis de te soutenir et je le ferai. Mais tu attaques carrément la jugulaire et je crois que tu dois y réfléchir. Le temps qu'il se vide psychologiquement de son sang, il risque de faire couler le sang de beaucoup de gens.

— Tôt ou tard, il faudra qu'il affronte ses démons, répondit Clevenger. À mon avis, le plus tôt sera le mieux.

Un haut-parleur annonça l'embarquement du vol de McCormick.

— S'il réagit négativement dans la lettre suivante, on fait un nouveau bilan.

— Marché conclu.

Elle se tourna vers sa porte d'embarquement.

— Tu vas me manquer, dit Clevenger, une nouvelle fois étonné par ses propos.

Il y avait longtemps qu'il ne s'autorisait plus à éprouver de l'affection pour une femme. Cela l'angoissa.

Elle se retourna, regarda autour d'elle avec inquiétude afin de s'assurer que personne n'avait entendu Clevenger, un agent de la police d'État, par exemple, un journaliste fouineur ou un agent du FBI travaillant discrètement sur l'affaire. Elle ne vit personne, posa la main sur son cœur puis la lui tendit.

Jonah Wrens avait tout entendu... et tout vu. Assis près de la porte, en costume de laine gris clair à fines rayures, chemise bleu clair à col boutonné et cravate bleue rayée ton sur ton, sa serviette à ses pieds, il feignait de lire le *Sentinel and Telegraph* de Salt Lake. Son cœur cognait. Ses yeux étaient douloureux. Il avait tendu la main. Il avait fait confiance. Et il avait été trahi. Clevenger n'avait jamais eu l'intention de l'aider dans son combat rédempteur. Il voulait l'enfermer. Il avait promis de ne pas travailler avec le FBI, mais il avait continué de collaborer avec lui... et avec Whitney McCormick, la chasseresse.

À la jumelle, depuis le sommet d'une colline située à huit cents mètres, Jonah avait vu la camionnette de la police d'État de l'Utah s'arrêter au bord de la chaussée à la hauteur de la sortie 42, avait attendu que les passagers descendent, espérant avec ferveur que Clevenger ne serait pas parmi eux. Mais il l'avait vu, avait pu constater de ses propres yeux que c'était bien un hypocrite. Et la sensation de solitude, qui n'était que trop familière, s'était mise à ronger son âme, à dévorer ses entrailles, le laissant vide et en proie à une souffrance atroce.

La souffrance était plus grande encore maintenant. Il fallait qu'il s'emplisse, qu'il fortifie sa moelle grâce au sang de quelqu'un. Et qui pouvait mieux le nourrir que l'homme qui avait promis de soulager ses souffrances ?

Il se leva, glissa la main dans le trou pratiqué dans la poche de son pantalon, saisit la poignée du couteau de chasse collé sur sa cuisse. Il le dégagea. Puis il se dirigea vers Clevenger, se vit lui sourire comme s'ils étaient de vieux amis, lui donner une accolade qui le surprendrait, puis plonger la lame sous son sternum, perçant le ventricule gauche du cœur, en lui soufflant à l'oreille que son cœur le faisait souffrir, qu'il avait désespérément envie de guérir, que Clevenger avait été sa dernière chance, son dernier espoir. Puis il s'en irait, abandonnerait le corps de Clevenger, s'enfuirait avec ce qu'il aurait pu capturer de son esprit, la vérité pure de ses yeux agonisants.

Peut-être était-ce la seule partie authentique de Clevenger.

Il arriva à trois mètres… deux, puis Clevenger tourna la tête et le regarda dans les yeux. Pendant un instant ou deux, pas plus. La fenêtre apparut et disparut aussitôt. Mais, par cette fenêtre, Jonah eut l'impression de voir l'âme de Clevenger, perçut quelque chose d'une intelligence rare, de puissant et même de féroce, mais aussi quelque chose de blessé et d'incomplet, quelque chose de vide et de seul. Il vit des parties de lui-même. Et ce reflet lui fit desserrer son étreinte sur le couteau de chasse, mina sa fureur, rendit tout parfaitement clair à ses yeux.

Il se souvint que le doyen de la faculté de médecine John-Hopkins, son mentor à l'époque où il y faisait ses études, lui avait dit que la vie comporterait de tels moments – des moments d'épiphanie –, mais cela ne lui était jamais arrivé. Il comprit alors ce à quoi le Seigneur le destinait vraiment : être soigné, mais aussi soigner.

Quel cercle magnifique : Clevenger et lui se rachetant mutuellement. Deux psychiatres unissant leurs cœurs et leurs esprits, ne faisant plus qu'un.

Qui pouvait dire, finalement, s'il avait demandé l'aide de Clevenger ou si Clevenger avait demandé la sienne? La main de Dieu ne les avait-elle pas, de toute évidence, attirés l'un vers l'autre? N'était-il pas vrai qu'il n'aurait jamais connu l'existence de Clevenger sans les reportages qui les liaient l'un à l'autre? Et n'était-il pas évident, même du point de vue du FBI, que toute la vie professionnelle de Clevenger tendait vers cet instant?

Quand Jonah passa près de Clevenger, il entendit, comme pour la première fois, les mots d'adieu de Clevenger à Whitney McCormick. *Tu vas me manquer.* Et il se souvint que l'expression du visage de Clevenger montrait qu'ils venaient directement du cœur. Clevenger tombait amoureux d'une femme incapable d'aimer, d'une femme sans empathie, d'une femme qui l'entraînerait dans l'abîme ténébreux du désespoir.

Jonah pouvait le sauver. Jonah pouvait réparer ce qui était brisé en Clevenger, les morceaux endommagés de sa psyché capturés par la toile d'araignée collante de McCormick. Et ainsi, selon les voies mystérieuses de Dieu et au moment voulu par Dieu, Jonah serait lui aussi sauvé, il en était absolument convaincu.

14

À Chelsea, Billy Bishop se réveillait enfin. Il était 13 h 10. Il se dressa sur un coude et regarda Casey Simms, seize ans, encore endormie près de lui, sur le flanc, ses longues boucles auburn drapées sur l'épaule, un diamant dans le nombril et, au creux des reins, un tatouage représentant un code à barres.

Ils avaient veillé jusqu'à 3 heures du matin, fait l'amour encore et encore, bavardé de tout et de rien dans ce flot intarissable de verbiage que la bonne herbe suscite parfois. Ils avaient parlé de la mort de la sœur de Billy, de sa vie en compagnie de Clevenger, du plaisir qu'on éprouve quand on est cité dans le *New York Times*, de ce qu'on en disait à Auden et à la Governor Welch Academy, l'école voisine, que Casey fréquentait, et de la célébrité toujours plus grande de Billy. Et ils avaient parlé de Casey, de ses parents qui ne la comprenaient pas, de son père, qui ne s'intéressait qu'aux affaires et au tennis, de sa mère qui ne s'intéressait qu'aux affaires, aux boutiques et au tennis, et de Newburyport, ville située à une heure au nord de Boston, dont Casey était originaire et qu'elle n'aimait pas parce que les rues faisaient penser à un film se passant dans les années 1890, avec leurs boutiques exagérément coquettes sous leurs enseignes en bois exagérément coquettes aux lettres dorées, le long de trottoirs en brique parfaits éclairés par de jolis lampadaires à gaz qui n'étaient que des mensonges parce qu'ils étaient reconstitués. Faux. Casey voulait être vraie, spontanée, vivante, exister dans le présent. Elle voulait aller s'installer à L. A. et devenir actrice.

Elle se mit sur le dos, dévoila ses vrais seins de seize ans, aux mamelons percés par des clous en or véritable de quatorze carats.

La paire lui avait coûté la moitié de deux semaines d'argent de poche.

— Il faut que je m'en aille avant son retour, dit Billy.

Il se sentait un peu coupable d'avoir fumé de l'herbe, mais il n'en avait pas fumé autant que Casey, si bien que quatre-vingts pour cent de la faute reposaient sur elle, Auden, Clevenger et M. Fitzgerald, patron du chantier naval. Ce n'était pas Billy, après tout, qui avait acheté les joints. Ce n'était pas lui qui avait décidé de quitter le lycée. Ce n'était pas lui qui avait provoqué les bagarres ayant abouti à son renvoi. Ce n'était pas lui qui avait attiré une nouvelle fois les journalistes dans sa vie. Ce n'était pas lui qui avait fait venir au chantier naval deux remorqueurs qu'il fallait décaper et peindre des heures durant, des jours durant, alors qu'il aurait fallu, en réalité, les couler dans le port. Ce n'était pas lui qui avait décidé qu'il devait rester seul à Chelsea pendant que Clevenger partait en voyage avec la super blonde du FBI que Billy avait vue à la télévision.

— Tu vas le faire ? demanda Casey. Partir ?

— Seulement pour quelque temps, répondit Billy. Deux ou trois jours. Il faut que je mette de l'ordre dans mes idées.

— Va dans notre chalet du Vermont. J'ai la clé. Il est au bord du lac Champlain, près de Burlington. C'est chouette. Le minimum. Poêle à bois, ce genre de truc. Il appartenait à mes grands-parents. Personne n'y va en hiver.

Billy n'aurait pas pu exprimer avec précision ce qu'il voulait laisser derrière lui. Et il aurait refusé la vérité, à savoir qu'il partait pour que Clevenger s'occupe de lui. Il savait seulement qu'il avait le cafard – qu'il se sentait seul, angoissé et furieux – et qu'il devait s'éloigner de cette sensation.

— Il ne faudra le dire à personne.

— Comme si j'allais le faire !

Elle passa une main sur l'abdomen lisse et musclé de Billy et ajouta :

— Ne pars pas tout de suite.

Billy fit l'amour avec Casey comme il soulevait de la fonte, pour prouver qu'il était fort, qu'il était un vrai homme, qu'il était invulnérable. Il voulait la toucher partout afin de démontrer qu'il était impossible de le toucher. De ce fait, quand elle crispa les jambes, se cambra et cria, il fut soulagé d'un grand poids et soupira de telle façon que Casey crut, à tort, qu'ils avaient joui en même temps. En réalité, il avait terminé depuis longtemps.

Casey quitta le loft la première. Billy jeta les mégots des joints dans la poubelle, écrivit sur un morceau de papier qu'il serait absent «deux ou trois jours», puis sortit par la porte du sous-sol afin d'éviter les journalistes rassemblés devant l'immeuble. Il gagna la gare sud de Boston par le métro et prit l'Amtrack «Vermonter» de 14 h 50 pour Burlington via Springfield, Massachusetts, un trajet de neuf heures et demie.

Il dormit jusqu'à Springfield. Il avait deux heures d'attente, si bien qu'il mangea un cheeseburger et des frites, puis flâna dans les boutiques de la gare. Il acheta des lunettes de soleil à verres réfléchissants et un bandana. Au kiosque à journaux, il vit le *New York Times*, regarda la première page, constata qu'il y avait une nouvelle lettre du tueur des autoroutes, celle que Clevenger avait lue la veille, avant de partir pour l'Utah, où il avait découvert le cadavre de Paulette Bramberg. Il tenta de passer devant sans s'arrêter, tenta de se prouver qu'il se fichait de ce que trafiquait Clevenger, qu'il avait bien compris que son père adoptif ne voulait pas qu'il se mêle de ses affaires et ne voulait pas qu'il le dérange. Mais il en fut incapable. Parce qu'il ne s'en fichait pas. Il acheta le journal, le glissa sous son bras et se dit qu'il le lirait dans le train… quand il en aurait envie, s'il en avait envie.

Compte tenu du décalage horaire et d'une heure de retard à l'arrivée à Logan, Clevenger ne regagna le loft qu'à 21 heures. Une douzaine de journalistes de la télévision et de la presse écrite attendaient toujours et se jetèrent sur lui, lui demandèrent s'il avait vraiment cessé de travailler avec le FBI, si c'était le tueur des autoroutes ou lui qui contrôlait leur psychothérapie, si, selon lui, le tueur des autoroutes était jeune ou âgé, noir ou blanc, peut-être même une femme. Clevenger se contenta de dire «pas de commentaire» tout en se frayant un chemin parmi eux, ce qui déclencha une avalanche de questions beaucoup plus personnelles, auxquelles il ne répondit pas du tout : avait-il véritablement cessé de se droguer ? S'était-il injecté de la drogue ? Avait-il indiqué aux services sociaux, lors de l'adoption de Billy Bishop, qu'il avait recouru à la drogue ? Donnerait-il cette information maintenant ?

Il était presque arrivé à la porte quand John Resnek, directeur du *Chelsea Independant*, cria une question qui le figea et l'amena à se retourner lentement.

— Qu'est-ce qui se passera si tu guéris ce type sans parvenir à l'arrêter ? demanda Resnek. Comment tu prendrais ça, doc ?

Les autres journalistes se turent.

Resnek était un homme d'une cinquantaine d'années, robuste et de haute taille, mal rasé, et avait une abondante chevelure poivre et sel. Il ressemblait au tambour de *Spirit of' 76*[1], mais avec vingt ans de moins. À l'époque où Clevenger terminait sa journée par trois scotches à l'Alpine Lounge, proche de son loft, Resnek – à la fois journaliste, philosophe, génie et fou – était le compagnon le plus agréable qu'il pût espérer rencontrer au bar. Qu'il s'agisse de sport, de politique, d'histoire, il savait tout sur Chelsea. Et quand ils en arrivaient au troisième verre, ils parlaient parfois vraiment... des difficultés familiales, de ce qui distingue le droit de la justice, du miracle de la beauté des femmes, de la peur de la mort.

— Si je le guéris sans parvenir à l'arrêter, répéta Clevenger pour gagner du temps.

— C'est ce qu'il veut, hein ? insista Resnek. Être soigné sans être capturé. Et tu sais très bien entrer dans la tête des gens. C'est de toute façon pour ça qu'il t'a choisi.

Clevenger réfléchit au scénario suggéré par Resnek. Et la réponse qui lui vint à l'esprit ne fut pas seulement celle de son cœur, mais celle que le tueur des autoroutes lui-même aurait voulu entendre, et heureusement, parce que les journalistes – y compris ceux des télévisions nationales – écoutaient très attentivement.

---

1. Tableau d'Archibald Willard réalisé en 1876 pour le centenaire de la révolution.

— J'ai envie qu'il guérisse et cesse de tuer, dit-il. Le reste relève du FBI.

Il tourna le dos au groupe, tendit le bras et ouvrit la porte.

— Vous voulez dire que vous ne contribuerez pas à sa capture ? cria un journaliste de Fox.

Clevenger entra.

— Pendant combien de temps continuerez-vous de le soigner s'il continue de tuer ? demanda un autre, de CNN.

Il ferma la porte derrière lui, s'y adossa pendant quelques secondes, puis gravit les cinq étages conduisant à son loft.

L'odeur de la marijuana y était encore forte. Il appela Billy, n'obtint pas de réponse, jeta un coup d'œil dans sa chambre et constata qu'elle était vide. Il suivit l'odeur jusqu'à l'endroit où elle était plus intense, tira la poubelle de sous l'évier de la cuisine, vit les mégots et les cendres que Billy y avait jetés. Son pouls s'accéléra et sa mâchoire se crispa. Le môme allait en désintox dès aujourd'hui, point. Fini le jeu du chat et de la souris. Soit il allait en désintox, soit il partait définitivement. C'était à lui de choisir. Puis il vit le mot que Billy avait griffonné sur un morceau de papier et laissé sur le plan de travail. Il le lut.

— C'est une blague, dit-il, les dents serrées. Quel emmerdeur !

Mais des vagues de culpabilité et d'inquiétude remplacèrent la colère. Culpabilité parce qu'il en voulait à Billy de détourner son attention du tueur des autoroutes – comme si l'enquête, et pas son rôle de père, était sa priorité. Inquiétude parce que Billy avait eu des tas d'ennuis sous le nez de Clevenger et risquait d'en rencontrer beaucoup plus dans les rues.

Il appela le mobile de Billy, mais l'entendit sonner dans sa chambre. Il téléphona à North Anderson chez lui.

Anderson décrocha.

— C'est Frank, dit Clevenger.

— Content que tu sois rentré. Tu as été retardé par le mauvais temps, hein ? Avec McCormick. La chance est vraiment toujours pour...

— Écoute, j'aurais vraiment besoin de ton aide.

— J'ai eu ton message au sujet du cadavre, dit Anderson. Décapité. Ton type ne respecte plus les règles.

— Pas seulement pour l'enquête, répondit Clevenger. À cause de Billy. Il est parti.

— Parti ? Je l'ai vu hier avant le dîner. Il avait rendez-vous avec Casey.

— Il a laissé un mot où il dit qu'il sera absent «deux ou trois jours». Il a aussi laissé de la marijuana. Il se drogue à nouveau. Et il se fiche apparemment que je l'apprenne.

— Merde, fit Anderson. Tu as une idée de l'endroit où il est allé ?

— Aucune. Je ne sais pas si Casey y est pour quelque chose. Compte tenu de la quantité de cendres qu'il y a dans la poubelle, ils avaient assez de marijuana pour se défoncer tous les deux.

Il secoua la tête quand il s'aperçut qu'il n'avait jamais vu Casey et avait oublié son nom de famille.

— D'où est-elle ? demanda Anderson.

— De Newburyport, je crois. Enfin, Billy est allé une ou deux fois la retrouver là-bas. Je sais aussi qu'elle a déjeuné deux ou trois fois avec lui au chantier naval. Elle a peut-être fait sa connaissance par l'intermédiaire de quelqu'un qui y travaille. Ou bien elle fréquente une des écoles qui sont proches d'Auden.

Il soupira, puis ajouta :

— En fait, elle pourrait tout simplement être son dealer.

— Je vais commencer par le chantier naval, puis j'irai à l'école, dit Anderson. On la retrouvera. Elle pourra probablement nous dire où il est allé.

— Je connais des flics de Newburyport, dit Clevenger. Je vais leur téléphoner.

— Je peux m'en occuper, Frank. J'ai souvent enquêté sur des disparitions, n'oublie pas. Plus de deux cents fois. Tu as trop à faire en ce moment.

Cela fit mal même si rien, dans le ton d'Anderson, ne suggérait l'intention de blesser.

— C'est peut-être le problème, dit Clevenger.

— Hé, accorde-toi...

Clevenger ne s'accorderait ni excuses, ni crédit, ni rien de ce qu'Anderson était sur le point de suggérer.

— Appelle-moi sur mon mobile dès que tu auras du nouveau.
— Pas de problème.

Billy était pratiquement arrivé à Burlington, Vermont, quand il alluma la lumière, sortit le *New York Times* de la pochette du siège qui se trouvait devant lui et lut la lettre du tueur des autoroutes. Il lut le récit idyllique de la fête du quatrième anniversaire du tueur, dans le parc, puis lut et relut l'histoire horrible de son retour chez lui :

> *La porte de notre maison était ouverte. Ma bonne humeur a disparu. Mon père était là. Il s'est dirigé vers nous dès notre arrivée, a giflé ma mère, hurlé qu'il lui avait dit qu'il n'y avait pas d'argent pour fêter «le putain d'anniversaire du petit bâtard». Je me suis inter-posé et il m'a également giflé. Ma vision est devenue floue. Je suis tombé sur le plancher. J'avais un goût de sang dans la bouche. Une de mes incisives a bougé quand j'ai passé la langue dessus. J'ai vu des pages déchirées de mes livres, des morceaux arrachés de mes animaux en peluche, mes voitures miniatures tomber tout autour de moi. Puis je l'ai vu écraser une par une toutes les autos sous son talon.*
>
> *Ma mère, tassée sur elle-même dans un coin, pleu-rait. J'aurais voulu être plus âgé, plus grand, plus fort, capable de la défendre. Elle a posé un doigt sur ses belles lèvres, pour me faire comprendre que je devais me taire, et m'a envoyé à nouveau un baiser. Et malgré le goût du sang, dans ma bouche, je me suis senti calme, apaisé, victorieux même du monstre qui prétendait être mon père.*

— Connerie, tu ne voulais pas la défendre, dit Billy à haute voix.
Un gros homme qui dormait, de l'autre côté de l'allée, bougea, grogna et se rendormit.

Billy fixa la page, les paupières plissées, secoua la tête.

– Et elle t'a envoyé un baiser? souffla-t-il. Arrête ton putain de char!

Il n'eut pas beaucoup de mal à se souvenir des sentiments que les coups qu'il avait reçus à quatre ans suscitaient en lui. Sa mère était présente. Mais il était trop terrifié pour envisager de la protéger. Il faisait tout son possible pour éviter de pleurer, parce que les larmes n'atténuaient pas la fureur de son père, elles la déchaînaient. Et sa mère ne lui envoyait pas de baisers tandis que la cravache de son père fendait la peau. Elle s'enfermait dans la salle de bains pour ne pas être fouettée, elle aussi, et ne pas assister à ce qui lui arrivait.

La haïssait-il? Non. Elle ne comptait pas, elle était impuissante, prisonnière, comme lui. Mais elle ne lui donnait assurément pas l'impression d'être en sécurité et de ne rien risquer. Ce passage de la lettre du tueur des autoroutes était également de la connerie.

Le tueur des autoroutes fantasmait, prenait peut-être même ses désirs pour la réalité. Un psychopathe. Peut-être ce type croyait-il vraiment que cette femme était présente dans la maison, un ange gardien qui lui faisait les yeux doux pendant qu'on le tabassait.

Billy appuya la tête contre le dossier du siège et ferma les yeux. Au terme d'une ou deux minutes, un élément clé lui revint en mémoire. Il se souvint de ce qu'il imaginait tandis que son père le frappait. Ce n'était pas une mère dépassée par la situation, tassée sur elle-même dans un coin et murmurant des riens tendres. C'était un père qui l'aurait aimé. Un homme qui aurait pris soin de lui.

Son fantasme était l'opposé exact de son père et il était prêt à parier que le fantasme du tueur des autoroutes était l'opposé exact de sa mère. C'était *elle* qui l'avait frappé et jeté sur le sol, qui avait écrasé ses jouets, qui l'avait traité de «petit bâtard».

Il eut très envie de dire à Clevenger ce qu'il pensait de la lettre, mais se sentit aussitôt ridicule.

– Comme si ce que tu penses l'intéressait, se reprocha-t-il.

Sans une autre révélation, qui lui traversa l'esprit tandis que le train filait vers le nord, il aurait définitivement repoussé cette impulsion. Il s'aperçut que Clevenger était le genre de personne dont il rêvait quand son père le dominait de toute sa taille, hurlait et frappait. Quelqu'un qui le soutiendrait. Se battrait pour lui, pas contre lui. C'était peut-être pour cette raison qu'il était si difficile de vivre avec lui. Peut-être était-ce la cause des drogues. Peut-être avait-il du mal à croire en l'existence d'une personne dont il avait rêvé – d'un vrai père, d'un homme qui l'aimait véritablement.

– Tu es incurable, Bishop, marmonna-t-il. Ce type se fout totalement de toi.

Mais les mots restèrent sans force, parce qu'ils reposaient exclusivement sur la peur. La peur de ne pas pouvoir être aimé. La peur de perdre ce qu'il avait trouvé, de voir Clevenger le trahir, se muer en illusion. Et ce serait foutrement triste, et gênant, en plus. Parce que la vérité était que Billy commençait à aimer Clevenger, lui aussi.

C'était pour ça qu'il se défonçait. C'était pour ça qu'il était dans le train.

Il arriva à Burlington à 0 h 55. Il serait reparti immédiatement pour Boston, mais le premier train était à 7 heures. De ce fait il sortit de la gare, dans la nuit glacée du Vermont, et prit à pied la Route 7 en direction du chalet des parents de Casey.

Clevenger ne dormit pas de la nuit. Les flics de Newburyport qu'il appela ne connaissaient aucune Casey. Peter Fitzgerald, patron du chantier naval, l'avait vue mais ne savait rien de plus. À 3 h 37, le téléphone sonna. Le numéro personnel de North Anderson apparut sur l'écran. Clevenger tendit la main vers le combiné mais l'idée qu'il s'agissait de mauvaises nouvelles, que c'était l'appel que recevaient les parents les plus malheureux du monde, à qui l'on annonçait que leur gamin avait succombé à une overdose, été renversé par une voiture ou assassiné, la figea. 3 h 37 du matin. Se souviendrait-il de cette heure jusqu'à la fin de ses jours, se réveillerait-il presque toutes les nuits, les yeux rivés sur les chiffres rouge sang de son réveil ? Il se força à décrocher.

– Tu as appris quelque chose ? demanda-t-il.

– Il est parti dans le Vermont.

– Le Vermont ?

– J'ai identifié sa petite amie il y a environ une heure. Elle fréquente la Governor Welch Academy de Georgetown. Elle se fait appeler Casey, mais son vrai nom est Katherine Paulson Simms. Une des familles les plus en vue de Newburyport. Elle n'a rien voulu dire, une vraie petite dure… jusqu'au moment où j'ai affirmé que les flics risquaient de lui poser des questions sur le hasch qu'elle avait laissé chez toi.

— Pourquoi est-il allé dans le Vermont ?

— Il a dit à Casey qu'il avait besoin de réfléchir un peu, de s'éloigner, ce genre de chose. Les Simms ont un chalet au bord du lac Champlain. Elle lui a donné la clé. J'ai appelé Greyhound et Amtrack. Il a pris le train, a payé par American Express… avec ta carte. Il est arrivé juste après une heure du matin.

— Merci, dit Clevenger. J'y vais tout de suite.

— Écoute, Frank, dit Anderson. Si je me mêle de ce qui ne me regarde pas, préviens-moi, mais il a peut-être dit la vérité à Casey. Il a peut-être besoin de réfléchir un peu, de se remettre les idées en place.

— Il a besoin d'une désintox.

— C'est peut-être sa façon de se sevrer. Qui sait ? Peut-être ces deux ou trois jours lui feront-ils du bien ?

— Et qu'est-ce que je suis censé faire ? Attendre ?

— Il y a des moments où il n'y a pas d'autre solution. En tout cas, avec Kristie, je suis dans cette situation. Elle est encore trop jeune pour prendre le train, mais je me suis trouvé plusieurs fois dans l'impossibilité totale de la joindre. Et ça peut arriver quand ils sont au bout du couloir.

Clevenger prit une profonde inspiration.

— Il y a le téléphone, là-bas ?

— Pas dans le chalet. Pas davantage de chauffage. Mais il y a un poêle à bois et un stère de bûches sous la véranda.

— On pourrait y envoyer une voiture de patrouille, s'assurer qu'il y est bien.

— Je m'en occupe.

— Avertis-moi si…, commença Clevenger.

— S'il n'y a pas de lumière et si la cheminée ne fume pas, je te téléphonerai, coupa Anderson. En attendant, dors.

— D'accord. Merci.

200

Il dormit environ une heure, somnolant cinq ou dix minutes puis se réveillant et écoutant le silence du loft, espérant entendre la porte claquer, la douche ou les pas de Billy sur le dallage. Mais il n'entendit rien.

Il se réveilla pour de bon à 6 h 20, se souvint qu'il avait demandé qu'on lui livre le *New York Times* et alla le chercher devant sa porte. Il s'assit sur le canapé et lut sa réponse au tueur des autoroutes, publiée en première page. Il imagina que le tueur la lisait au même instant – dans un café pour routiers, sur une aire de stationnement ou, peut-être, devant un bon petit déjeuner dans un restaurant convenable, à cinq cents mètres de l'endroit où il venait d'abandonner un cadavre. Et son estomac se crispa. Parce qu'il imagina que c'était le cadavre de Billy. Et il se demanda si la perte de son fils transformerait la réponse qu'il avait donnée à John Resnek, du *Chelsea Independant*, à savoir que ce qui comptait, pour lui, était de guérir le tueur des autoroutes et que le reste relevait du FBI. Il se demanda si son empathie supporterait le meurtre d'un fils.

Mais elle n'était pas vraiment censée le supporter, n'est-ce pas? C'était pour cette raison que les jurys, les juges et la loi existaient: pour contrôler le désir compréhensible de vengeance des affligés. Parce qu'il y aurait cent potences pour une prison, si on laissait la justice aux victimes.

Ensemble, en tant que société, nous pouvons aspirer à agir comme le Christ ou Gandhi. Livrés à nous-mêmes, nous nous comporterions sans doute presque tous comme Terminator.

Le téléphone sonna. À nouveau North Anderson. Clevenger décrocha.

— Je crois qu'il rentre, annonça Anderson.

Clevenger regarda le plafond, ferma les yeux et remercia Dieu.

— Comment tu l'as appris? demanda-t-il.

— La police de Burlington m'a indiqué que le chalet était occupé et je suis allé là-bas, répondit Anderson. Pour m'assurer qu'il ne lui arriverait rien.

– Tu es allé dans le Vermont ? Au milieu de la nuit ? Et tu m'as dit de ne rien faire.

– Tu ne peux pas le suivre. Tu es son père.

Il eut un rire étouffé et reprit :

– Quoi qu'il en soit, il est levé, habillé et il a pris le chemin de la gare. Il n'a peut-être pas envie de rentrer à pied. Il va sûrement utiliser une nouvelle fois ta carte. Je vérifierai. Au cas où il déciderait de ne pas rentrer directement.

– Tu devrais peut-être le ramener.

– Si c'est ce que tu veux, répondit Anderson. C'est à toi de décider.

Clevenger réfléchit… être rassuré sur le sort de Billy maintenant, ou bien l'être dans une journée ou une semaine.

– Je suppose qu'il vaut mieux le laisser décider de sa destination, dit-il.

– Dur, hein ? fit Anderson.

– Quoi ?

– Aimer un môme comme tu l'aimes.

La gorge de Clevenger se serra.

– Ça s'arrange ? demanda-t-il.

– Ça empire.

– Formidable, fit Clevenger.

– Absolument, dit Anderson.

Clevenger sourit.

– Merci encore, North.

– À bientôt.

15

Après-midi du 7 avril 2003
Rock Springs, Wyoming

Jonah Wrens lut la lettre de Clevenger pour la cinquième fois avant de recevoir les parents de son nouveau patient, Sam Garber, neuf ans. Depuis le matin, il remplaçait pour deux semaines un psychiatre en vacances du service des urgences du centre hospitalier de Rock Springs, ville située au pied des Aspen Mountains. Mais il avait beaucoup de mal à se concentrer sur son travail. La lettre l'avait mis en fureur. Les passages sur la vie de Clevenger étaient très intéressants. Il semblait honnête quand il avouait qu'il avait rêvé de tuer son père. Mais, ensuite, la lettre s'égarait dans le paternalisme et, carrément, la manipulation.

> *J'accepte ma souffrance. Vous refusez la vôtre. Vous dites que vous vous sentiez victorieux « avec du sang dans la bouche » parce que vous saviez que l'amour de votre mère vous était acquis. Mais votre sensation de triomphe n'était qu'un moyen de défense contre des sentiments plus profonds de terreur et de faiblesse. À quatre ans, vous n'avez pas affronté la vérité horrible, à savoir que c'était votre sang qui s'écoulait de votre bouche, que vous étiez dans l'incapacité de vous protéger et que personne ne voulait ou ne pouvait vous protéger.*
> *Désormais, vous cherchez à exercer le pouvoir ultime sur les autres – qu'ils vivent ou meurent – comme si*

cela pouvait effacer votre humiliation et votre impuissance.

Vous dites que vous éprouvez de grandes souffrances physiques – migraines, douleurs dans la mâchoire. Vous ressentez une angoisse horrible – palpitations, essoufflement. Mais je doute que vous éprouviez une tristesse ou une fureur viscérales. Parce que le pire de ce que vous avez subi pendant votre enfance demeure prisonnier de votre inconscient.

À quel trauma avez-vous tourné le dos, Gabriel? Quelle fureur enfouie a explosé quand vous étiez en compagnie de Paulette Bramberg? Qu'est-ce qui, chez une femme âgée (une femme de l'âge de votre mère?), vous a privé de tout contrôle sur vous-même, si bien que la proximité d'un mourant ne suffisait plus, mais qu'il devenait nécessaire de tuer si violemment, si monstrueusement? Et pourquoi ne lui avez-vous pas pris de sang? La présence de Paulette Bramberg en vous serait-elle un poison?

Pourquoi Clevenger ment-il? se demanda Jonah. Qu'est-ce qui peut bien le pousser à présenter fallacieusement le corps abandonné au bord de la Route 80, dans l'Utah... le cadavre d'un homme d'au moins soixante-dix ans, d'un homme du même âge que son père? Un homme qui s'appelait Paul. Un homme qui était mort paisiblement, dans ses bras, pas plus horriblement que les autres victimes du tueur des autoroutes. Quel piège mental Clevenger tentait-il de tendre quand il mettait en doute le souvenir que Jonah gardait de sa mère, une mère qui lui manquait toujours, qu'il rêvait de revoir un jour? Le jour où il serait vraiment guéri. Pourquoi s'abaisser à la ruse immonde consistant à souiller leur relation, ce qui sous-entendait que Jonah nourrissait une fureur inconsciente contre la seule personne qui l'ait vraiment aimé, la seule personne qu'il ait véritablement aimée?

La fin de la lettre fit battre le cœur de Jonah plus vite encore. Il se mit à grincer des dents. Parce qu'il décela l'appât que Clevenger lançait aux lecteurs du *Times*, cette tentative assez peu subtile visant à stimuler la mémoire des gens bons et généreux qu'il avait laissés en vie, afin de les transformer eux aussi en chasseurs dans l'espoir de le capturer :

> *Ou bien le péché de Paulette Bramberg a-t-il simple-*
> *ment été son indifférence au tueur des autoroutes, sa*
> *distance, son incapacité à percevoir l'intimité immé-*
> *diate et extraordinaire que vous suscitez chez les gens,*
> *j'en suis sûr, si bien qu'ils vous ouvrent leur cœur*
> *comme ils ne l'ont jamais fait, se confient à un inconnu*
> *de telle façon qu'ils s'en souviendraient toute leur vie,*
> *si cette vie n'était pas interrompue ?*
>
> *Je vous ai demandé les corps de toutes les victimes*
> *du tueur des autoroutes. Celui que vous m'avez donné*
> *est différent de tous les autres. Pourquoi ?*
>
> *Je crois que la réponse à cette question sera le*
> *commencement de la fin du tueur des autoroutes.*

Jonah ferma les yeux et se revit dans l'aéroport, plongeant son couteau dans le cœur de Clevenger. À cet instant, il regretta de ne pas l'avoir fait, de ne pas avoir abrégé la souffrance de Clevenger au lieu de tenter de le soigner et d'être soigné par lui. Parce que Clevenger était de toute évidence contaminé jusqu'à l'os par Whitney McCormick, égaré dans le désir qu'elle lui inspirait.

Il fouilla dans sa poche et en sortit la babiole que sa mère lui avait offerte lors de son anniversaire, dans le parc, une statuette en porcelaine, minuscule et finement ciselée, de la Vierge Marie à genoux. Il passa à plusieurs reprises le pouce sur ses cheveux, dont l'émail jaune était usé tant il l'avait souvent caressé au fil des années ; et il se força à tenter de déterminer quelle épreuve Dieu lui imposait et ce qui était désormais exigé de lui.

On frappa à la porte et il fut ramené à l'instant présent.

– Entrez, cria-t-il.

La porte s'ouvrit et les parents de Sam Garber, Hank et Heaven, pénétrèrent dans le bureau, couple typique du rayon des soldes de l'humanité – mari d'une soixantaine d'années, de petite taille, nerveux et maigre, aux yeux injectés de sang; épouse beaucoup plus grande, pas âgée de plus de trente-cinq ans, pesant au moins cent vingt kilos, une expression amère sur le visage.

– Veuillez vous asseoir, dit Jonah.

Il ouvrit le dossier de Sam à la page du croquis, réalisé par le service des urgences, indiquant les emplacements des plaies physiques de Sam. L'enfant de neuf ans avait été admis au centre hospitalier de Rock Springs parce que son professeur de gymnastique avait constaté des traces de coups et des brûlures cicatrisées sur son abdomen, son dos, ses bras et ses jambes, si bien que les services sociaux du Wyoming l'avaient provisoirement retiré à la garde de ses parents.

– Vous savez pourquoi Sam a été admis dans ce service, commença-t-il, regardant alternativement Hank et Heaven.

– C'est parce que monsieur Daravekias s'est fait des idées, répondit Hank.

– À propos des traces de coups, dit Jonah, et des brûlures.

– J'ai déjà expliqué tout ça à l'assistante sociale, dit Hank.

Jonah se tourna vers Heaven, qui lui rendit son regard sans cesser de mâcher son chewing-gum.

– D'après le dossier, reprit Jonah, vous affirmez que Sam est tombé dans l'escalier récemment et de bicyclette il y a quelque temps. Et il serait aussi tombé dans la cheminée?

– C'est ce que Sam dit lui-même, déclara Hank.

– Comment est-il tombé dans l'escalier? demanda Jonah à Heaven.

– Il a sûrement trébuché, répondit Hank. Ce gamin tombe sans arrêt. On l'aime à mort, mais il a pas plus d'équilibre qu'une saloperie de mule.

On l'aime à mort? Pas si Jonah pouvait l'empêcher.

– L'avez-vous vu tomber? demanda-t-il à Heaven.

– Je peux tout de même pas le surveiller sans arrêt, répondit-elle sans cesser de mâcher.

Jonah continua de la fixer. Pendant un instant, il vit le visage de sa mère, beaucoup plus fin que celui de Heaven, beaucoup plus pâle, aux yeux plus clairs et plus brillants. Au prix d'un effort de volonté, il la chassa de son esprit, se reprochant intérieurement d'avoir laissé son image se mêler à celle d'un monstre.

— Il y a une autre constatation inquiétante, poursuivit-il tout en fixant les yeux qui étaient redevenus ceux de Heaven – couleur de boue et sans vie.

— Peut-être que vous vous inquiétez, dit Hank. Pas nous.

— Inquiétante de mon point de vue, reconnut Jonah, qui lui adressa un bref regard. Inquiétante aussi du point de vue de l'assistante sociale.

— Ben vous, l'assistante sociale et les autres, vous pouvez vous tranquilliser, dit Hank. On élève notre garçon comme il faut. Les accidents, ça existe.

Jonah regarda ses mains, croisées sur sa table de travail. Et, pendant une fraction de seconde, il les imagina autour du cou épais de Heaven Garber. Il ferma les yeux pour tenter de dissiper la fureur qui grandissait en lui.

— On a fait passer un certain nombre de radios à votre fils, dit-il. On a découvert deux fractures. Une à l'avant-bras droit, résorbée. L'autre, pratiquement résorbée, mais plus récente, près du biceps droit.

Il ouvrit les yeux et fixa Heaven.

— Comme je l'ai déjà fait remarquer, dit Hank, Sam arrête pas de tomber.

— Les radios dévoilent des fractures qu'on qualifie de spiralées, expliqua Jonah. Comparables à la façon dont un morceau de bois casserait si on le tordait comme une éponge.

Il leva les poings, en fit pivoter un en direction des Garber, l'autre vers lui-même. Et, une nouvelle fois, il vit ses mains tordre le cou de Heaven.

— L'os présente une fissure en forme de S lorsqu'il cède, dit-il d'une voix tremblante.

— Ça a pu arriver quand il est tombé de vélo. Il s'est sûrement coincé le bras exactement comme il faut pas, dit Hank.

— Cela se produit quand quelqu'un se met en colère contre un enfant, dit Jonah. Disons que quelqu'un a attrapé Sam et a décidé de lui donner une leçon.

Il fixa une nouvelle fois Heaven Garber dans les yeux.

– Je sais que tout le monde dit du mal de Heaven et de moi, expliqua Hank. Mais faut que vous sachiez une chose : jamais Sam mentirait sur nous. Et je peux vous dire qu'on n'a jamais…

Jonah secoua la tête. D'un signe de tête, il montra la porte.

– La porte est fermée, souffla-t-il. Le bureau est insonorisé.

Hank jeta un regard par-dessus l'épaule, puis se tourna à nouveau, méfiant, vers Jonah.

– Je connais les enfants, dit Jonah. Il arrive qu'ils n'en fassent qu'à leur tête.

– Pas Sam, dit Hank.

– Soyez francs, dit Jonah, qui, les poings serrés, se tourna vers Heaven.

– Comme j'ai dit, il y a rien…, commença Hank.

– Fermez-la, cracha Jonah, les yeux toujours rivés sur Heaven, qui cessa de mâcher son chewing-gum.

Peut-être Hank perçut-il le tueur qui était en Jonah. Ou peut-être vit-il simplement que les muscles de ses avant-bras s'étaient crispés. Quoi qu'il en soit, il n'ajouta pas un mot.

– Les fractures spiralées des avant-bras de Sam sont dirigées dans le sens inverse des aiguilles d'une montre, dit Jonah à Heaven. Compte tenu également de la disposition des meurtrissures relevées sur la peau, on peut affirmer que la personne responsable est gauchère. Comme vous.

Heaven se tourna vers Hank.

– Je veux pas écouter ça. On…

Quand Heaven parla, Jonah vit les lèvres de sa mère bouger. Ses mots se muèrent en bourdonnement indéchiffrable. Et la haine que lui inspiraient Clevenger, Whitney McCormick et cette femme se mua en orage intérieur, le tonnerre et l'éclair masquant les souvenirs qui tentaient de sortir de son inconscient – les souvenirs de la cruauté innommable de sa mère.

Il voulut se lever, mais ses jambes refusèrent de bouger, paralysie dont il avait déjà été affligé en présence de parents qui maltraitaient leurs enfants. C'était comme si son esprit débranchait ses muscles, de peur qu'il ne fasse à Heaven Garber tout ce qu'il avait envie de lui faire.

— Écoutez-moi, dit Jonah, interrompant les récriminations de Heaven. Je ne crois pas que vous soyez mauvaise.

Heaven le fixa sans comprendre.

— Il vous est arrivé quelque chose qui vous a transformée en une personne capable d'agresser un petit garçon, poursuivit-il. Probablement quelque chose d'horrible, probablement alors que vous étiez très jeune. Peut-être quand vous aviez exactement neuf ans, comme Sam.

Jonah crut percevoir un éclair de compréhension sur le visage de Heaven. Puis il disparut.

— Je peux vous aider à vous en souvenir. Je peux vous aider à guérir. Et peut-être récupérerez-vous votre fils, un jour.

Heaven se leva.

— On a seulement besoin de l'aide d'un avocat.

Hank se leva, mais lentement, comme si les derniers mots de Jonah – à propos de la perte de son fils – l'avaient dépouillé de toute volonté de combattre.

Jonah voulut lever les mains, mais elles étaient paralysées, elles aussi.

— Je travaillerai ici pendant deux semaines, dit-il à Heaven. Venez me voir. Je suis prêt à vous recevoir n'importe quel jour.

Les lèvres de Heaven se distendirent, dévoilèrent des dents exagérément écartées au centre, comme celles de la mère de Jonah. Ou bien Jonah les vit-il seulement ainsi ?

— Vous, les docteurs, vous croyez tout savoir, s'emporta-t-elle. Ben je...

Hank saisit son bras charnu et la tira en direction de la porte.

— Je vous en prie, dit Jonah. Attendez.

Heaven dégagea son bras et se tourna vers Jonah avec une fragile expression d'indulgence sur le visage, comme si elle attendait des excuses.

— Vous avez grossi physiquement parce que vous vous sentez petite à l'intérieur, dit Jonah. Mais vous ne pouvez pas avaler, boire et fumer toute votre souffrance. Vous avez sûrement déjà des ulcères. Ont-il commencé de saigner ?

Heaven avait le souffle court, mais semblait écouter vaguement.

— Votre souffrance étrangle aussi votre cœur. Vous le constatez chaque fois que vous gravissez cet escalier… celui où Sam est tombé.

Heaven secoua la tête.

— Vous savez rien sur moi, protesta-t-elle, mais faiblement, une trace de peur dans la voix – la peur de la Vérité, qui n'est pas différente de la crainte de Dieu.

— Vous savez que je sais, dit Jonah.

Il plissa les paupières, les yeux fixés sur les lèvres de Heaven, qui devinrent d'un rouge profond – de la couleur du rouge à lèvres de sa mère. Oh, comme elle lui manquait ! Que n'aurait-il pas donné pour qu'elle le serre une fois encore dans ses bras. Pour humer ses cheveux, se blottir contre son cou chaud. Il ferma les yeux, la revit tassée sur elle-même dans ce coin, lui envoyant un baiser. Et quand il ouvrit enfin les yeux, les Garber étaient partis.

Soirée du 7 avril 2003
Chelsea, Massachusetts

À 18 h 10, Clevenger entendit du bruit dans la rue, regarda par la fenêtre, vit Billy se frayer un chemin dans la foule des journalistes puis disparaître dans l'immeuble. Il éprouva une intense sensation de soulagement. Mais tandis que Billy gravissait les cinq étages conduisant au loft, l'angoisse de Clevenger augmenta. Il se faisait du souci pour lui. Il se droguait à nouveau et il était si troublé qu'il était parti sans dire où il allait.

Clevenger se demandait également ce qu'il devait faire. Et il ne fallait pas que sa colère l'empêche d'agir au mieux des intérêts de Billy.

Ne lui saute pas à la gorge à cause du hasch, se rappela-t-il. Ou de la carte de crédit.

La porte s'ouvrit. Billy entra. Il avait deux *New York Times* sous le bras, si bien que Clevenger se demanda avec inquiétude s'il s'intéressait de trop près à l'affaire du tueur des autoroutes. Billy ferma la porte derrière lui et hocha la tête comme pour se donner le courage de dire quelque chose d'important.

— Qu'est-ce qu'il y a ? demanda Clevenger avec gentillesse.

— Je ne peux pas rester ici en ce moment, répondit Billy.

Clevenger eut l'impression d'avoir reçu un coup de pied dans le ventre. Il prit une profonde inspiration.

— Il faut que tu me dises ce qui t'arrive, Billy. Tu ne peux pas espérer...

— Il faut que j'aille en désintox, dit-il. J'en ai besoin. Ça et les AA ou les NA, peu importe. Je suis incapable de ne pas me droguer. Tu as fait ce que tu pouvais, mais ça ne suffit pas.

Parfois, quoique trop rarement, le monde donne ce qu'on désire. Clevenger eut l'impression que c'était un de ces moments.

— Très bien, dit-il.

— Tu pourrais peut-être me conduire au centre médical de North Shore ? Il y a des types de mon école qui y sont allés quand ils ont eu des problèmes.

— Bien sûr, répondit Clevenger. Tu n'es pas obligé de faire ça seul.

Puis il fit ce qui lui sembla le plus naturel et, en même temps, le plus embarrassant, peut-être parce que son père ne s'était jamais comporté ainsi vis-à-vis de lui – absolument jamais. Il rejoignit Billy, le prit dans ses bras et le serra contre lui. Et, un instant plus tard, il sentit que Billy faisait de même. Ensuite, il alla plus loin, tourna la tête et embrassa son fils adoptif sur la joue. Et il comprit que, malgré ce qui leur était arrivé et ce qu'ils avaient vécu ensemble, malgré ce qu'ils devaient encore affronter, tout serait plus facile grâce à cette accolade et à ce baiser, à ceux qui suivraient. Parce qu'ils pourraient tout affronter ensemble.

Les yeux de Billy étaient pleins de larmes quand Clevenger le lâcha. Mais, cette fois, ses larmes étaient différentes. Cette fois, il tentait de les retenir. Cette fois, elles étaient indéniablement réelles. Elles le faisaient trembler. Il dut s'éclaircir la gorge avant de parler.

— Je t'échange un service contre un autre, dit-il. Tu me conduis à l'hôpital et je te donne un indice sur le tueur des autoroutes.

Clevenger hésita. Il ne voulait vraiment pas que Billy soit impliqué dans l'affaire. Mais il comprit aussi qu'il ne pourrait peut-être pas l'en empêcher. Billy était là, le *Times* à la main, cinq jours après avoir été mentionné dans la première lettre du tueur des autoroutes, deux minutes après avoir été harcelé par des journalistes cherchant à lui arracher un commentaire.

Mais, surtout, Billy *voulait* aider. *Il voulait contribuer à l'arrestation du tueur.* Et le laisser réaliser ce désir l'aiderait à agir sur sa violence potentielle comme Clevenger avait agi sur la sienne, à la transformer en désir de soigner, en engagement à protéger. Il pensa à quelques lignes de la dernière lettre du tueur des autoroutes :

> *Avez-vous eu envie de tuer, Frank? Avez-vous recouru*
> *à l'alcool et à la drogue pour émousser cette pulsion?*
> *Tentez-vous de comprendre les meurtriers dans l'espoir*
> *de vous comprendre vous-même?*

Oui, pensa Clevenger. «Oui» est la réponse à ces trois questions. Et peut-être Billy n'était-il pas différent de lui. Peut-être voulait-il aider Clevenger dans la conduite de l'enquête afin de s'aider lui-même. Peut-être était-il prêt à mettre sa souffrance au service du soulagement de la souffrance des autres.

— D'accord, dit-il.

Billy s'assit sur le canapé et ouvrit les journaux devant lui.

— Théoriquement, ce type est agressé par son père, exact?

Clevenger acquiesça.

— Et il pense à sa mère.

Il haussa les épaules et ajouta :

— Moi, ça ne m'est jamais arrivé. Pas pendant que je me faisais tabasser. Et toi?

Clevenger réfléchit. Il se remémora les soirs où il avait subi la violence de son père, se souvenant que le simple fait de contrôler sa peur avait mobilisé toutes ses forces.

— Non, répondit-il.

— Évidemment, dit Billy. Tu priais pour que ça s'arrête. Et si tu étais comme moi, tu avais envie d'avoir un père normal. En fait, je rêvais que j'en avais un, quelque part, qu'il franchirait la porte et m'emmènerait loin de tout ça.

— Moi aussi, dit Clevenger.

– Donc, d'après moi, ce type invente la femme tassée sur elle-même dans le coin, dit Billy. Il veut croire qu'il a une bonne mère, un ange gardien. Mais ce n'est pas ce qu'elle est. Elle est ce qu'il y a de pire. C'est elle qui l'agresse.

Il se pencha, se mit à parler plus vite :

– Il n'y a pas eu de fête d'anniversaire dans le parc. Il n'y a pas eu de cadeaux. Il n'y a eu que les coups. Il a inventé toutes ces conneries. Il ne vivait pas avec un démon et un ange. Seulement avec un démon. Une démone. Ce type est schizo.

Le mot *schizo* aida Clevenger à cristalliser l'idée qui avait commencé à prendre forme dans son esprit tandis que Billy parlait.

– Sauf si elle était les deux, dit-il.

– Comment ça ? demanda Billy.

– Il est plus facile de survivre à quelque chose de prévisible. Quelque chose qui est toujours éprouvant. Comme quand mon père rentrait à la maison. Au moins, je savais à quoi m'attendre. Je savais ce qu'il était.

– Donc tu pouvais te préparer à le supporter.

– Et je pouvais le haïr.

Billy lui adressa un regard interrogateur.

– C'est bien ?

– Ça empêche la haine de s'enterrer, de fermenter, dit Clevenger, qui resta quelques instants silencieux, puis poursuivit : Si le tueur des autoroutes avait une mère tendre et aimante à certains moments et sadique à d'autres, il lui était impossible de libérer sa fureur. Elle restait enfermée dans l'inconscient. Parce que ce qu'il aimait dans le monde – la mère idéale dont il parle dans sa lettre – était aussi ce qui le torturait. De ce fait, la haine n'a pas d'issue. Si on attaque «la démone», on attaque aussi «l'ange». Si on tue l'une des deux, toutes les deux meurent.

– C'est pourquoi il tue d'autres personnes, qui ne sont que ses doublures.

– Possible.

Cette idée expliquait effectivement pourquoi le tueur des auto-routes s'arrangeait pour devenir très proche de ses victimes, imitait le lien maternel idéalisé, puis le tranchait... au sens propre. Paulette

Bramberg était une représentation trop fidèle de la réalité, voilà tout. Probablement une femme du même âge que sa mère. Peut-être même une femme qui ressemblait à sa mère.

— Donc peut-être a-t-elle organisé cette fête, dit Billy, peut-être a-t-il eu tous ces cadeaux et, à leur retour chez eux, est-elle devenue une personne totalement différente. Elle l'a tabassé sans raison. A hurlé que l'argent manquait. A cassé ses jouets.

Pas mal, pensa Clevenger. Le môme prolonge le raisonnement.

— Et quand ça arrivait, dit Clevenger, il séparait l'image de l'ange, la maintenait en vie dans un coin de la pièce et subissait les coups. Il ne supportait pas l'idée d'être agressé par sa mère. Donc il inventait un père violent.

Il hocha la tête et ajouta :

— En fait, je crois qu'il n'avait pas de père. Ou que c'était un homme très, très faible.

— Qu'est-ce qu'on fait maintenant ? demanda Billy avec enthousiasme.

Clevenger lui adressa un clin d'œil.

— Tu vas en désintox.

À l'instant où les mots franchirent ses lèvres, il comprit qu'ils étaient abrupts. Presque méprisants. Il vit Billy se tasser lentement sur lui-même.

— Et quand tu sortiras, s'empressa-t-il d'ajouter, il faudra que tu viennes à Quantico avec moi et que tu étudies l'affaire de plus près.

L'énergie réapparut aussitôt dans ses yeux.

— Tu es sérieux ? demanda-t-il. Tu m'emmèneras ?

— Tu te débrouilles très bien, répondit Clevenger. Ton aide me serait utile.

16

Jonah quitta sa chambre de l'Ambassador Motel, à Rock Springs, à 0 h 20. Il était victime d'une de ces «nuits ténébreuses de l'âme» dont son bien-aimé Francis Scott Fitzgerald avait parlé. Sa suite spartiate lui faisait l'effet d'un cercueil.

Il ne pouvait dormir plus d'un quart d'heure sans être réveillé par son cauchemar habituel, qui avait acquis un aspect horrible. La femme aux longues boucles blondes qui le caressait puis rongeait sa chair et ses os, impatiente de dévorer son cœur, avait désormais les yeux de sa mère. Marron clair. Lumineux. Et, dans son sommeil, il désirait ardemment son amour alors même qu'il luttait pour lui échapper, et restait endormi plus longtemps qu'il aurait fallu, assez longtemps pour lui dire qu'il l'aimait, mais aussi assez longtemps pour que le monstre dépasse son sternum. Si bien qu'il se réveillait en hurlant, serrant sa poitrine dans ses mains pour empêcher son cœur de tomber hors de son corps.

Était-ce ce que projetaient Clevenger et McCormick? Le priver du seul véritable réconfort qu'il eût jamais eu? Lui prendre le souvenir de sa mère? La souiller? Le pousser jusqu'aux limites de la solitude, dans la folie?

Les tempes palpitantes, la mâchoire douloureuse, il monta dans son X5, mit la *Dixième Symphonie* de Mahler et prit la Route 80 en direction de l'est. Il roula une centaine de kilomètres jusqu'à la sortie de Bitter Creek, assez loin de l'hôpital pour qu'on ne le voie pas seul après minuit. Il ne faisait que temporairement partie du personnel de l'hôpital et suscitait de ce fait la curiosité. Il ne fallait pas qu'il l'éveille davantage.

Il s'arrêta sur le parking vide d'un restaurant ouvert toute la nuit, y entra avec son *Times* et commanda un grand café à la femme grassouillette, d'une soixantaine d'années, qui tenait l'établissement. Puis il s'installa dans un box, sirota son café, feignit de lire la lettre de Clevenger tout en jetant des coups d'œil discrets sur la femme, afin de s'assurer qu'elle bougeait et respirait, de s'assurer qu'il était effectivement éveillé, effectivement vivant. Comme elle.

D'une main tremblante, il sortit une feuille de papier pliée et un stylo de la poche de sa veste, déplia la feuille et relut le début de sa réponse à Clevenger :

> *Docteur Clevenger,*
> *Quel effet cela fait-il de tomber amoureux ? Éprouve-t-on la béatitude pure dont on parle lorsque les frontières de l'ego fondent, lorsqu'on s'unit érotiquement à un autre être humain ?*
> *Ou bien est-ce seulement un stupéfiant comme les autres ? Êtes-vous dépendant du docteur McCormick comme vous l'étiez de l'alcool et de la drogue ? Est-ce le moyen d'échapper à votre souffrance ? Vous oublier en elle est-il préférable à vous oublier dans la bouteille ?*

Il but une longue gorgée de café sans s'apercevoir qu'il lui brûlait les lèvres, la bouche et la gorge. La femme, qui se tenait derrière le comptoir, se tourna vers lui.

– Tout va bien ?

Il lui rendit son sourire.

– Parfaitement.

Il prit son stylo et se remit à écrire.

> *Le tueur qui est en vous ne restera pas embryonnaire, mais parcourra la terre comme le tueur des autoroutes. Tant que je serai malade, je représenterai votre absence*

216

de désir d'aimer vos semblables, les limites de votre empathie, votre incapacité à soigner. Je ne projetterai pas seulement mon ombre, mais aussi la vôtre.

De votre point de vue, il est toujours plus important de servir la loi des hommes que la loi de Dieu, de me capturer que de me soigner. Où est le Seigneur dans ce projet ? Croyez-vous vraiment qu'on peut enfermer le mal derrière des barreaux ? Ne comprenez-vous donc pas que je suis déjà en vous, que le combat pour le salut de mon âme est maintenant devenu un combat pour le salut de la vôtre ?

Sa vision était brouillée, son pouls battait derrière ses yeux, mais il poursuivit :

Vous croyez pouvoir éviter ce combat en immergeant votre cœur et votre esprit dans l'acte sexuel. Vous avez choisi la chasseresse pour éviter de choisir votre vrai moi, pour esquiver la question qui vous hante. Êtes-vous – au fond de vous-mêmes, dans les instants les plus ténébreux de votre nuit – un soignant ou un chasseur, un médecin ou un bourreau ?

Je vais vous aider à répondre à cette question parce que je suis – contrairement à vous – un homme de parole.

Un par un, je vous aurais restitué tous les corps sans exception, afin qu'ils soient rendus aux familles, mais vous vous êtes révélé indigne de confiance, puisque vous vous êtes rendu dans l'Utah en compagnie du FBI (après avoir promis de ne pas collaborer avec) et que vous avez menti sur mon offrande en vue de m'amener à douter de mon amour pour ma mère, ma protectrice, mon ange.

Dans quel but ? Afin de m'isoler davantage encore ? Pour que la mort devienne mon seul ange ? Personne ne vous a donc purement aimé, Frank Clevenger ? N'avez-

vous aimé profondément personne ? Vous est-il si impossible de vous représenter cette émotion que vous vous sentez obligé de la dénigrer ?

Votre père vous mentait et vous êtes devenu menteur. Votre père vous torturait en suscitant votre espoir, puis en l'écrasant. Vous agiriez de même avec moi... si je le permettais.

Je ne le permettrai pas. Je ne vous laisserai pas me détruire et je n'accepterai pas davantage que vous vous détruisiez. Nous sommes destinés à nous sauver mutuellement. Demeurer fidèle à ce voyage magnifique est la voie de ma rédemption.

Et je suis la vôtre.

Un croyant
Qu'on appelle le tueur des autoroutes

Jonah posa le stylo, but du café. Il était convaincu d'avoir effectivement entrepris un voyage magnifique, mais il savait aussi que le chemin était ardu, tout comme celui du Christ trouvant Dieu en lui et aidant les autres à le trouver en eux.

La différence était que Jonah était résolu à éviter la croix, résolu à terminer dans cette vie la tâche qui lui était assignée – même si cela nécessitait d'affronter le diable.

Il ne se coucha qu'à 4 h 50, ayant roulé une heure supplémentaire en direction de l'est afin de déposer sa lettre dans une boîte de Federal Express située à Creston, Wyoming, puis deux heures, ensuite, pour regagner l'Ambassador Motel de Rock Springs. Il mit le réveil à 7 heures, parce qu'il avait envie de quelques heures de repos et se sentait étrangement paisible : pas de hâte horrible de voir ses patients, pas de migraine et la vision claire. Il avait dit exactement ce qu'il devait dire. Il ferait ce qu'il devait faire. Il y avait très longtemps qu'il ne s'était pas senti aussi bien et il s'endormit facilement.

Après des semaines de nuits chaotiques, il jouit d'un sommeil profond, inaccessible aux cauchemars, et se réveilla reposé. Peut-être ai-je franchi une étape, se dit-il. Peut-être Dieu a-t-il vu l'effort que je suis prêt à faire. Peut-être suis-je enfin sur la bonne voie.

Il gagna la salle de bains, alluma la lumière et regarda le miroir. Ce qu'il y vit lui coupa le souffle : son visage et son cou étaient tachés de sang.

Il pressa les paumes de ses mains sur ses yeux, afin de chasser l'illusion, mais elle continua de lui rendre son regard. Incrédule, il secoua la tête. L'homme du miroir fit de même. Il tendit la main, dans l'intention de l'effacer. Mais l'homme du miroir tendit également la main. Et quand les extrémités de leurs doigts se touchèrent, les souvenirs de ce que Jonah avait fait quelques heures auparavant commencèrent à remonter à la surface.

Il se vit gagner le comptoir du café, sourire et demander à la femme s'il pouvait aller aux toilettes. Il la vit le précéder dans la cuisine, lui montrer une porte. Puis il se vit serrant sa taille entre ses genoux, les mains autour de son cou, ses cheveux gris bleu déployés sur la céramique rose du dallage.

Il éloigna vivement la main, comme si le miroir était brûlant.

– Non, gémit-il.

Mais le reflet se contenta de l'imiter et les images continuèrent de lui traverser l'esprit. Il se vit empoigner les cheveux de la femme et tirer sa tête en arrière, vit la lame de son couteau trancher la trachée et les muscles du pharynx, sentit le jet chaud des carotides coupées sur son visage.

– Ce n'est pas possible, supplia-t-il. Je vous en prie, Seigneur.

Il tourna le dos au miroir.

La panique s'empara de lui. N'importe qui pouvait avoir été témoin de ce qui s'était passé dans le restaurant. N'importe qui pouvait l'avoir vu partir en voiture. Au motel, quelqu'un pouvait avoir vu, à son retour, que son visage était couvert de sang ou qu'il y avait du sang sur sa voiture.

Ses glandes surrénales secrétèrent de l'épinéphrine qui le stimula en vue de la tâche à accomplir, mais dilata aussi douloureusement les artères irriguant son cœur et son cerveau.

Il ramassa ses vêtements éparpillés par terre, retira le drap du lit, fourra le tout dans un sac-poubelle. Puis il prit une douche, mit un pantalon et une chemise propres, s'empara d'une serviette humide et gagna le parking, convaincu que la X5 serait couverte de sang, puis fut soulagé quand il constata qu'il n'y en avait que quelques taches sur le volant. Il les essuya.

Tremblant, il regagna sa chambre. Il se mit à faire les cent pas.

— Calme-toi, se répéta-t-il inlassablement. Personne ne frappe à la porte. Il n'y a pas de voiture de police dehors.

Il alluma la télévision, passa d'une chaîne à l'autre et finit par trouver ce qu'il cherchait. Une jeune et jolie journaliste, debout devant le restaurant de Bitter Creek, interviewait un homme d'une cinquantaine d'années au ventre proéminent, chauve, pas rasé et livide.

— Sally travaillait ici depuis quinze ans, disait-il. C'est…

Il s'éclaircit la gorge, reprit :

— C'est impensable… c'est un cauchemar. Je ne sais pas quoi dire.

— Personne, à votre connaissance, n'a menacé Madame Pierce ? demanda la journaliste. Il n'y a pas eu de clients inquiétants ? De voyageur ? De nouvel employé ?

— Je ne sais pas.

La journaliste se tourna vers la caméra.

— Telle est la situation ici, J. T. Un meurtre d'une violence exceptionnelle à Bitter Creek, une ville tranquille. Une femme décapitée pendant son service de nuit au restaurant de la localité. Pas de témoins. Pas de mobile connu. Et la police n'est pas en mesure d'affirmer si c'est ou non l'œuvre du tueur des autoroutes.

Jonah éteignit la télévision. Il s'assit au bord du lit, se serrant dans ses bras, se balançant d'avant en arrière, son esprit partant dans de trop nombreuses directions : culpabilité en raison de ce qu'il avait fait ; peur d'être arrêté ; panique parce qu'il avait perdu contact avec la réalité, qu'il avait si totalement cessé de se contrôler qu'il avait pris une vie sans en avoir conscience. Puis il y eut la réalité horrible de l'apaisement que le meurtre lui avait une nouvelle fois procuré, du sommeil de bébé dont il avait joui après avoir versé le sang de la femme.

Le sommeil de bébé dont il avait joui après avoir versé le sang de la femme. Il entendit cette pensée comme si quelqu'un l'avait exprimée. Était-ce Dieu ? Le Seigneur, dans sa bonté, lui promettait-il la renaissance, jusque dans cet instant de ténèbres ? Ou bien Jonah perdait-il la tête ?

Il eut envie de quitter immédiatement le Wyoming, de retourner dans les montagnes, dans l'espoir de reprendre le contrôle de lui-même, mais il comprit qu'un départ brutal éveillerait les soupçons. Le FBI fouillerait la région, interrogerait les gens. Peut-être même viendrait-il à l'hôpital. Il fallait qu'il se domine, qu'il aille travailler comme si de rien n'était.

Tandis que Jonah regardait le reportage consacré au meurtre, Clevenger conduisait Billy au service de désintoxication du centre hospitalier de North Shore, situé à Salem, à environ quarante minutes au nord de Chelsea. Kane Warner et Whitney McCormick lui avaient téléphoné, donné des indications sur le crime commis dans le Wyoming, puis demandé d'assister à une réunion qui débuterait à 15 heures au siège du FBI. Warner avait paru plus hostile encore que de coutume. McCormick avait semblé inquiète. Il avait réservé une place sur le vol de midi.

Un membre du service des admissions, Dan Solomon – environ cinquante-cinq ans, peau parcheminée, un diamant dans une oreille, des yeux d'un bleu de saphir – interrogea Billy sur sa consommation de drogue et ses antécédents psychiatriques.

— Seulement la marijuana et la cocaïne, donc ? demanda-t-il.

— C'est ça, répondit Billy, qui adressa un bref regard à Clevenger.

— Y a-t-il autre chose ? s'enquit Solomon.

Billy haussa les épaules.

— De l'ecstasy, de temps en temps.

— Est-ce que ce serait plus facile si je sortais ? demanda Clevenger à Billy.

— Non. Reste.

— Écoute, dit Solomon, dont les yeux se mirent à briller, garder quelque chose pour toi n'a pas de sens. Je sais que tu crois que ça en a un. J'ai, moi aussi, menti aux conseillers. Tu te dis que tu es ici, que tu vas de toute façon suivre le traitement pendant dix jours, que tu seras désintoxiqué quand tu sortiras. Mais n'oublie pas une chose : *la désintoxication est la moitié de la bataille.* Parce que l'essentiel, au fond, consiste à devenir une personne fidèle à elle-même – à admettre la souffrance, à ne pas tenter de la cacher sous la drogue ou de mentir pour lui échapper. Me parler de tout ce que tu as avalé, fumé, sniffé ou injecté dans une veine est un grand pas dans cette direction.

Billy adressa à nouveau un bref regard à Clevenger, se tourna ensuite vers Solomon.

– De l'oxycontine[1] deux ou trois fois. Et je, euh… je me suis injecté deux fois la cocaïne.

Solomon le regarda fixement.

– Trois fois, dit Billy.

Le regard demeura rivé sur lui.

– Je l'ai fumée une fois, ajouta Billy.

– Tu as pris du crack, dit Solomon tout en notant.

– Une fois, répondit Billy.

Clevenger avait l'impression que son cœur était serré dans un étau, mais s'efforça de ne pas le montrer.

– Est-ce que c'est absolument tout ? demanda-t-il à Billy.

– C'est tout, répondit Billy avec fermeté.

– Je te croirai sur parole, dit Solomon, jusqu'au moment où tu me fourniras une raison de revenir sur ma décision. D'accord ?

Billy acquiesça.

– Tu as connu des épisodes de dépression ? poursuivit Solomon.

– J'ai l'impression de ne pas avoir connu autre chose, répondit Billy.

– Tu as été hospitalisé dans un service psychiatrique ou soigné par médicaments ?

– On m'a placé une fois dans un hôpital, répondit Billy. Après le meurtre de ma sœur.

Solomon ne releva pas. Comme tout le monde, il avait entendu parler de Billy Bishop et du meurtre de Nantucket.

_____

1. Analgésique puissant à base d'oxycodone, dérivé de l'opium.

— Tu as envisagé de te suicider?

Clevenger espéra que Billy répondrait «non», principalement parce que le pronostic serait meilleur, mais aussi parce qu'il ne pouvait s'empêcher de croire que la santé mentale de Billy – ou son absence – constituerait une sorte de verdict sur la façon dont il exerçait son rôle de père. Il ne tenait une place dans la vie de Billy que depuis quelques années, mais il avait envie de croire que ces années avaient fait reculer la psychopathologie de Billy.

— Deux ou trois fois, répondit Billy.

L'étau se resserra sur le cœur de Clevenger, mais son visage resta impassible.

— Quand? demanda Solomon.

— Je ne sais pas, dit Billy. Peut-être quand j'ai été renvoyé de l'école. Deux ou trois fois pendant cette période.

— Et qu'est-ce que tu avais l'intention de... faire? s'enquit Solomon.

Billy haussa les épaules.

— Provoquer une surdose. M'injecter plein de coke ou de quelque chose d'autre.

Clevenger imagina Billy gisant dans le loft et ferma les yeux.

— Désolé, dit Billy.

Clevenger ouvrit les yeux et s'aperçut que Billy le regardait.

— Tu n'as pas de raison de t'excuser, champion, dit-il. Je regrette de ne pas t'avoir posé la question quand ton moral était si bas.

— Je ne t'aurais rien dit, affirma Billy.

— Tu envisages de te faire du mal, en ce moment? demanda Solomon.

— Pas du tout, répondit Billy.

Il se souvint des idées qui lui avaient traversé l'esprit tandis que Clevenger le conduisait au laboratoire de Brian Strasnick, à Lynn, de son désir de voir souffrir Clevenger quand il bondirait hors de la voiture, s'écraserait sur la chaussée. Il se tourna vers lui.

— Je ne veux pas me faire de mal et je ne veux pas en faire à mon père, dit-il.

Et il était sincère.

Jonah Wrens arriva à l'heure au travail, à 8 heures. Il portait une chemise amidonnée bleu lavande, une cravate bleue au nœud parfait, un pantalon de flanelle gris, des mocassins en chevreau. Il gagna le bureau des infirmières, salua d'un signe de tête la secrétaire du service et la surveillante, s'assit et feuilleta les dossiers des patients dont il s'occuperait pendant les deux semaines à venir.

— Vous avez entendu parler du meurtre ? demanda la surveillante, Liz Donahue.

Jonah la regarda. C'était une femme d'une quarantaine d'années, divorcée deux fois et sans enfants, qui aurait pu être belle si elle n'avait pas été boulimique.

— Le meurtre ? demanda-t-il.

Toute affabilité disparut sur le visage de Donahue, ne laissant derrière elle que des yeux mornes, des joues creuses et des lèvres aussi minces que celles d'un chat.

— Dans le restaurant de Bitter Creek ?

Imagina-t-il la méfiance qu'il perçut dans sa voix ? Il secoua la tête.

— Une femme a été décapitée, dit-elle.

— C'est écœurant, renchérit la secrétaire du service, qui fit pivoter sa chaise afin de se trouver face à Jonah et Donahue.

Elle avait un peu plus de trente ans, était grassouillette, avait une natte blonde qui descendait jusque sur ses reins.

— Les gens font des choses horribles. Qui que ce soit, j'espère qu'on l'arrêtera et qu'on lui coupera sa saloperie de tête. Attaché sur une chaise, en faisant une pause de temps en temps. Et qu'il puisse le voir dans un miroir.

Un miroir ? Jonah plissa les paupières. Était-il possible que les deux femmes sachent ce qu'il avait fait ? Avait-il un visage de tueur ? Il toucha sa joue, jeta un coup d'œil sur ses doigts afin de s'assurer qu'ils n'étaient pas tachés de sang.

— On ne sait pas qui c'est ?

Ce fut tout ce qu'il trouva à dire.

— C'est sûrement le tueur des autoroutes, dit Donahue, le visage soudain animé par l'enthousiasme. Je crois qu'on saura tout ce qui s'est passé en lisant le *Times*. En tout cas je le ferai.

Elle aime les lettres, pensa Jonah. Elle les aime comme les gens aiment les revues *people* et les séries télévisées. Était-ce ce que sa souffrance était devenue ? Une attraction ?

La secrétaire du service était, elle aussi, tout sourire.

– Il a sûrement fait la même chose horrible à cette Paulette Bramberg, dont Clevenger parlait dans sa dernière lettre. Dans l'Utah ? D'après lui, elle a été tuée sauvagement – il lui a sans doute carrément coupé la tête, comme à celle-là.

Tandis que la secrétaire parlait, Jonah vit les yeux de Paulette Bramberg qui le fixaient, vides, sur leur lit de feuilles au bord de la Route 80, dans l'Utah. L'image ne persista qu'un instant, mais suffit à le convaincre que Clevenger ne lui avait pas menti dans sa dernière lettre. Il avait, une fois déjà, tué sauvagement une femme. Mais seulement une fois ?

– Il hait les femmes, dit Donahue. À mon avis, c'est Sam Garber dans vingt ou trente ans.

Jonah comprit qu'il devait dire quelque chose, que c'était son tour de parler. Il ne put que répéter :

– Sam Garber ?

– Il a été admis cinq fois au cours de ces dix-huit derniers mois, dit la secrétaire.

Donahue secoua la tête.

– C'est le portrait craché du psychopathe en herbe : il met le feu, torture les animaux, mouille son lit.

– Il faut éloigner sa mère de lui, dit Jonah.

– Bonne chance, dit Donahue. Les services sociaux n'ont pas levé le petit doigt pour le protéger.

– Pourquoi ? demanda Jonah.

– Il suit les directives. Quand il se blesse, il répète comme un perroquet ce que ses parents lui font dire. Personne n'a pu prouver le contraire.

– Personne ne *veut* prouver le contraire, intervint la secrétaire du service. En fait, les foyers de l'État sont loin d'être pressés de le recevoir. C'est un emmerdeur. Il a agressé le personnel des tas de fois. Il a tenté deux fois de mettre le feu à l'hôpital.

— Il faut qu'il mette le feu à sa mère, dit machinalement Jonah, qui fut horrifié à l'instant où les mots franchirent ses lèvres.

Mais était-ce ses mots ? Que lui arrivait-il ? Il rit, dans l'intention d'émousser le tranchant de ce qu'il venait de dire, mais son rire parut creux, mécanique.

La secrétaire et Donahue se regardèrent.

— Je suppose que c'est une façon de voir, dit Donahue, qui s'éclaircit la gorge et ajouta : Vous vous êtes levé du pied gauche, ce matin, docteur Wrens ?

Il rassembla toute l'énergie positive disponible.

— Une petite blague, fit-il avec un clin d'œil.

Le docteur Corinne Wallace, chef du service psychiatrique de l'hôpital, s'immobilisa sur le seuil du bureau des infirmières. C'était une jolie femme d'une quarantaine d'années, aux cheveux châtains mi-longs, caractérisée par un optimisme rare et contagieux sur lequel le personnel et les malades comptaient. Mais son expression et sa voix étaient graves.

— Pouvez-vous m'accorder une minute ? demanda-t-elle à Wrens.

— Bien entendu, répondit-il, hésitant.

— C'est à propos de ce qui est arrivé au restaurant.

Jonah se figea et sa paranoïa grimpa en flèche.

— On en parlait justement, dit la secrétaire, on espérait que ce salaud grillera sur la chaise.

Jonah se dit qu'on l'avait peut-être vu sur les lieux du crime, finalement. Peut-être la police l'attendait-elle en ce moment même devant l'hôpital.

— Pouvons-nous y aller ? lui demanda Wallace.

Ils prirent le couloir et gagnèrent le cabinet de Jonah.

— Voulez-vous vous asseoir ? demanda-t-il.

Elle secoua la tête.

— Nous travaillons en liaison très étroite avec la police de la région, commença-t-elle.

Jonah glissa la main dans la poche de son pantalon, saisit son couteau.

— Le sergent John « Buck » Goodwin a téléphoné ce matin, poursuivit-elle. C'est le détective chargé du meurtre de Bitter Creek. Je lui ai dit que nous l'aiderions.

Fait-on jouer à Wallace le rôle du «bon flic»? se demanda Jonah. Croyait-on vraiment qu'il se dégonflerait et permettrait qu'on fouille sa chambre de motel sans mandat?

– Comment? s'enquit-il.

– Le propriétaire et les employés du restaurant sont complètement effondrés, dit Wallace. La victime – elle s'appelait Pierce – était très appréciée. Sa fille est également serveuse dans cet établissement. L'ensemble du personnel forme une sorte de grande famille étendue.

Elle s'interrompit, puis reprit:

– Normalement, je ne demanderais pas à un intérimaire de faire ça, mais je dois quitter la ville pour assister à un séminaire. Et le docteur Finnestri n'est pas du tout à l'aise avec les victimes de traumas.

Ce fut à peine si Jonah en crut ses oreilles. Wallace lui demandait-elle vraiment de s'occuper des collègues de Pierce? De sa fille? Était-ce de cette façon que Dieu le punissait, en le confrontant directement à la souffrance qu'il avait causée? Cela le terrifia et le toucha.

– Je ne crois pas que ça exigera plus de deux ou trois heures, dit Wallace. Mais, dans la mesure du possible, vous pourriez prendre contact avec ces personnes par téléphone. Surtout la fille.

– Je serai heureux d'apporter ma contribution, dit Jonah, qui ne s'adressa pas seulement à Wallace, mais aussi à Dieu. Je peux leur proposer de venir me voir ici, à l'hôpital.

– Ça ne fait clairement pas partie de vos attributions. Nous trouverons le moyen de vous dédommager.

– C'est inutile. C'est le moins que je puisse faire, répondit Jonah.

Jonah reçut Sam Garber une demi-heure plus tard. Se consacrer entièrement au jeune garçon, oublier ce qui s'était passé pendant la nuit lui fit du bien.

Sam était robuste, beaucoup plus grand que la majorité des enfants de neuf ans, et parlait d'une voix monocorde qui, elle aussi, le faisait paraître plus âgé. Seules la douceur de sa peau et ses boucles coupées droit sur son front le trahissaient. Il était assis, très droit, face au bureau de Jonah, le front plissé, une expression vaguement contrariée sur le visage, et racontait qu'il était très maladroit, qu'il tombait sans cesse et se blessait, qu'il n'avait qu'une envie : rentrer chez son père et sa mère.

— Pas cette fois, dit Jonah.

Les plis du front de Sam se creusèrent.

— Je sais que vous ne pouvez pas me garder, dit-il d'une voix hésitante.

Jonah entendit la supplique de Sam. *Vous ne me garderez* pas *ici. Vous ne pouvez pas me sauver.* Il comprit qu'il devait manifester sa détermination, prouver à Sam qu'il pouvait mettre son sort entre ses mains.

— Je peux le faire et je le ferai, dit-il. Tu ne sortiras pas d'ici pour rentrer chez toi. Tu iras dans un endroit où tu seras en sécurité. Parce que je sais *exactement* ce que te fait ta mère.

— Elle ne fait rien.

— M'as-tu déjà rencontré dans cet hôpital ? demanda Jonah.

— Non.

— Sais-tu pourquoi on m'a fait venir ?

Sam haussa les épaules.

— Je peux lire dans les pensées, dit Jonah.

— C'est ça, ironisa Sam. Vous êtes une sorte de super-héros ? Vous voyez à travers les murs, aussi ?

— Je vais te montrer.

Sam hésita et Jonah en déduisit qu'il n'était pas tout à fait sûr qu'il soit impossible de lire les pensées.

— Allez-y, dit-il. Je m'en fiche.

Jonah alla près de lui.

— Puis-je toucher ta tête ? demanda-t-il.

— C'est idiot, dit Sam.

Mais il baissa légèrement la tête.

— Ferme les yeux, demanda Jonah.

Sam obéit. Sans doute faisait-il douze ou treize ans, sans doute avait-il plus souffert que son âge pourrait le laisser supposer, mais il avait neuf ans, était impressionnable, était toujours désireux de croire et capable d'espérer qu'il y avait, dans le monde, des gens possédant des pouvoirs spéciaux – des pouvoirs qui pourraient peut-être le sauver.

Jonah posa les mains sur la tête du jeune garçon, ferma les yeux et prit une profonde inspiration. Il se représenta les fractures spiralées en forme de S du radius et de l'humérus de Sam.

– Quand ta mère te frappe, dit-il, elle te tient par le bras et tu te débats pour lui échapper.

Sam garda le silence.

Jonah se souvint des récits de Heaven Garber : Sam tombant dans l'escalier, Sam tombant de bicyclette, Sam trébuchant et tombant dans la cheminée. Comme il avait entendu des victimes et des bourreaux innombrables, il savait que ces récits contenaient vraisemblablement des éléments de vérité. L'association de la réalité et de la fiction constitue la tromperie la plus efficace.

– Un jour, hasarda Jonah, alors qu'elle te tenait, te frappait, hurlait, tu as essayé de lui échapper, et elle t'a lâché brusquement, si bien que tu es tombé dans l'escalier.

Les paupières baissées de Sam se crispèrent, comme s'il tentait de chasser le souvenir.

– Est-ce qu'elle s'est moquée de toi ? demanda Jonah ? Est-ce qu'elle t'a dit que tu étais maladroit ?

Il sentit que Sam hochait la tête, ajouta :

– Est-ce que la même chose est arrivée devant la cheminée. Elle t'a lâché ?

– Hon-hon, fit Sam.

– Tu es tombé contre le pare-feu.

Sam acquiesça une nouvelle fois.

Jonah imagina Heaven Garber se moquant de Sam, qui pleurait. Il put presque entendre ses propos humiliants. Il passa les paumes sur les joues du jeune garçon, sentit les larmes, puis éprouva une grande tristesse. Comme il était agréable de se laisser emporter par ce flot de chagrin, loin de l'angoisse liée à ce qu'il était devenu, loin de ce qu'il était capable de faire.

– Où était ton père ? demanda-t-il aussi doucement que s'il priait.

— Je ne sais pas.

— Lui as-tu raconté ce qui s'était réellement passé ?

— Elle m'a dit qu'il ne me croirait pas, répondit Sam. Elle a dit qu'elle le persuaderait de m'envoyer en maison de correction à cause de mes mensonges... et de ces autres trucs avec les animaux. Le mal que je leur faisais. Elle a dit que je ne le reverrais jamais.

— Et tu as cru qu'il la préférerait à toi ?

Sam haussa les épaules.

Jonah chassa tout l'air contenu dans ses poumons, s'agenouilla devant Sam. Il regarda le jeune garçon dans les yeux.

— Tout est sur la table, maintenant, dit-il. Tu ne changeras pas ce que tu viens de me dire, quoi qu'il arrive. D'accord ?

— Mais qu'est-ce qu'elle va me faire ?

— Elle ne peut rien faire.

— Pourquoi ? demanda Sam.

Jonah se souvint de l'expression stupéfaite de Hank Garber quand il lui avait dit qu'il risquait de perdre définitivement Sam.

— Parce que ton papa te préférera, dit-il en souriant au jeune garçon. Tu es toi-même une sorte de super-héros.

— Moi ?

Il secoua la tête. Mais il était ferré.

— Qu'est-ce que vous voulez dire ?

— Tu avais tout le pouvoir depuis le début. Pas ta mère. Tu ne le savais pas, voilà tout.

— Vous en êtes sûr ? Je n'ai pas l'impression d'avoir tellement de pouvoir.

— Aussi sûr qu'on peut l'être, dit Jonah.

Il scruta les yeux effrayés de Sam et ajouta :

— Qu'est-ce que tu en dis ? Nous sommes d'accord ? Tu ne changes pas ta version de l'histoire ?

Le front de Sam se crispa à nouveau. Il serra sa lèvre inférieure entre des dents, la mordilla pendant quelques instants.

— D'accord, dit-il.

17

Un agent nommé Phil Steiner prit Clevenger en charge dans le hall d'entrée de l'Académie du FBI et le conduisit au laboratoire de pathologie. Whitney McCormick et Kane Warner, gantés et vêtus d'une blouse, se tenaient près d'une femme qui examinait le cadavre allongé sur une table de dissection en acier inoxydable. Clevenger enfila la tenue indispensable et les rejoignit.

– On a pensé qu'il serait aussi bien de commencer notre réunion ici, expliqua McCormick quand Clevenger arriva près de la table.

Kane Warner se contenta d'adresser un très bref signe de la tête à Clevenger.

– Le cadavre du Wyoming est arrivé il y a environ une demi-heure, poursuivit McCormick. Sally Pierce, soixante-deux ans.

Clevenger regarda Pierce et eut le souffle coupé. Elle était défigurée par les coups, avait les paupières gonflées comme celles d'un crapaud, les pommettes fendues, la lèvre inférieure pratiquement arrachée, les dents cassées et couvertes de sang séché. Des poignées de cheveux avaient été arrachées, le cuir chevelu frappé avec une violence telle que l'os apparaissait par endroits. Ses oreilles étaient de la couleur d'une aubergine. Son cou présentait une lacération aux bords irréguliers et des traces bleues de contusions.

Clevenger regarda McCormick. Le contraste entre le cadavre et sa beauté naturelle était si saisissant qu'elle semblait appartenir à un autre monde. Il eut envie de la prendre dans ses bras, de l'embrasser, d'être vivant en sa compagnie.

— Je m'appelle Elaine Ketterling, dit la femme qui se tenait à l'extrémité de la table en tendant une main gantée. Légiste adjointe.

Clevenger lui serra la main.

Ketterling montra la tête de Sally Pierce.

— Comme je le faisais remarquer, nous sommes visiblement en présence de graves contusions au visage, aux oreilles et au cuir chevelu correspondant à des coups violents et répétés. La résonance magnétique et l'examen clinique dévoileront, selon toute probabilité, des fractures de la face et des hémorragies cérébrales.

Elle plaça les doigts sous le menton de Pierce, inclina doucement la tête en arrière et reprit :

— Le traumatisme crânien aurait suffi à la tuer, mais elle a également été victime d'une lacération de quatorze centimètres de profondeur au niveau du cou, six centimètres au-dessus des clavicules.

Ketterling accentua sa pression et la plaie aux bords irréguliers s'ouvrit, devint une entaille d'un rouge violacé, puis un canyon qui exposa la trachée, les jugulaires et les carotides tranchées comme sur une planche d'un ouvrage d'anatomie.

— La plaie affecte partiellement la colonne vertébrale, reprit Ketterling, s'incline à une de ses extrémités, ce qui correspond à la lame tordue du couteau découvert sur les lieux. Il n'était pas tout à fait assez résistant.

— S'est-il servi d'un des couteaux du restaurant ? demanda Clevenger à McCormick.

McCormick acquiesça.

— Le propriétaire l'a identifié. On ne peut pas remonter la piste d'une arme.

Ketterling longea la table de dissection, passa la main sur l'épaule de Pierce, sur son bras, son avant-bras, son poignet et sa main.

— Les membres supérieurs présentent des contusions beaucoup moins graves, dit-elle, beaucoup plus diffuses. Rien n'indique qu'on lui ait lié les bras ou les poignets. Il est plus probable que le meurtrier se soit agenouillé ici afin de l'immobiliser.

Elle montra deux gros hématomes elliptiques sur les biceps de Pierce. Puis sa main descendit le long de la jambe de la femme, jusqu'à sa cheville, son pied.

– Pas d'autres plaies visibles, hormis celle du cou, dit-elle. Je présume que seuls la face et le crâne présenteront des fractures. J'aurai des informations plus précises après un scanner de tout le corps.

– Pas de trace de piqûre ? demanda McCormick.

– J'ai examiné très attentivement la peau, répondit Ketterling. Aucun indice de phlébotomie. Bien entendu, il peut avoir prélevé du sang à partir d'un des vaisseaux tranchés. Les carotides. Les jugulaires. L'hémorragie a nécessairement été massive.

Elle gagna l'extrémité de la table, montra le bas-ventre de Pierce de la tête.

– J'ai constaté une grande quantité de sang séché sur le sexe et la partie supérieure des cuisses, dit-elle. J'effectuerai un examen complet de la partie pelvienne et rechercherai les traces de sperme.

– Pas de sperme, dit Clevenger, principalement pour lui-même.

– Pardon ? fit Ketterling.

– Sa fureur est pure, maintenant, expliqua-t-il sans quitter le cadavre des yeux. Il avait une envie dévorante de détruire cette femme – et Paulette Bramberg –, pas de se sentir proche d'elle.

– C'est tout à fait évident, dit Warner, qui se tourna vers Clevenger. Nous avions un tueur en proie à un conflit émotionnel, nous avons maintenant un tueur à l'esprit clair. J'ai un peu de mal à voir en quoi ça nous rapproche de sa capture.

– Il n'a en aucun cas l'esprit clair, répondit Clevenger. Il perd la tête.

– Excellent, fit Warner. Je vais rédiger un communiqué de presse où j'expliquerai que le massacre du Wyoming est en réalité *bon* signe.

McCormick fixa Warner.

– S'il vous plaît, on ne pourrait pas voir ça plus tard ?

– Pas de problème, répondit Warner. Dans un quart d'heure.

Il s'en alla.

— Ça marche, dit Clevenger, assis sur le canapé du bureau de McCormick.

Il se tourna vers Kane Warner et ajouta :

— C'est la première fois qu'il tue dans un endroit où il y a des risques. On aurait pu le surprendre en flagrant délit ou pendant qu'il fuyait. Il a agi précipitamment. Moins de préparation. C'est ce qu'on veut.

Installé dans le fauteuil placé devant la table de travail de McCormick, Warner ricana.

— C'est ce que vous voulez, docteur, dit-il. Moi, je m'en tiens aux faits. On ne l'a pas surpris. On ne l'a pas vu. Il ne s'est pas servi d'une arme dont nous aurions pu remonter la piste. Une douzaine d'agents ont enquêté dans la région pendant la journée sans trouver d'indices. S'il ne se contrôle plus, pourquoi ne commet-il pas une erreur ? Pourquoi ne s'est-il pas servi de son couteau et ne l'a-t-il pas laissé sur les lieux ? Pourquoi n'a-t-il pas tué en plein jour, devant des témoins ?

— Si on maintient la pression, il le fera, dit Clevenger. Ensuite on l'arrêtera… beaucoup plus tôt qu'on aurait pu espérer le faire.

— C'est vous qui le dites, contra Warner, qui se pencha. Peut-être qu'il se mettra à « saigner » et décapiter deux ou trois personnes dans une boutique quelconque située au bord des cinquante mille petites routes de notre beau pays. Peut-être qu'il ne deviendra pas négligent tant que toute la population ne sera pas pétrifiée de trouille et tant qu'on ne sera pas en couverture de *Newsweek*, tentant d'expliquer pourquoi la thérapie clevengerienne destinée aux tueurs en série ne fonctionne pas dans le cas de ce cinglé.

Il eut un sourire ironique et ajouta :

— Évidemment, vous serez quand même en couverture…

— C'est ce qui vous fait peur, Kane ? demanda Clevenger. Les critiques de la presse ?

— Je n'ai peur de…

— Vous voulez un tueur plus lent, plus régulier, quelqu'un qui suscite moins de gros titres, plus éloignés les uns des autres. Vous voulez le laisser abandonner un cadavre par-ci, par-là, de temps en temps, laisser les choses continuer tranquillement jusqu'à votre prochaine promotion ou jusqu'au jour où vous toucherez le gros lot en assurant la sécurité de Reagan National ou du Ceasar's Palace.

Le cou de Warner avait rougi.

– Je crois que je ne suis pas près d'égaler les cinq cents dollars de l'heure que vous touchez.

– Vous avez ce que vous…

– Ça ne mène à rien, intervint McCormick, qui se tourna vers Warner et ajouta : Dites-le-lui.

Clevenger lui adressa un regard oblique. Elle refusa de le regarder dans les yeux.

Warner s'appuya contre le dossier de son fauteuil, redressa son nœud de cravate.

– Nous avons vu monsieur Hanley, le directeur, ce matin, dit-il sur un ton triomphant. Toutes vos correspondances futures avec le tueur des autoroutes devront se réduire à des recommandations sur les moyens de contenir sa violence et des allusions claires à la nécessité de se constituer prisonnier. En d'autres termes, il ne faut pas faire bouillir le contenu de la marmite.

– Ça revient à vendre l'abstinence à une adolescente de seize ans qui prend la pilule, dit Clevenger.

Du regard, il chercha le soutien de McCormick.

Elle garda le silence.

– Vous êtes d'accord avec lui ? demanda Clevenger.

– Je ne suis pas sûre de l'être, répondit-elle, hésitante. Mais je ne suis pas sûre de ne pas l'être.

Sans la quitter des yeux, Clevenger plissa les paupières.

– Le corps de Paulette Bramberg est resté dans ce bois pendant des mois. Il l'a décapitée longtemps avant le début de notre échange de lettres.

– Mais vous l'avez fait remonter immédiatement à la surface, dit Warner. Quoi que vous ayez déclenché chez ce type, il a craché un cadavre qui symbolise le caractère explosif de sa personnalité. Et maintenant il a tué plus violemment encore. Ça ne me plaît pas. Et ça ne plaît pas davantage au directeur.

– Qui envisage justement de se présenter aux élections au Sénat, dit Clevenger.

Le téléphone sonna. McCormick décrocha.

— Oui ?

Son visage se fit grave tandis qu'elle écoutait.

— Je vois. Merci. Je mettrai tout le monde au courant.

Elle raccrocha.

Warner et Clevenger la fixèrent.

— C'était la pathologie. On a trouvé le couteau dans la victime… Madame Pierce.

— Dans… Où ? demanda Warner.

McCormick se tourna vers Clevenger comme si l'information qu'elle était sur le point de donner serait le dernier clou de son cercueil.

— La poignée sortait du col, dit-elle. La lame a coupé l'utérus en deux. Pas de trace de sperme.

Même si l'information était grotesque, même si elle horrifiait Clevenger, elle confirmait ce qui, selon lui, se passait dans l'esprit du tueur des autoroutes : ses mécanismes de défense psychologiques se délitaient. Mais il constata qu'il était seul à le croire.

Warner le dévisagea comme s'il était personnellement responsable de la disparition de Pierce.

— Vous comprenez, maintenant ? demanda-t-il. Il faut que vous le calmiez un peu, que vous lui permettiez de reprendre un peu le contrôle de lui-même. Que vous nous donniez un peu de temps.

— C'est une mauvaise stratégie, répondit Clevenger. Le temps était de son côté. Il aime imposer le rythme.

— Donc vous refusez, dit Warner.

Clevenger lut la satisfaction sur le visage de Warner et comprit qu'il voulait qu'il renonce, qu'il était impatient de monter dans le bureau d'angle de Jake Hanley et de lui annoncer qu'il n'y aurait plus de lettres.

— Accordez-moi une journée de réflexion, dit-il.

Warner se leva.

— Prenez tout le temps que vous voulez, dit-il. En attendant, si vous recevez une nouvelle lettre de votre… patient, nous en tirerons ce que nous pourrons et nous laisserons tomber… sans répondre.

— Vous laisserez peut-être tomber, dit Clevenger. Mais lui peut-être pas. Vous croyez qu'il ne se contrôle plus ? Vous verrez quand il se sentira abandonné, quand il se dira que personne n'écoute plus.

Warner lui adressa son meilleur sourire de politicien.

— Il pourra toujours prendre rendez-vous ici, dit-il. Je vous autoriserai à lui rendre visite deux fois par semaine à Levenworth.

Il s'inclina légèrement devant McCormick.

— Prenez soin de vous, dit-il.

— Qu'est-ce qui t'arrive ? demanda Clevenger à McCormick après le départ de Warner. Tu m'as abandonné en rase campagne.

— Ils sont inquiets.

— C'est à toi que j'ai posé la question.

— Je suis préoccupée.

— Par quoi ? Tu crois qu'il risque de ne pas s'écrouler immédiatement, que ça pourrait en fait prendre un moment ? Pourquoi espérerais-tu autre chose ? Il joue ce jeu depuis longtemps. Trop longtemps.

McCormick se crispa légèrement.

— Ce n'est pas seulement ça, dit-elle d'une voix légèrement plus grave.

— O.K...

Elle se pencha :

— Je crois que tu devrais réfléchir un peu à la façon dont tes problèmes risquent de refaire surface dans cette affaire.

— Mes problèmes ?

— Ta stratégie est claire. Tu cherches à propulser sa fureur jusqu'à un niveau tel qu'il sera en surchauffe. Mais je ne crois pas que tu aies même envisagé que tu puisses avoir une motivation inconsciente d'assister à son effondrement.

— D'assister..., fit Clevenger, ébahi.

Il secoua la tête, regarda McCormick. Puis il comprit où elle voulait en venir.

— Tu crois que je chercherais à le rendre plus violent... pour *moi* ? Pour exprimer *ma* fureur ?

— Jamais intentionnellement.

Clevenger rit.

— Tu blagues, c'est ça ?

McCormick garda le silence.

— Tu crois que je n'ai pas vu assez de violence ?

— On en voit plus que jamais dans cette affaire. C'est tout ce que je sais. Elle ne t'amène pas à réfléchir et c'est ce qui m'inquiète. Si tu étais seul à décider, tu irais de plus en plus loin.

— Jusqu'à ce qu'il craque.

— Sans tenir compte des contributions des autres membres de l'équipe.

Clevenger regarda le plafond, prit une profonde inspiration puis concentra à nouveau son attention sur McCormick.

— Ton père serait fier, dit-il.

— Qu'est-ce que signifie cette connerie ?

— Sa fille est devenue politicienne, à son image.

— Je ne fais pas de politique, Frank. Je...

— C'est peut-être dans les gênes.

Il la fixa plus intensément et poursuivit :

— Tu sais qu'on est sur la bonne voie. Ça se déroule dans le *New York Times*, mais c'est la seule différence avec une thérapie ordinaire. On n'atteint pas le côté opposé d'une psychopathologie grave sans traverser un petit morceau d'enfer. La question est toujours de savoir si on a le courage de faire le voyage. Tu ne l'as peut-être pas.

— Ce n'est pas juste.

— Tu ne peux même pas défendre tes opinions, insista Clevenger.

— Mais si je peux, dit-elle presque d'une voix de petite fille, une expression très inquiète sur le visage du fait que les mots avaient franchi ses lèvres de cette façon.

Il secoua la tête.

— Au fond, tu ne crois pas que tu as l'autorisation de dire ce que tu penses et de le défendre. Tu te demandes si c'est ton bureau ou celui de ton père. Donc tu fais comme lui... tu joues la sécurité.

— C'est mon bureau. Et je veux que tu en sortes. Tout de suite.

— Voilà, dit Clevenger. Ça, c'est du courage. Il faut simplement que tu en fasses preuve quand quelque chose de plus grand que ton ego est en cause… la vie des gens, par exemple.

Il se leva et sortit.

Il était plus de 19 heures quand Clevenger arriva enfin à l'aéroport. Il réserva une place sur le vol de 20h20 à destination de Boston, écouta les messages de son répondeur. Il y en avait un de Billy, où le jeune homme lui disait qu'il était très bien au service de désintoxication du centre hospitalier de North Shore et le remerciait de l'y avoir conduit. Il semblait en forme, si bien que Clevenger se sentit un peu mieux que lorsqu'il avait quitté Quantico. Mais le message qui suivit celui de Billy le démoralisa.

— Docteur Clevenger, dit une voix de femme, ici Carla Diario, des services sociaux du Massachusetts. Je vous appelle pour vous demander si nous pourrions nous rencontrer à propos d'une conversation que j'ai eue, cet après-midi, avec une des personnes qui s'occupent de Billy au service de désintoxication. Si vous pouviez prendre contact avec moi dès que cela vous sera possible, je vous en serai reconnaissante.

Les appels téléphoniques des services sociaux n'étaient jamais de bonnes nouvelles. Clevenger appela le centre hospitalier de North Shore et obtint la chambre de Billy.

— Ça va, champion ? demanda-t-il.

— Comme si j'étais passé sous un camion, répondit Billy. On ne peut pas dire qu'ils poussent sur les médicaments.

— Ce n'est jamais facile, mais ça vaut la peine. Tiens le coup.

— Je tiendrai, dit Billy. Comment tu vas ?

— Je rentre.

Il se tut, puis demanda :

— Il paraît que tu as vu une représentante des services sociaux, aujourd'hui ?

— Une femme est venue.

— Est-ce qu'elle t'a interrogé sur notre relation ?

— Oui. Je lui ai dit qu'on était très proches. Qu'on n'avait jamais été aussi proches. Qu'on travaillait même un peu ensemble.

La poitrine de Clevenger se crispa.

— As-tu parlé de l'enquête sur le tueur des autoroutes ?

— Elle m'a interrogé là-dessus. Je lui ai dit que je lisais les textes publiés sur lui, que j'essayais de me rendre utile.

Quelques secondes de silence, puis :

— Il ne fallait pas le lui dire ?

Clevenger ne voulait pas ajouter un souci à ceux de Billy.

— Pas de problème. Je crois que les services sociaux veulent me poser quelques questions, mais je me débrouillerai.

— J'aurais dû ne rien dire.

— C'est sans importance, dit Clevenger. Vraiment.

Il se tut à nouveau, puis demanda :

— C'est quoi le règlement pour les visites ?

— Aucune pendant les trois premiers jours, répondit Billy.

— Dans ce cas, je te téléphonerai demain matin.

— Merci.

— Je t'aime, mon pote.

— Moi aussi.

Clevenger raccrocha.

L'embarquement commença. Clevenger prit place dans la file d'attente. Il était presque arrivé à la porte quand Whitney McCormick l'appela. Il se retourna, vit qu'elle se dirigeait vers lui.

Elle le rejoignit.

— Je crois qu'on ne devrait pas laisser les choses finir comme ça, dit-elle.

— Nous ou le travail sur l'affaire ? demanda Clevenger.

— Nous, répondit-elle. Reste ici ce soir. Rien ne nous obligera à parler de l'enquête.

Clevenger fixa ses yeux. Ils étaient brillants, beaux, débordaient d'une soif semblable à celle qu'il avait surprise dans les yeux des drogués – l'expression de *ses* yeux quand il se droguait. McCormick avait besoin de lui comme on a besoin d'un fixe, peut-être exactement comme elle avait besoin de l'approbation de son père, désirait ardemment son amour, alors qu'elle avait simplement besoin, en réalité, de s'aimer.

– Billy est en désintoxication, dit-il. Il faut que je le soutienne.

Elle acquiesça, parvint à esquisser un sourire.

– Ma proposition de lui faire visiter l'Académie tient toujours.

– On en profitera peut-être.

Quand elle se pencha et le serra dans ses bras, il lui rendit son étreinte. Mais quand elle leva la tête comme pour qu'il l'embrasse, il tourna la tête.

Elle le lâcha.

– Prends soin de toi, dit-elle.

– Toi aussi.

Clevenger écouta à nouveau les messages quand il regagna le loft de Chelsea. North Anderson avait appelé deux fois. Il alluma son mobile et constata qu'Anderson avait également tenté deux fois de le joindre sur cet appareil. Il appela le bureau, n'obtint pas de réponse, composa le numéro personnel d'Anderson.

– Allô ? dit Anderson.

– C'est Frank.

– Il y a quelque chose qu'il faut que tu saches.

– Vas-y.

– Stephanie Schorow, du *Boston Herald*, m'a téléphoné aujourd'hui au bureau. Elle a posé des questions sur Billy et toi.

– Quelles questions ?

– Elle savait que Billy est en désintox. Elle semblait dire que les services sociaux se demandent s'il faut t'en laisser la garde. Elle a déjà contacté deux personnes qui y travaillent. Elles lui ont dit qu'elles ne pouvaient «ni confirmer ni démentir», ce qui n'a fait que l'intéresser davantage.

Clevenger baissa la tête. Pour la première fois, il eut l'impression que l'enquête sur le tueur des autoroutes et sa vie personnelle se heurtaient de front.

– N'importe quel membre du personnel du centre médical peut avoir averti la presse. Probablement mille dollars vite gagnés.

– La presse l'a peut-être appris sans aide extérieure. Je suis sûr que tu es presque continuellement suivi.

– J'ai eu un message des services sociaux, dit Clevenger tout en faisant défiler sur l'écran les numéros des gens qui l'avaient appelé. Ils veulent me voir.

Il tomba sur un numéro sous lequel était indiqué HERALD NEWS et un autre sous lequel il lut NY TIMES.

– Le *Herald* a également essayé de me joindre. Et le *New York Times*.

– Quoi que ce soit, ça attendra demain, dit Anderson. Tu ne peux rien faire ce soir.

– Je ne dormirai pas mieux pour autant.

– J'imagine que non. Comment va Billy ?

– Bien jusqu'ici, répondit Clevenger.

– J'en suis heureux, dit Anderson. Si tu as besoin de quelque chose, téléphone. Pigé ?

– Merci.

Clevenger appela sa messagerie vocale aussitôt après avoir raccroché. Comme prévu, le message du *Herald* émanait de Stephanie Schorow, qui voulait une interview à propos de la relation de Clevenger et de Billy. Mais le message du *New York Times* émanait de Kyle Roland, son directeur légendaire, pas d'un journaliste cherchant une idée de papier sur le tueur des autoroutes. Et Roland avait laissé le numéro de son bureau, celui de son mobile et celui de son domicile.

Il était plus de 22 heures. Clevenger appela le mobile.

Roland décrocha à la première sonnerie.

– Kyle Roland, dit-il de la voix rauque mais musicale qui le caractérisait.

Clevenger imagina cet homme de soixante-dix ans, toujours robuste, dans le penthouse de Manhattan qu'il avait vu dans la section «Décoration» du *Times*, où tous les murs, du plancher au plafond, étaient occupés par des étagères sur lesquelles se trouvaient les classiques, les grandes biographies et les romans préférés de Roland: les policiers. Il avait les éditions originales de toutes les œuvres de Conan Doyle, Chandler, Hammet. Et il avait des exemplaires signés de celles des nouveaux grands: Evanovich, Kellerman, Lehane, Coben, Parker.

– Frank Clevenger. Vous m'avez laissé un message.

— Je vous remercie d'appeler, dit Roland. J'ai dû prendre une décision difficile, dans la journée. Je l'ai prise, je voulais que vous soyez au courant et je voulais savoir comment vous réagiriez.

— Ça fait beaucoup de « voulais » dans une phrase, dit Clevenger. Roland rit, mais alla droit au but.

— Nous avons reçu ce matin une nouvelle lettre du tueur des autoroutes. Par Fedex. Il fait allusion à une liaison sentimentale entre vous et le docteur McCormick. Il vous a vus ensemble dans l'Utah.

Clevenger eut peine à croire ce qu'il entendait.

— Il nous surveillait ?

— C'est ce qu'il affirme. Et ça semble possible. Il vous a dit où se trouvait le corps de Paulette Bramberg. Il aurait pu passer en voiture pendant que vous étiez sur les lieux. Il pouvait être quelque part dans la forêt. Il pouvait être à l'aéroport à votre arrivée.

Il laissa passer un instant, ajouta :

— Ou à votre hôtel.

— Il était si près, dit Clevenger, presque dans un souffle.

— Je vous ai appelé parce que le FBI m'a demandé de ne pas publier la lettre, dit Roland.

— Kane Warner ?

— Warner et Jake Hanley.

— Et ?

Roland s'éclaircit la gorge.

— Il y a des raisons légitimes de ne pas publier des textes… même des textes aussi passionnants que cette lettre. Je crois que lorsque quelque chose met en danger une enquête policière aussi importante que celle qui concerne le tueur des autoroutes, on se trouve dans ce cas de figure.

— Vous ne pourriez pas couper la partie consacrée à McCormick et moi ?

— La couper ? Pas question. Je crois que cette allusion fait partie intégrante de ce que dit le tueur. Il concentre pour une large part son attention sur votre alliance avec le docteur McCormick. Je ne suis pas psychiatre, mais je crois que c'est lourd de sens, d'autant plus que nous sommes vraisemblablement confrontés à un homme ayant très peu d'attachements réels, à supposer qu'il en ait.

Clevenger soupira. On en revenait apparemment à la politique, comme d'habitude, même si les mots étaient prononcés par la voix charmeuse de Roland.

– Si vous ne la publiez pas, pourquoi en parler ?

– Je l'ai publiée, répondit Roland. En haut de la première page de l'édition de demain matin.

Clevenger retrouva toute son énergie.

– Pourquoi avez-vous mentionné les risques que pourrait courir l'enquête ? demanda-t-il.

– Je crois qu'il faut que vous compreniez mon raisonnement. J'aurais gardé la lettre pour moi si j'avais cru qu'elle représentait véritablement un obstacle à l'arrestation du tueur. Je ne le crois pas. Je crois que Kane et Jake essaient de ne pas se salir les mains et d'échapper aux pressions de la population. Et ce n'est pas une bonne raison de censurer quelque chose... même pour rendre service à un ami.

– Très bien.

– Donc voici ma question : répondrez-vous à la lettre hors du cadre du FBI ? Les mêmes règles s'appliqueraient. Nous n'imprimerons rien qui pourrait permettre à ce type de s'en sortir.

Clevenger eut l'impression d'être arrivé, sans s'en rendre compte, à un nouvel embranchement. S'il décidait de poursuivre la psychothérapie publique du tueur des autoroutes, non seulement il jouerait sa partie, mais il la jouerait sans soutien. En outre, il travaillerait sur l'affaire tout en gérant les problèmes posés par les services sociaux et une nouvelle tempête médiatique qui se déchaînerait autour de Billy et lui dès que le *Boston Herald* arriverait dans les kiosques. Sans parler des tabloïdes, à qui son aventure avec McCormick permettrait de s'en donner à cœur joie. Mais, malgré ces nombreuses raisons de répondre non, il s'entendit répondre oui et ne regretta pas de l'avoir fait. Pas un instant. Et il constata – pas pour la première fois, mais peut-être plus clairement que jamais – que son travail et lui, dans ce monde, étaient inséparables. Une seule et même chose. Fondamentale. Le père de Billy Bishop avait épousé l'expertise psychiatrique. On pouvait qualifier cela de profession, d'obsession, d'addiction. Peu importait l'étiquette. Le désir de comprendre de quoi étaient faits les criminels violents et comment fonctionnait leur esprit dépassait toutes les étiquettes, tous les jugements de valeur, dépassait la raison. Dans cette vie, Frank Clevenger se devait, de façon permanente et inextricable, de comprendre la volonté de détruire partout où il la rencontrait. Il ne pouvait pas y avoir de divorce. Jamais.

— Parfait, dit Roland. Si vous pouvez nous fournir une réponse demain avant treize heures, nous la publierons jeudi.

— Vous l'aurez, répondit Clevenger.

— Dans ce cas, à demain, dit Roland.

18

6 h 12
Mercredi 9 avril 2003

Clevenger ne dormit pas. Son esprit retourna inlassablement dans l'Utah, repassa tous ses mouvements, tenta d'évoquer un visage correspondant aux propos du tueur des autoroutes. Mais il n'en trouva aucun. Comme avait dit Roland, le tueur pouvait être n'importe où... passant devant les lieux du crime alors que Clevenger et McCormick descendaient de la camionnette de la police, au restaurant où ils avaient dîné, à leur hôtel, à l'aéroport. Et il y avait une autre raison susceptible d'expliquer pourquoi il restait introuvable dans l'esprit de Clevenger. Il ne se faisait pas remarquer. Pas de signes particuliers, rien qui attire le regard. Un homme d'aspect agréable, qui ne suscitait pas l'inquiétude. Une ardoise vierge sur laquelle on pouvait vider son âme.

Il alla chercher le *New York Times* à l'instant où il l'entendit tomber sur le plancher devant son loft. Il s'assit et lut la lettre du tueur des autoroutes, en relut une partie trois fois :

> *Vous croyez pouvoir éviter ce combat en immergeant votre cœur et votre esprit dans l'acte sexuel. Vous avez choisi la chasseresse pour éviter de choisir votre vrai moi, pour esquiver la question qui vous hante. Êtes-vous – au fond de vous-mêmes, dans les instants les plus ténébreux de votre nuit – un soignant ou un chasseur, un médecin ou un bourreau ?*

Je vais vous aider à répondre à cette question parce que je suis – contrairement à vous – un homme de parole.

Un par un, je vous aurais restitué tous les corps sans exception, afin qu'ils soient rendus aux familles, mais vous vous êtes révélé indigne de confiance, puisque vous vous êtes rendu dans l'Utah en compagnie du FBI (après avoir promis de ne pas collaborer avec) et que vous avez menti sur mon offrande en vue de m'amener à douter de mon amour pour ma mère, ma protectrice, mon ange.

Est-il possible, se demanda-t-il, que le tueur des autoroutes ne se souvienne pas de ce qu'il a fait à Paulette Bramberg ?

Le téléphone sonna. Il regarda l'écran. Le FBI. Il décrocha.

– Frank Clevenger.

– C'est moi, dit Whitney McCormick. Le *Times* a reçu une autre lettre du tueur des autoroutes.

– Je sais, répondit Clevenger. J'ai eu Kyle Roland au bout du fil hier soir.

– Tu as parlé à Kyle Roland ?

Clevenger estima qu'il était préférable de ne pas dire à McCormick qu'il s'était mis d'accord avec Roland pour que la thérapie du tueur des autoroutes se poursuive. Kane Warner ou Jake Hanley pourraient tenter une nouvelle fois de l'interrompre.

– Il voulait m'expliquer pourquoi il n'avait pas caché la partie qui nous concerne au FBI, dit-il. Il pensait qu'ils devaient être informés que le tueur des autoroutes s'intéresse de très près à notre relation.

– Kane m'a mise sur le gril pour savoir si c'était vrai.

– Qu'est-ce que tu lui as dit ?

– La vérité… que j'ai de l'affection pour toi.

Le plaisir que suscita cette réponse étonna Clevenger.

– Moi aussi, dit-il. Pour ce que ça vaut.

– Ça vaut beaucoup, dit-elle. Je pourrai peut-être te le prouver quand tout ça sera terminé.

Elle se tut, puis ajouta :

– Il voulait savoir si on avait couché ensemble.

– Il ne peut pas te poser cette question. Tu es sous ses ordres.

– Il peut s'il a des raisons de croire que ça pourrait exercer une influence sur mon travail.

– Qu'est-ce qui s'est passé ?

– J'ai répondu à sa question et il m'a retiré l'affaire. Il a dit qu'il ne pouvait pas être sûr que je serais objective. Hanley l'a soutenu.

– Tu as pris son parti hier, pas le mien. Comment peuvent-ils prétendre que tu n'es pas objective ?

– Ça n'a plus d'importance, dit-elle. J'ai démissionné.

– Tu as *démissionné* ?

Clevenger revit l'expression satisfaite du visage de Kane Warner quand il avait failli obtenir qu'il renonce à travailler sur l'affaire.

– Pourquoi leur donner cette satisfaction ?

– Ça n'a rien à voir avec eux, dit-elle. J'ai réfléchi à ce que tu m'as dit dans mon bureau. Tu avais raison. Je ne sais pas si je mérite vraiment ce poste.

Peut-être McCormick était-elle plus vulnérable que Clevenger l'avait imaginé. Peut-être l'avait-il secouée jusqu'aux racines.

– Qu'est-ce que tu vas faire ? demanda-t-il.

– Le gagner.

Clevenger perçut un mélange de défi et de duplicité dans sa voix et comprit qu'elle n'avait pas l'intention de renoncer à l'enquête sur le tueur des autoroutes.

– Le gagner comment ? demanda-t-il.

– Notre homme a tué Sally Pierce. C'est une certitude. La lettre était tachée de son sang. Elle a été postée à environ quatre-vingts kilomètres de Bitter Creek. À Creston. S'il perd la tête, comme tu le dis, peut-être n'a-t-il pas du tout préparé ce meurtre. Peut-être qu'il ne passait pas simplement dans la région. Peut-être qu'il y est toujours.

– Ne va pas à la recherche de ce type, Whitney.

Elle garda le silence.

– Tu es psychiatre, pas flic, reprit-il. Ton rôle ne consiste pas à tenter de l'arrêter. Sûrement pas sans le soutien du Bureau. Et moins encore du fait qu'il te considère comme une « chasseresse ».

– C'est peut-être ce qu'il redoute.

— Quoi?

— Que je sois celle qui pourrait effectivement l'identifier. Que je sois vraiment la fille de mon père.

— Ou bien il te tend un piège, dit Clevenger. Il veut peut-être que tu partes à sa recherche.

— Je peux me débrouiller seule.

— Il y a des façons de le démontrer qui ne te mettent pas en danger.

— C'est un conseil intéressant, venant de ta part. On ne peut pas dire que tu aies joué la sécurité.

— Et j'ai payé le prix.

— Je te rappellerai dans deux ou trois jours, dit McCormick.

— Whitney!

Elle raccrocha.

Clevenger appela immédiatement North Anderson chez lui.

— Qu'est-ce qui se passe? demanda-t-il.

— La psychiatre avec qui je travaillais au FBI, Whitney McCormick, a démissionné.

— Et?

— On a commencé une relation. C'est ce qui a provoqué sa démission. Le tueur des autoroutes nous a vus ensemble dans l'Utah. Il l'a écrit dans une lettre adressée au *Times*. Elle a été publiée ce matin.

— Les vieilles habitudes ont la vie dure, dit Anderson. J'espère qu'elle en valait la peine.

— Je crois qu'elle a décidé d'identifier elle-même le tueur des autoroutes, de retrouver son poste ensuite… je ne sais pas au juste. Et j'ai de gros problèmes en prévision, ici, avec les services sociaux.

— Je vais demander à quelqu'un de se renseigner sur les réservations auprès des compagnies aériennes, dit Anderson. Si elle prend un vol, je prendrai le même.

— Je te dois un sacré service.

— Il ne peut plus être question d'équilibrer les comptes entre nous.

Pendant les trois heures qui suivirent, Clevenger rédigea le premier jet de sa réponse au tueur des autoroutes. Il était certain que le tueur se projetait quand il demandait si quelqu'un avait aimé Clevenger d'un amour pur : personne n'avait aimé le tueur d'un amour pur, sûrement pas la mère qu'il appelait son « ange ». S'appuyant sur la présence des cadavres mutilés de deux femmes d'une soixantaine d'années, Clevenger décida de recourir à la théorie que Billy et lui avaient élaborée : le tueur avait été élevé par une femme capable d'être tendre à certains moments, brutale à d'autres. Il imitait cette dynamique : se rapprochait de ses victimes, puis les égorgeait.

Le moment d'augmenter la pression psychologique était venu. Si le tueur croyait vraiment que le corps de Paulette Bramberg n'était pas plus horriblement mutilé que les autres, il lui arrivait de perdre complètement contact avec la réalité. Psychose. Et si Clevenger parvenait à provoquer cette rupture, l'aptitude du tueur à raisonner, élaborer des stratégies et éviter l'arrestation disparaîtrait.

La lettre visait à démonter les fragiles mécanismes de défense du tueur, à démasquer la folie qui rougeoyait derrière :

> *Gabriel,*
> *Vous demandez si j'ai connu le véritable amour, mais c'est à vous qu'il faudrait poser la question. Les cadavres de l'Utah et du Wyoming montrent clairement que votre fureur est dirigée contre la personne que vous prétendez adorer – votre mère. Pour quelle autre raison perdriez-vous si complètement le contrôle de vous-même face à des femmes de son âge ? Pour quelle autre raison la plaie la plus horrible que vous ayez infligée – à la femme du Wyoming – se situe-t-elle au niveau des organes reproducteurs ?*
> *Vous souvenez-vous d'avoir tué Paulette Bramberg ? Ou bien votre esprit vous a-t-il rendu si complètement aveugle aux mauvais traitements que votre mère vous a fait endurer que vous ne supportez pas le spectacle de la destruction que vous infligez à d'autres, faute de pouvoir les lui faire subir ?*

Quand vous êtes rentré chez vous, après la fête d'anniversaire dans le parc, ce n'est pas votre père qui vous a agressé. C'est votre mère, la femme que vous idéalisez sous les traits de votre protectrice maltraitée, la beauté tassée sur elle-même dans un coin, vous envoyant un baiser, qui n'existe que dans vos rêves. Quelle jolie illusion !

Votre mère vous a offert cette fête d'anniversaire, puis s'en est prise à vous et vous a puni à cause d'elle, vous a fendu la lèvre, a brisé vos jouets. Comment un jeune esprit pouvait-il appréhender cette dichotomie : la gentillesse et la cruauté de la part de la même personne ? Vous ne pouviez effectivement que la diviser en deux – la mère parfaite qui vous aimait complètement et l'autre, démoniaque, qui vous torturait.

Ce n'était qu'une seule et même personne. Elle vous aimait et vous haïssait, vous nourrissait et vous maudissait, vous caressait et vous battait.

Par quels autres moyens vous terrorisait-elle, Gabriel ? Que vous a-t-elle fait qui a si complètement séparé votre sensibilité et votre intelligence de votre agressivité, au point que cette agressivité flottait librement, inaccessible à la raison, dépourvue de toute empathie, et s'est incarnée dans le tueur des autoroutes ?

Je ne crois pas que vous recherchez des victimes. Je crois que vous recherchez le réconfort, l'amour, l'union complète que, dans vos fantasmes, vous avez eue avec votre mère. Mais c'était un mirage alors et c'est un mirage aujourd'hui. Le rappel de ce fait ranime la fureur primitive que vous avez éprouvée lorsque vous étiez enfant, la fureur pure du bébé lorsqu'on éloigne le sein de ses lèvres avides.

Clevenger décida de tendre une nouvelle fois la perche à une personne susceptible de se souvenir d'un échange exceptionnellement intime avec un inconnu :

Vous ne laissez la vie sauve aux gens que s'ils satisfont votre désir titanesque de proximité. Ce n'est que lorsque quelqu'un accepte une relation immédiate et intense – telle qu'il est peu probable qu'il ou elle l'oublie – que vous êtes assez rassasié pour renoncer à un repas de sang.

Vous n'avez pas pris de sang à Paulette Bramberg et Sally Pierce. Dans leur cas, votre violence a été pure et sans retenue, peut-être totalement inconsciente, puisqu'elle a jailli de ce puits ténébreux dont vous refusez d'admettre l'existence : la haine que vous inspire la femme qui vous a mis au monde.

Vos douleurs dans la tête et la mâchoire, vos maux physiques, sont les réactions de votre corps au refoulement de la vérité : quand vous étiez enfant, personne ne vous défendait. Vous étiez totalement vulnérable aux sautes d'humeur d'une femme dont vous auriez dû recevoir de l'amour. Quand elle vous en donnait, vous vous sentiez vivant. Quand elle vous le retirait, vous aviez l'impression d'être mort. Et quand vous roulez sur les autoroutes, vous fuyez la certitude qu'elle était deux choses : votre ange et votre démon.

Ma relation avec Whitney McCormick vous obsède parce que les rapports entre les hommes et les femmes vous semblent toujours toxiques, lourds de dangers. Parce que, dans votre esprit, une femme n'est jamais ce qu'elle paraît être. Derrière les mots doux, les caresses tendres, les instants de passion est tapi le démon imprévisible que vous redoutiez lorsque vous étiez enfant – un démon que vous vous représentez à tort sous les traits de votre père.

Avez-vous connu votre père, Gabriel ? Pouvez-vous vous représenter son visage ? Avez-vous quelque chose qui lui appartient ? Vous êtes-vous demandé pourquoi vous n'avez rien ? Où est-il passé ? A-t-il complètement disparu ?

Et pourquoi votre mère vous appelait-elle «petit bâtard»... enfant sans père, au sens propre?

Il fallait qu'il contraigne le tueur des autoroutes à affronter la vérité en l'amenant à en évoquer une image mentale.

Posez cette lettre un instant, fermez les yeux et ima- ginez une nouvelle fois la scène qui s'est déroulée chez vous et que vous avez décrite. Donnez le visage de votre mère à la personne qui vous frappe, vous adresse des reproches, brise vos jouets. Pouvez-vous supporter de le faire? Et, après avoir donné ce visage à votre agres- seur, pouvez-vous le lui retirer? Ou bien est-il placé là définitivement par la réalité, par la vérité que le tueur des autoroutes n'est jamais parvenu à affronter – à savoir que votre mère était, comme vous, ténèbres et lumière, bien et mal, paradis et enfer?

Votre citation de Jung devrait maintenant vous parler:

«La triste vérité est que la véritable vie de l'homme est un ensemble d'opposés irréductibles – jour et nuit, naissance et mort, bonheur et désespoir, bien et mal. Nous ne pouvons pas être sûrs que l'un prévaudra sur l'autre, que le bien vaincra le mal, que la joie terras- sera le chagrin. La vie est un champ de bataille. Elle en a toujours été un et en sera toujours un; et s'il n'en était pas ainsi, l'existence cesserait d'être.»

Renoncez à vos illusions. Autorisez-vous à être le petit garçon meurtri par une mère violente, schizophrène, et non l'incarnation de sa maladie. Acceptez les parties de vous qui sont mortes lorsque vous étiez enfant et vous n'éprouverez plus le désir dévorant de regarder les autres mourir. Contemplez longuement et attentive- ment ce qui est mort en vous, et le tueur des autoroutes, exposé à la lumière de la vérité, connaîtra la mort des vampires.

Chaque journée supplémentaire de souffrance que vous vivez reflète effectivement les limites de mon aptitude à soigner, mais elle représente aussi vos limites en tant qu'être humain et que chrétien. Si nous ne parvenons pas à mettre un terme aux meurtres du tueur des autoroutes, ma compétence de médecin sera mise en question. Mais l'enjeu auquel vous êtes confronté est beaucoup plus élevé : le verdict ultime sur votre âme.

Vous êtes égaré dans votre amour aveugle pour une femme, Gabriel, pas moi. Voyez-la telle qu'elle est et libérez-vous.

Il relut plusieurs fois la lettre avant de la signer. Il suivait son instinct, sachant par expérience que c'est le seul moyen de progresser d'un pas de géant – dans les enquêtes comme dans les psychothérapies. Les vrais progrès se produisent quand on pousse l'intuition jusqu'à sa limite. Mais il est impossible de revenir en arrière quand on s'est engagé sur cette voie. On touche le patient et on parvient à changer sa vie, ou on le perd – parfois pour la séance, parfois pour toujours. Et Clevenger ne se faisait pas d'illusion : s'il perdait Gabriel, des gens perdraient la vie.

19

Jonah s'assit à sa table de travail dès que Hank Garber eut pris place sur une des chaises qui se trouvaient en face de lui. Assis près de son père, Sam pianotait nerveusement sur sa cuisse. Le *New York Times* était posé sur le bureau de Jonah, sa lettre en première page.

Hank montra le journal.

— Encore une lettre de New York ?

Il secoua la tête et ajouta :

— Je parie que vous aimeriez jeter un coup d'œil dans la caboche de ce fêlé.

— Oui, répondit Jonah avec un sourire. Effectivement.

Il resta quelques instants siencieux, puis reprit :

— Je suis heureux que vous ayez accepté cette rencontre. Et je crois qu'il est préférable que votre femme n'ait pas pu venir. Ça nous donne un peu de temps.

— Heaven a des problèmes de santé, elle aussi, répondit Hank, qui se tourna vers Sam. Son dos a remis ça. Elle souffre énormément.

Sam baissa la tête.

Jonah ne voulait pas que le jeune garçon perde courage.

— Croyez-moi… votre fils souffre beaucoup plus que votre femme, dit-il à Hank. C'est pourquoi je vous ai demandé de venir. Sam veut que vous entendiez de sa bouche ce qu'il dira demain aux services sociaux. Il a besoin que vous le souteniez, que vous admettiez qu'il dit la vérité.

Hank regarda Sam.

— Il dit pas autre chose que la vérité depuis le début.

Sam haussa faiblement les épaules.

— Deux ou trois accidents, dit Hank, son regard qui ne cillait pas rivé sur le jeune garçon.

— Dire aux services sociaux ce qui s'est réellement passé vous permettra de conserver la garde de votre fils, insista Jonah. Vous pourriez le ramener chez vous… à condition, bien entendu, que votre femme ne vive plus avec vous.

Hank battit des paupières, mais ne cessa pas de fixer Sam.

— On a eu une mauvaise passe. Mais je vais être beaucoup plus souvent là. Faire attention. Pour qu'il t'arrive rien.

Sam regarda son père.

Jonah vit l'espoir embuer les yeux du jeune garçon. Le malheureux gamin pensait que les choses seraient peut-être vraiment différentes, cette fois, qu'il devait peut-être garder son secret.

— Vas-y, Sam, fit Jonah. Dis-le-lui.

Sam baissa une nouvelle fois la tête.

— Tu as tout le pouvoir, ajouta Jonah.

Il attendit que Sam le regarde, reprit :

— Mais il faut que tu t'en serves.

Sam fixa les yeux de Jonah pendant plusieurs secondes, comme s'il rechargeait la faible batterie qui alimentait son âme. Il se tourna vers son père.

— Tu sais comment elle est avec moi, dit-il.

Tu sais comment elle est avec moi. Un frisson parcourut le cuir chevelu de Jonah. Sam n'avait prononcé que ces sept mots, mais ils n'étaient pas moins miraculeux, du point de vue de Jonah, que la Déclaration d'indépendance, la Proclamation de l'émancipation[1] ou les mots de Jésus sur la croix. Parce que grâce à eux Sam Garber, battu et maltraité, enchaîné à une vie qui n'en était pas une, s'était soudainement et irrévocablement déclaré libre, vivant.

Hank leva une main.

— Tout se passera bien si tu…

— Non, dit Sam d'une voix étranglée. Tu le sais.

---

1. Proclamation par laquelle Lincoln abolissait l'esclavage (septembre 1862).

Hank ferma les yeux.

Jonah laissa passer quelques secondes avant de reprendre la parole. Quand il le fit, sa voix fut pure compassion. Les vies torturées auxquelles il était confronté submergeaient sa fureur sous la béatitude.

– Pourquoi avez-vous si peur de la perdre, Hank ? demanda-t-il. Pourquoi prendre le risque de perdre Sam ?

Hank prit une profonde inspiration, secoua la tête.

– Qui *vous* a abandonné quand vous étiez enfant ? demanda Jonah.

– Pas volontairement. C'est moi qui vous le dis.

– Vous avez perdu quelqu'un que vous aimiez.

Hank parut soudain furieux.

– Puisque vous avez tellement envie de savoir, mes parents ont été tués, dit Hank.

– Je veux savoir, dit Jonah d'une voix aussi douce qu'une vague roulant sur une plage. Quel âge aviez-vous ?

– Six ans, répondit Hank.

– Un accident de voiture, dit Jonah, presque pour lui-même.

Sa respiration se fit plus lente. Ses bras se détendirent.

– Vous étiez dans la voiture.

Hank acquiesça.

Un reste de bruit de fond, qui subsistait dans le cerveau de Jonah, s'évapora.

– Qui vous a élevé ?

– On m'a mis chez une tante.

On m'a mis chez une tante. Pas *j'ai été élevé par une tante.* Pas *une tante s'est occupée de moi.*

– Elle était cruelle, dit Jonah.

– J'étais dur, dit Hank, qui adressa un clin d'œil à Sam.

– Vous ne pouviez pas quitter votre tante, quand vous étiez enfant, dit Jonah. Vous aviez déjà perdu les deux personnes qui vous aimaient vraiment.

Hank garda le silence.

– Vous auriez été absolument seul. Un petit garçon sans refuge.

Hank haussa les épaules tout aussi faiblement que Sam quelques instants plus tôt.

— Elle était comme ça, c'est tout, dit-il, puis il plissa les paupières, se secoua la tête et parut prendre conscience de la similarité de ses propos avec ceux de Sam.

— C'est le plus triste, dit Jonah. Vous n'êtes jamais vraiment parti. Parce que Heaven est exactement comme votre tante. Si vous y réfléchissez, maintenant, peut-être constaterez-vous qu'elle ressemble à votre tante. Une femme corpulente. Une femme blonde. Aux yeux marron.

L'expression incrédule du visage de Hank démontra que ce que Jonah venait de dire était vrai.

— Vous avez simplement transféré votre souffrance à votre fils.

Hank déglutit péniblement.

— Sam est comme moi, dit-il d'une voix altérée. Dur.

— Il est dur, dit Jonah. Mais peut-être pas aussi dur que vous. Et Heaven est peut-être plus violente que votre tante. C'est le plus dangereux dans la recréation du passé : on ne tombe jamais absolument juste.

Il laissa passer quelques secondes de silence avant de reprendre :

— Vous avez survécu. Ça ne signifie pas que Sam y parviendra.

Les yeux de Hank s'emplirent de larmes.

— Il racontera la vérité demain, dit Jonah. Ça vous laisse une dernière chance de vous montrer loyal vis-à-vis de lui. Ne gâchez pas cette chance, Hank. Aidez les services sociaux à agir comme il faut. Soutenez Sam.

Plusieurs secondes passèrent en silence.

— Papa ? fit Sam.

Hank refusa de le regarder.

— *Papa ?*

Hank enroula ses bras autour de son torse et baissa la tête.

— Ça ira, dit Sam.

Jonah faillit sursauter face au spectacle de cette victime, de cette jeune âme tourmentée, qui, sous ses yeux, se muait en être capable de soigner.

Le menton de Hank tremblait.

— Très bien, dit-il sans lever la tête. Très bien. On fera ça ensemble.

Pour la première fois, un vrai sourire éclaira le visage de Sam, d'une oreille à l'autre. Il se leva, se précipita vers Hank, mais s'immobilisa parce que son père ne s'était pas tourné vers lui.

Jonah retint littéralement son souffle tandis que les secondes passaient lentement, des secondes ralenties par une question pesante : Hank – redevenu un petit garçon battu et effrayé – pouvait-il se muer soudainement en homme véritable, en père véritable résolu à faire pour son fils ce qu'il n'avait pas pu faire pour lui-même ? Dix, onze secondes passèrent dans ce purgatoire. Et à l'instant où Jonah était sur le point de perdre espoir, à l'instant où il était prêt à admettre que Dieu ne peut pas être partout, pour tout le monde, tout le temps, il vit, ébahi, Hank ouvrir les bras, saisir son fils et le serrer contre son cœur. Et Jonah sentit que la lumière de Dieu les enveloppait, malgré Anna Beckwith, Scott Carmady, Paulette Bramberg, Sally Pierce et tous les autres. Malgré Heaven Garber. Malgré le comportement monstrueux de son père. Malgré le mal tapi en lui. Et il comprit, au plus profond de lui-même, qu'il serait sauvé.

Même si cela nous échappe souvent, le monde recèle une symétrie, une véritable structure. Nous sommes liés les uns aux autres d'une façon mystique, non mesurable, dont nous ne savons pratiquement rien. Tandis que Hank Garber serrait son fils dans ses bras dans le bureau de Jonah, au quatrième étage du centre hospitalier de Rock Springs, Wyoming, à 5397 kilomètres de là, à Boston, Clevenger était introduit dans le bureau de Linda Diario, situé au quatrième étage du siège des services sociaux.

Il avait déjà plusieurs reprises derrière lui, dans une journée qui commençait à ressembler à un combat de poids lourds. Kane Warner avait téléphoné vers 6 heures du matin, violemment critiqué la décision du *Times* de publier la lettre du tueur des autoroutes et ordonné à Clevenger de ne pas répondre.

– Vous interviendriez dans une enquête en cours, avait dit Warner.

– Je participais à cette enquête jusqu'au moment où vous m'avez écarté, répondit Clevenger. Désormais, j'agis comme je l'entends.

– Vous vous fichez de tout le monde, sauf de vous, hein ?

– Si c'est le moment où je suis censé vous plaindre, prenez rendez-vous.

– Vous avez agi de telle façon que ce type est obsédé par votre relation sexuelle avec Whitney, dit Warner. Il vous épiait, dans l'Utah. Et, si j'interprète bien sa lettre, il s'est mis dans la tête une idée tordue selon laquelle elle cherche à vous nuire alors qu'il peut vous sauver. Vous ne pouvez pas savoir si ce type n'est pas près de chez elle en ce moment. Et vous vous en foutez.

Telle fut la dernière phrase que Warner prononça avant de raccrocher et elle était toujours présente à l'esprit de Clevenger quand Linda Diario, directrice des services sociaux, se leva et contourna son bureau afin de le saluer.

– Je suis très heureuse que vous ayez pu venir aussi rapidement, dit-elle.

C'était une femme obèse, qui pouvait avoir quarante ou cinquante ans, sous son rembourrage, portait une jupe bleu marine moulante, une ceinture de maillons dorés brillants et un chemisier en soie couleur d'ivoire, trop largement ouvert, qui dévoilait exagérément son abondante poitrine. Elle tendit la main.

Clevenger la serra.

– J'ai demandé à Richard O'Connor de se joindre à nous. Il ne devrait pas tarder.

– O'Connor ? Le procureur ? demanda Clevenger.

– Il a quitté le parquet il y a deux mois pour venir chez nous, dit Diario.

Clevenger avait témoigné dans un procès pour meurtre où O'Connor était chargé de l'accusation. Une psychotique atteinte de dépression post-natale avait tué sa fille de trois ans. Le témoignage avait permis d'obtenir un non-lieu pour démence.

– Pourquoi pas ? dit-il. Je n'ai pas pensé à me faire accompagner par un avocat.

– Nous procédons ainsi, dans nos services, lorsqu'on évoque le cas d'un enfant.

Clevenger acquiesça. Il se dit qu'il pourrait toujours, si la situation s'envenimait, appeler Sarah Ricciardelli, l'avocate de Quincy, Massachusetts, qui s'était chargée avec compétence des formalités nécessaires à l'adoption de Billy. Son cabinet se trouvait à moins d'un quart d'heure.

— Nous pourrions commencer par voir comment vont les choses, dit-il.

— Tout à fait, répondit Diario, les yeux fixés sur la porte. Richard. Je crois que vous connaissez le docteur Clevenger.

O'Connor entra. C'était un type maigre d'environ un mètre soixante-dix, au front bombé, aux yeux d'un bleu de glace profondément enfoncés dans les orbites.

— J'ai beaucoup entendu parler de vous, ces derniers temps, dit O'Connor. Difficile de faire autrement.

— Les risques du métier, répondit Clevenger.

Il constata qu'O'Connor ne lui tendait pas la main.

Ils s'installèrent autour de la table de conférence qui occupait la barre la plus courte du bureau en L.

Diario poussa un long soupir et ouvrit le dossier posé devant elle.

Clevenger constata que le document du dessus était le questionnaire qu'il avait rempli lorsqu'il avait présenté sa demande d'adoption de Billy.

— Permettez-moi de vous exposer clairement ce qui nous inquiète, dit Diario.

— Je vous en prie, répondit Clevenger en adressant un bref regard à O'Connor, qui esquissa un sourire.

— Un rapport d'un de nos cliniciens de terrain présente Billy Bishop comme un « enfant à surveiller », dit Diario.

C'était l'expression officielle désignant un enfant en danger. Elle déclenchait une enquête des services sociaux.

— Qu'est-ce que ça signifie, dans ce cas ? demanda Clevenger.

Diario esquiva la question.

— La sécurité de Billy nous préoccupe, dit-elle. Il a de toute évidence consommé de la drogue.

— Comme beaucoup de jeunes de son âge, dit Clevenger. Dont la majorité n'a pas subi ce qu'il a vécu.

— Il en a consommé chez vous, intervint O'Connor sur le ton neutre du procureur qu'il était resté.

Clevenger garda le silence. Il commençait à se dire que la présence de Sarah Ricciardelli serait peut-être nécessaire.

Diario posa la main sur le formulaire d'adoption. Clevenger constata que ses ongles étaient rongés, indice d'agressivité rentrée.

— Nous nous demandons si vous vous êtes montré complètement franc lorsque vous avez adopté Billy.

Elle tourna plusieurs pages, s'arrêta sur le questionnaire relatif aux antécédents médicaux et psychiatriques de Clevenger et reprit :

— Quand vous avez rempli ce formulaire, vous avez répondu *non* à la question concernant la dépendance à la drogue.

— Je n'étais dépendant d'aucune substance à l'époque et je ne le suis pas aujourd'hui, répondit Clevenger.

— Il me semble clair que la question se rapporte à l'ensemble de vos antécédents médicaux, dit Diario, qui tendit le document à O'Connor.

— Je ne crois pas que ce soit clair, dit Clevenger.

O'Connor secoua la tête.

— L'esprit de la question est évident, dit-il en se tournant vers Clevenger. Une réponse complète est manifestement nécessaire.

— Écoutez, dit Clevenger, j'aurais été heureux de vous dire que je suis devenu sobre. J'en suis fier.

Il estima qu'il était préférable d'aller droit au but et ajouta :

— Bon sang, j'ai parlé de mon passé de drogué dans le *New York Times*.

— Exactement, dit Diario. C'est là que je voulais en venir. Nous ignorions que vous aviez eu un problème d'alcool... et même de cocaïne. Si nous l'avions su, nous aurions tenu compte de ces éléments dans la prise de décision destinée à déterminer si la garde de Billy pouvait vous être confiée.

— Et décidé que vous ne pouviez pas me la confier ?

— Ce n'est pas le problème, dit Diario. La question est de savoir si vous avez été sincère. Nous avons pris un risque compte tenu du fait que vous vivez seul et que vous avez rencontré Billy alors que vous enquêtiez sur le meurtre de sa sœur. Nous vous avons accordé le bénéfice du doute sur plus d'un plan, docteur.

Clevenger comprit que Diario posait les bases d'un réexamen officiel de l'adoption de Billy.

— J'ignorais que je serais mis en accusation, dit-il en adressant un bref regard à O'Connor.

— Mais il apparaît maintenant que vous aviez un grave problème de drogue, dit Diario. N'aurait-il pas été logique de le mentionner?

— Je ne l'ai assurément pas pris à la légère, dit Clevenger.

— Et nous ne pouvons pas le faire, dit Diario. D'autant que Billy est confronté à un problème grave pendant que vous êtes… occupé ailleurs.

— Vous faites allusion à l'enquête sur le tueur des autoroutes, dit Clevenger.

— Effectivement, dit Diario. Et aussi, apparemment, une nouvelle relation – du moins d'après le *Times*.

— Vous croyez tout ce que vous lisez?

— À mon sens, la vraie question est de savoir si Billy le croit, dit Diario. Et ce qu'il en pense.

— Il a dit au clinicien qu'il travaille avec vous sur l'enquête, intervint O'Connor. Je ne suis pas psychiatre, mais il a peut-être le sentiment d'être obligé de le faire, afin que vous lui consacriez du temps.

— Il ne participe pas à l'enquête, dit Clevenger.

— Il la suit de très près, vous donne de temps en temps son avis, insista O'Connor.

— Il a fugué, ajouta Diario. Il a consommé de la drogue.

— Vous ne voyez pas de lien? demanda O'Connor.

Clevenger comprit qu'il devrait téléphoner à Sarah Ricciardelli, comprit qu'il tirait sans viser, mais ne put s'en empêcher.

— Je crois que Billy est un jeune homme très complexe, dit-il. Je crois qu'il veut être plus proche de moi, et je le veux également. Je crois en outre que sa psyché recèle des parts ténébreuses qu'il souhaite dominer et mettre au service des autres… de gens qui, comme lui, sont victimes. C'est quelque chose que nous avons en commun. Je ne vois pas en quoi c'est mal.

— Vous vous voyez en lui, dit Diario.

Clevenger comprit que la question était, en fait, une inculpation. Diario sous-entendait qu'il projetait son identité sur le jeune homme, qu'il l'élevait à son image, jusque dans le cadre de ses problèmes de drogue et de ses liens psychologiques avec les crimes de sang.

— Je crois que nous avons des choses en commun et qu'il y en a d'autres qui nous distinguent, dit Clevenger. Mais je n'esquiverai pas votre question. La réponse est oui. Je vois en Billy des parts de moi-même.

Diario hocha la tête, comme pour elle-même, prit une profonde inspiration et soupira. Son haleine sentait la salade de thon de la veille au soir.

— Accepterez-vous de vous soumettre à une analyse en vue de déceler des traces de drogues ? demanda-t-elle à Clevenger.

— Accepter *quoi* ?

O'Connor se pencha sur la table.

— Acceptez-vous, demanda-t-il, de vous soumettre à une analyse de sang susceptible de prouver que vous ne consommez actuellement aucune drogue.

Il trouva ironique que les services sociaux exigent de lui ce qu'il avait exigé de Billy.

— Ça vous satisferait ? s'enquit-il. Analyses négatives et on n'en parle plus ?

Diario et O'Connor se regardèrent.

— Dès que l'enquête sur le tueur des autoroutes sera terminée, dit Diario. En attendant, nous voudrions repartir à zéro... reprendre au début, pour ainsi dire.

Clevenger s'appuya contre le dossier de sa chaise, inclina la tête afin de voir sous un autre angle les gens assis en face de lui.

— Vous voulez tenter de suspendre mon droit de garde jusqu'à l'arrestation du tueur des autoroutes ? Ça ne se produira peut-être pas ce mois-ci, ni le suivant. Peut-être même pas cette année.

— Il ne s'agit pas de « suspendre », dit O'Connor. Il s'agirait d'une période probatoire ouverte susceptible, en toute franchise, de permettre la suspension définitive de votre droit de garde si l'état de Billy s'aggravait en raison de son implication dans l'affaire du tueur des autoroutes.

Clevenger comprit que cela signifiait que les services sociaux seraient sans cesse sur leur dos. Ils pourraient effectuer des contrôles jour et nuit, traîner Billy à des consultations interminables avec des travailleurs sociaux et des psychologues.

— Pas question, dit-il.

— Nous pensons que c'est une solution raisonnable à un problème complexe, dit Diario.

— Pas moi, répondit Clevenger. Si vous voulez l'autorisation de régir nos vies, essayez de l'obtenir d'un juge.

— Nous y serons peut-être obligés.

— Notre rôle consiste à assurer la sécurité des mineurs dans notre État, dit O'Connor, même si leurs parents sont très célèbres.

O'Connor avait dévoilé ses cartes : jalousie et vengeance.

— C'est effectivement votre rôle, reconnut Clevenger. Mais j'en ai un, moi aussi. Je suis le père de Billy Bishop.

Il se leva et ajouta :

— On se reverra au tribunal.

Puis il sortit.

Sa colère l'aida à garder le visage impassible jusqu'à sa voiture, garée au quatrième niveau du parking du centre administratif. Il ouvrit la portière, s'installa au volant, la ferma. Puis son visage se crispa et il baissa la tête, s'efforçant de retenir ses larmes.

Il savait que Diario et O'Connor n'avaient aucune raison de s'immiscer dans leur vie. Il savait qu'il élevait Billy de son mieux dans des conditions qui n'avaient rien d'idéal. Il savait qu'il recevrait une balle à sa place sans regrets. Mais il savait aussi que les services sociaux sont capricieux – et puissants. Il savait que le tribunal pour enfants est éminemment politique : il pourrait tomber sur un juge qui l'appréciait ou sur un juge qui le détestait. Il savait qu'il courrait le risque – un risque minime, mais tout de même un risque – de perdre son fils.

20

Whitney McCormick arriva à l'aéroport de Rock Springs-Sweetwater à 16 h 20 heure locale. Elle récupéra le pistolet qu'elle avait enregistré à Reagan National, loua une voiture et gagna le restaurant de Bitter Creek, situé à soixante kilomètres. Jake Hanley n'avait pas encore officiellement accepté sa démission, si bien qu'elle avait toujours son insigne, dont le flic de la police d'État du Wyoming chargé de garder les lieux du crime se contenta.

Elle s'installa dans le box situé juste derrière celui où Jonah s'était assis, face au comptoir. Elle l'imagina buvant du café, regardant de temps en temps le parking vide à travers la vitrine. Peut-être avait-il glissé une pièce de vingt-cinq *cents* dans le juke-box couleur d'argent fixé au mur près de la table, écouté du Sinatra ou du Bennett tout en regardant Sally Pierce placer les donuts et les muffins destinés à la clientèle matinale dans les armoires vitrées. Peut-être Pierce lui avait-elle rappelé son foyer, sa mère. Et peut-être cela avait-il déclenché la sécrétion d'adrénaline, la crispation des poings, tandis que sa bouche avide de sang s'emplissait de salive.

McCormick sentait presque sa présence près d'elle, son désir dévorant et douloureux se mêlant à sa surexcitation. Un flot d'adrénaline se répandit dans son corps, transfusion du tueur qui rendit sa respiration plus profonde, fit battre son cœur plus vite et se dresser les poils blonds délicats de ses bras.

Même si cela semblait dingue, elle avait l'intuition qu'elle allait coincer ce type, obtenir la condamnation à mort qu'il méritait, montrer à Kane Warner, à Jake Hanley, au tueur des autoroutes, à son père et – beaucoup plus important – à *elle-même* qu'elle était à la hauteur, qu'elle n'avait besoin de personne pour avoir le droit d'occuper son bureau au FBI.

Clevenger avait beau jeu de dire qu'elle n'avait rien à prouver. On pouvait désapprouver sa tactique, on pouvait lui reprocher de s'enrichir tandis que les autres se débrouillaient, on pouvait l'éviter parce que la presse le poursuivait, mais personne ne le croyait inutile, personne ne prétendait qu'il ne comptait pas parmi les meilleurs dans son domaine.

Si elle arrêtait le tueur des autoroutes, on ne pourrait pas davantage le prétendre à son propos.

Elle regarda l'entrée, située juste devant d'elle, puis se tourna vers la sortie de secours, qui était derrière elle, constata que le tueur des autoroutes pouvait facilement voir toute la longueur de l'établissement, s'assurer qu'il y était le seul client. Mais même en tendant le cou et en se soulevant légèrement, elle ne pouvait pas vraiment voir la cuisine, qui était séparée de la salle par une porte percée d'une ouverture en forme de losange.

Elle se leva, gagna la cuisine et regarda par cette ouverture, mais n'eut qu'une vision partielle de ce qui se trouvait derrière. Tout un côté de la pièce était masqué. Elle jeta un coup d'œil sur sa gauche et constata que le mur du fond cachait maintenant l'essentiel du parking. Elle dut reculer de plus d'un mètre pour le voir convenablement.

Il était impossible que le tueur des autoroutes ait pu être sûr que le meurtre de Pierce se déroulerait sans témoin : quelqu'un pouvait entrer sur le parking ou sortir de la cuisine.

McCormick passa derrière le comptoir, poussa la porte, vit la flaque de sang séché de quatre-vingts centimètres de diamètre, sur le linoléum, à un peu plus de deux mètres d'elle. Elle alla s'agenouiller près d'elle. Elle imagina le tueur accroupi sur Pierce, l'empêchant de se redresser, la tailladant sans prendre la peine de regarder derrière lui.

Donc Clevenger avait peut-être raison ; le tueur perdait peut-être les pédales, frappait sans avoir prévu de le faire, peut-être même sans être totalement conscient de ce qu'il faisait. Mais peut-être Kane Warner avait-il raison, lui aussi : il y avait un niveau où le tueur *voulait* être arrêté. Et si tel était le cas, le corps de Sally Pierce n'était peut-être pas seulement la preuve de son aptitude à se déchaîner, de l'accentuation de sa démence. C'était peut-être un dernier appel à l'aide ; peut-être suppliait-il qu'on l'arrête ici, maintenant. Ses voyages d'un État à l'autre étaient peut-être terminés. Peut-être même était-il rentré chez lui.

De plus, il n'était pas tout à fait impossible qu'il connaisse Sally Pierce.

Elle sortit de la cuisine, prit la carte du Wyoming qui se trouvait dans la poche de sa veste et la déplia sur le comptoir. Elle trouva Bitter Creek, suivit la Route 80 du doigt jusqu'à Creston, où le tueur des autoroutes avait posté sa dernière lettre dans une boîte de Federal Express. Elle estima que, si elle avait été le tueur, l'élan acquis en quittant les lieux du crime l'aurait conduite plus loin de chez elle, pas plus près. Si bien qu'elle suivit la Route 80 ouest jusqu'à Table Rock, Point of Rocks, Rock Springs, une ville plus importante, puis Quealy. Entre Rock Springs et Quealy se trouvait le parc naturel de Three Patches, proche de Pine Mountain et de Salt Wells Creek. Cela lui rappela quelque chose : Clevenger et elle avaient émis l'hypothèse selon laquelle le tueur des autoroutes aimait peut-être la solitude, était peut-être attiré par des activités solitaires telles que le camping, la randonnée et l'escalade. Elle poussa son doigt un peu plus loin en direction de l'ouest et tomba sur Green River, ville proche du parc national de Flaming Gorge.

Elle considéra la portion de la Route 80 qu'elle avait suivie du doigt. En tout – de Creston à Green River –, elle représentait quatre cents kilomètres. C'était probablement la distance qu'elle pourrait explorer pendant les quelques jours à venir.

Une partie d'elle-même se sentait ridicule de se lancer dans une telle entreprise. Des dizaines d'agents fouillaient la région et n'avaient découvert aucun indice. L'enquête n'avait pratiquement pas progressé depuis trois ans. Mais il y avait maintenant quelque chose de différent. De tangiblement différent. Le tueur avait changé. Il avait tué avec une audace éhontée. Il avait laissé une carte de visite dans le restaurant de Bitter Creek. Et McCormick avait l'impression que cette carte de visite lui était spécialement destinée.

Elle inspira profondément. Il faudrait qu'elle prenne des décisions difficiles dès le départ, afin de définir clairement les limites de ses recherches. Il faudrait qu'elle fasse confiance à son intuition.

Conformément à cette intuition, elle devait éliminer l'éventualité selon laquelle le tueur connaissait Pierce. Cela nécessitait d'interroger la famille et les collègues de la femme. Il faudrait aussi qu'elle se rende dans tous les établissements spécialisés dans la santé sur les quatre cents kilomètres du terrain de chasse qu'elle avait défini. Elle était certaine d'une chose : le tueur des autoroutes prélevait du sang comme un pro. Cela signifiait peut-être simplement qu'il avait été infirmier dans l'armée, comme il l'affirmait, mais cela signifiait peut-être davantage. Il était peut-être infirmier dans un hôpital, maintenant, ou même médecin. Et s'il vivait dans la région, ses absences seraient inévitablement nombreuses, du fait qu'il parcourait le pays en tous sens. Des absences inexpliquées. Des semaines de congés de maladie. Peut-être viré d'un hôpital pour absentéisme, engagé par un autre, viré à nouveau, employé par un troisième et ainsi de suite.

Il fallait qu'elle regarde les faits en face. Rien ne garantissait qu'il n'était pas déjà au Texas. Ou en Californie. Ou sur la route du New Hampshire. Rien ne garantissait que la Croix-Rouge de Floride, du Tennessee ou du New Jersey ne lui avait pas appris à prélever du sang trente ans auparavant et peut-être n'avait-il jamais mis les pieds dans un hôpital. Mais elle était dans le Wyoming et la seule chose à faire, la seule chose qu'elle puisse faire, consistait simplement à commencer. Trouver un individu sur quatre cents kilomètres d'autoroute revenait à tirer les yeux bandés, mais il fallait qu'elle tire.

Elle se redressa. Un reste d'adrénaline la stimula. Elle eut la chair de poule. Être sur la route, sur la piste – exactement comme le tueur – était agréable.

Elle regagna Rock Springs, avala des parts de pizza chez Papa Gino's, près du Days Inn, et prit une chambre au Marriott Courtyard proche de l'aéroport juste avant 19 heures. Elle avait défait ses bagages, ouvert le dossier du tueur des autoroutes et relisait les descriptions des lieux des crimes quand son téléphone mobile sonna. Correspondant inconnu. Elle décrocha.

– Salut, Whitney, dit son père.

Sa voix était douce et grave, polie par le temps comme un scotch rare, relevée d'un soupçon d'enfance dans les marécages de Géorgie.

– Salut, dit-elle en se levant.

Elle se sentit un peu réconfortée d'avoir de ses nouvelles, un peu embarrassée et même un peu effrayée – comme un adolescent ayant fait une fugue. Elle s'assit sur le lit et demanda :

– Qu'est-ce qui se passe ?

– Je viens d'avoir un coup de fil de Jake Hanley.

– Ce n'était pas à lui de te le dire.

– Tu ne l'as pas fait.

Elle l'imagina assis à l'énorme table de travail en acajou du bureau de sa ferme de Potomac, Virginie, avec ses épaules larges et ses cheveux couleur d'argent, vêtu d'une chemise Brooks Brothers à larges rayures et d'un pantalon kaki, les pieds sur la table, regardant la haute porte-fenêtre voûtée qui donnait sur le patio faiblement éclairé où il lui avait appris à valser avant son premier bal, ce patio en briques où il l'avait serrée dans ses bras, à neuf ans, tandis qu'elle pleurait, après la mort de sa mère. Parfois, elle sentait encore l'odeur du cigare qui se consumait entre les doigts de sa main tremblante en cette soirée exceptionnellement fraîche pour la saison, une main qui lui semblait extraordinairement grosse, extraordinairement puissante.

– Qu'est-ce qu'il t'a dit ? demanda-t-elle.

– Il a dit que tu étais en désaccord avec le Bureau dans le cadre de l'enquête sur le tueur des autoroutes et que tu avais décidé de partir. Il a dit que c'était une divergence d'opinion honnête.

Sinon quoi ? pensa-t-elle. Sinon tu pars en guerre pour mon compte, tu demandes un service, tu obtiens qu'un sénateur fasse pression sur Hanley ? Elle eut presque envie de lui dire qu'elle avait été écartée de l'enquête parce qu'elle avait fait l'amour avec Clevenger, comme si cet aveu brutal pouvait l'amener à la considérer comme une adulte.

– C'est exact, dit-elle. Une divergence d'opinion honnête.

– Mais qui justifiait ton départ.

– Le temps le dira.

Il y eut un long silence, qui l'inquiéta.

– Papa, tu es là ?

– Tu n'as pas lu le *New York Times* d'aujourd'hui ?

– Non. Pourquoi ?

– Il a publié une nouvelle lettre du tueur des autoroutes. Elle a pris Hanley et Kane Warner complètement au dépourvu. Ils croyaient que Kyle Roland la mettrait dans un tiroir.

Il s'éclaircit la gorge et ajouta :

– Elle contient pas mal de choses sur Frank Clevenger et toi.

McCormick sentit que son cou et son visage rougissaient. Il était très désagréable que le FBI soit au courant de sa liaison avec Clevenger. Désormais, tout le monde en était informé. Son père savait. Elle eut l'impression d'être une petite fille surprise en train d'embrasser son petit ami et cela la mit en colère.

– On m'a écartée de l'enquête sur le tueur des autoroutes à cause de ça, à cause de… Clevenger, et c'était de la connerie. Donc j'ai démissionné.

– C'était la «divergence d'opinion honnête» ? demanda son père.

– Pratiquement.

Elle se prépara à entendre qu'il la laissait tomber, qu'il ne fallait pas mêler le travail et le plaisir, que la réputation de la famille McCormick était importante, qu'être une McCormick signifiait qu'on ne peut pas penser seulement à soi. Qu'il faut être un exemple. Elle avait entendu ça des centaines de fois.

Mais pas cette fois.

– Donc ça va ? dit son père, hésitant, sa voix perdant son autorité, devenant chaude et formidablement réconfortante, comme chaque fois que le père sentait que sa fille avait vraiment besoin de lui.

– Ça va.

– On pourrait boire un verre de vin chez Mario, en parler de vive voix.

– Je ne suis pas chez moi, répondit-elle faute de mieux.

– Ah.

Elle comprit qu'il risquait de croire qu'elle était chez Clevenger. Elle ne voulait pas qu'il le pense.

– Il faut que je vide mon bureau et que je règle quelques petits problèmes liés à l'enquête. Je veux pouvoir tout transmettre à Kane demain matin. La nuit sera longue.

– Si je peux faire quelque chose, tu sais que je le ferai.

Elle le savait. Elle savait qu'il serait heureux de régler tous les petits problèmes de sa vie, afin que tout semble en ordre. Mais ça ne le serait pas. Parce que même si son père persuadait Jake Hanley de refuser sa démission, même si elle retrouvait une place au sein de l'enquête sur le tueur des autoroutes, elle serait toujours confrontée à la même question, celle qui l'avait hantée d'Andover Academy à Darmouth (l'université pour lui, l'université et la faculté de médecine pour elle) et au FBI : était-elle une personne à part entière ou bien était-elle essentiellement la fille de Dennis McCormick ?

– Ça ira, dit-elle.

– Eh bien bonne nuit.

– Bonne nuit.

– Je t'aime, ajouta-t-il. Rien ne peut changer ça.

– Je t'aime aussi.

Elle raccrocha. Elle resta une trentaine de secondes immobile, réfléchit à ce que son père pensait sans doute, eut envie de le rappeler, de lui dire où elle se trouvait, de lui dire qu'elle rentrait, revenait auprès de lui. Mais elle se souvint de ce qu'il avait dit à propos de la dernière lettre du tueur des autoroutes publiée par le *New York Times*. Et elle sentit qu'elle retrouvait toute son énergie, une vague nouvelle de détermination – pas des marées de honte inconsciente – emportant l'inquiétude et l'épuisement. Jamais elle n'avait été aussi désireuse d'identifier le tueur des autoroutes. Parce qu'elle avait été humiliée publiquement. Désormais il lui fallait prouver quelque chose qui dépassait de loin l'Académie du FBI. Il fallait qu'elle prouve quelque chose à tous ceux qui avaient lu le *Times* ce matin.

La journée de Clevenger avait tenu la distance : quinze reprises éprouvantes, dont une conversation téléphonique franche avec Sarah

Ricciardelli, qui lui avait conseillé de se préparer à une bataille juridique longue et coûteuse, une visite à Billy, qui avait mal commencé, deux accrochages avec une foule de journalistes follement surexcités en raison de sa liaison avec Whitney McCormick et du conflit qui l'opposait aux services sociaux, et un appel de North Anderson, qui lui avait annoncé ce qu'il n'avait pas la moindre envie de savoir : qu'il avait suivi McCormick jusqu'à Logan Airport, avait payé deux mille dollars un siège situé huit rangées derrière le sien dans l'avion à destination de Rock Springs, Wyoming, puis avait pris une chambre dans le même couloir du Marriott Courtyard proche de l'aéroport.

Il était nettement plus de minuit quand il posa la tête sur l'oreiller, mais il ne put s'empêcher de penser à Billy, si bien qu'il ne parvint à s'endormir qu'après 1 heure du matin. Billy se sentait déjà mieux, avait de moins en moins besoin de médicaments, ce qui était une bonne nouvelle et une mauvaise nouvelle. Bonne parce que son corps éliminait rapidement la cocaïne, l'alcool et l'ecstasy. Ses reins et son foie fonctionnaient convenablement. Mauvaise parce que sa détermination semblait faiblir.

— Ils veulent que je suive un traitement en hôpital de jour pendant six semaines, après la désintox, avait-il dit, faisant les cent pas dans la pièce comme un ours en cage. C'est pratiquement la moitié du printemps.

— Et tu trouves que ce n'est pas suffisant ? ironisa Clevenger.

Billy s'immobilisa et le fixa, incrédule.

— Ça dure huit heures par jour.

— Ça t'en laisse seize à occuper, dit Clevenger en s'efforçant de ne pas hausser le ton. Éliminer les drogues du corps est facile. Les éliminer de l'esprit est une guerre. Si tu la gagnes en six semaines, tu as fait beaucoup de chemin.

— D'accord, dit Billy, amer. Mais je ne raconte rien sur moi. Tout ce que je dis va dans mon dossier médical qui, comme tu le sais, sera transmis aux services sociaux.

C'était vrai et une partie de Clevenger admettait que Billy avait intérêt à en dire le moins possible, mais il ne voulait pas compromettre le traitement, même si cela rendait la tâche de Sarah Ricciardelli plus ardue.

— Plus de secrets, dit-il. Dis-leur tout. Tu n'as rien à cacher.

— Je devrais quitter cet endroit maintenant, dit Billy. On devrait rentrer à la maison.

— Quoi?

— Je peux aussi bien rester assis sans rien faire là-bas qu'ici. Il n'y a pas de thérapie de groupe ni rien.

Clevenger avait entendu la même rationalisation de la part de patients innombrables sur le point de fuir la désintoxication afin de recommencer à boire et à se droguer. Mais il ne croyait pas que l'addiction soit la seule force poussant Billy vers la porte. Il crut percevoir la peur de l'abandon derrière ses propos.

— On pourra passer du temps ensemble à la maison après ta sortie, dit-il. Si tu pars maintenant, nous serons désarmés quand les services sociaux affirmeront que tu n'as pas véritablement l'intention de guérir. Et si je te laisse revenir, ils diront la même chose de moi.

Billy fixa le sol et secoua la tête, comme il le faisait quand il s'abandonnait à la colère qui lui permettrait de dire à Clevenger et au monde d'aller se faire foutre, qu'il savait ce qu'il avait à faire. Mais, cette fois, il ne le fit pas. Cette fois, il leva la tête et dit :

— On est un peu coincés, hein?

Il sourit puis ajouta :

— Ne t'en fais pas. Je tiendrai le coup. On s'en sortira.

Clevenger sourit à cet instant, et sourit en y pensant à nouveau, comprit que Billy avait fait beaucoup de chemin, qu'ils s'étaient beaucoup rapprochés l'un de l'autre. Et, alors qu'il s'endormait enfin, il se dit que la vie était étrange, qu'elle apportait le meilleur et le pire sans raison apparente et sans avertissement.

TROISIÈME PARTIE

Le lendemain

21

Conformément à la promesse de Kyle Roland, la réponse de Clevenger au tueur des autoroutes parut à la une du *Times*.

Jonah acheta le journal à la boutique de l'hôpital et entreprit de la lire dès qu'il fut assis à sa table de travail.

Il disposait de cinq minutes avant son rendez-vous de 8 heures avec Hank, Sam, Heaven et Sue Collins, une employée des services sociaux du Wyoming. Et, pendant ces quelques minutes, les mots franchirent les lentilles des yeux de Jonah, furent transformés en structures électriques sur ses rétines, produisirent des impulsions qui suivirent les neurones des nerfs optiques jusqu'au cortex occipital de son cerveau, se propagèrent d'un neurone à l'autre jusqu'au système limbique et aux lobes frontaux, puis furent conduites, par des moyens encore totalement inconnus, dans son esprit et, plus profondément, dans son âme.

Dans ce chaudron, une alchimie étrange défendit Jonah contre l'assaut de la vérité exposée par Clevenger, transforma le chagrin, la honte, la rage primitive qu'il aurait dû éprouver vis-à-vis de sa mère en fureur dirigée contre Clevenger, qui souillait le nom d'un ange. Et sa haine de Clevenger, de Whitney McCormick et de tous les chasseurs du FBI se cristallisa, devint aussi dure que le diamant et aussi pure que les eaux des montagnes où il se réfugiait.

Clevenger avait une nouvelle fois lancé sa ligne, dans l'espoir que quelqu'un se souviendrait d'avoir rencontré Jonah, se souviendrait d'avoir eu avec lui une «relation immédiate et intense – telle qu'il est peu probable qu'il ou elle l'oublie». Il ne tentait même plus de faire croire qu'il tentait de le soigner. Il voulait le capturer et l'enfermer.

Plus grave encore était l'«ordonnance» de la dernière partie de la lettre, le rejet arrogant de la blessure fondatrice de la vie de Jonah, la conviction de Clevenger, basée sur l'ignorance, que le père sadique qui l'avait torturé n'existait pas :

> *Posez cette lettre un instant, fermez les yeux et imaginez une nouvelle fois la scène qui s'est déroulée chez vous et que vous avez décrite. Donnez le visage de votre mère à la personne qui vous frappe, vous adresse des reproches, brise vos jouets. Pouvez-vous supporter de le faire ? Et, après avoir donné ce visage à votre agresseur, pouvez-vous le lui retirer ? Ou bien est-il placé là définitivement par la réalité, par la vérité que le tueur des autoroutes n'est jamais parvenu à affronter – à savoir que votre mère était, comme vous, ténèbres et lumière, bien et mal, paradis et enfer ?*

Jonah froissa la page dans sa main, la serra, la tortilla comme il aurait aimé tordre le cou de Clevenger. Et quand il la lâcha, ses deux mains se muèrent en poings blêmes, vides de sang, tandis qu'il imaginait Clevenger en compagnie de Whitney McCormick, cachés dans un bureau de l'Académie du FBI, à Quantico, se reluquant, se tripotant, empestant le sexe, concoctant des messages toxiques à son intention, tentant de le détruire, de le rendre fou.

Quel contraste entre leurs tentatives mesquines visant à l'enfermer et les efforts qu'il faisait pour se libérer du mal ! Il avait accepté l'invitation du docteur Corinne Wallace. Il avait reçu les collègues de Sally Pierce ainsi que sa fille, Marie, et avait absorbé leur chagrin. L'un après l'autre. Pendant plus de cinq heures. Il avait serré Marie Pierce dans ses bras tandis qu'elle expliquait, en larmes, à quel point sa mère lui manquait. Et il avait perçu son chagrin comme si c'était le sien... si bien qu'il avait pleuré lui aussi. Comme le Christ, il avait donné un foyer, en lui, à la peine de Marie.

Il luttait, de toutes les fibres de son être, pour être digne du paradis, tandis que Clevenger et McCormick cherchaient jour et nuit à le précipiter en enfer.

On frappa à la porte. Il prit plusieurs profondes inspirations, se força à desserrer les poings et fourra la page froissée du *New York Times* dans sa serviette. Il voulut se lever, mais ses jambes refusèrent de bouger. Sa fureur l'avait une nouvelle fois paralysé. Il fit une deuxième tentative. Rien.

— Entrez, cria-t-il, incapable d'empêcher la colère de transparaître dans sa voix.

La porte s'ouvrit. Sue Collins, des services sociaux, femme frêle d'une quarantaine d'années, qui faisait moins d'un mètre cinquante et ne pouvait peser plus de quarante-cinq kilos, se tenait sur le seuil en compagnie de Hank, Heaven et Sam Garber.

— Trop tôt ? demanda-t-elle humblement.

— Pas du tout. Veuillez entrer.

Il se rendit compte qu'il devait sembler très bizarre qu'il reste assis. Dans l'espoir de compenser, il sourit largement et tendit énergiquement la main.

— Je suis très heureux de faire votre connaissance, dit-il à Collins.

Le visage de Collins exprima l'étonnement, du fait que Jonah restait assis, mais elle lui rendit son sourire et lui serra la main. Ensuite, elle s'installa sur la chaise la plus éloignée, à sa droite, laissant les trois autres à Heaven, Hank et Sam.

Heaven gémit et serra une main sur ses reins quand elle posa ses cent vingt kilos sur sa chaise.

Hank s'assit près d'elle, posant une main sur son bras énorme.

— Ça va ? demanda-t-il tendrement.

— Je sais pas comment je vais arriver au bout de la journée, répondit-elle.

Sam s'installa sur la chaise de gauche, près de son père.

Jonah le regarda dans les yeux, en partie pour rassurer le jeune garçon et en partie pour trouver un point d'ancrage dans les vagues de fureur qui déferlaient en lui. Ça marcha. Sam esquissa un hochement de tête et Jonah sentit les voiles de son esprit se gonfler, l'emporter vers des eaux plus calmes. Sam Garber, neuf ans, avec ses commotions, ses os brisés, ses contusions psychologiques, avec la certitude qu'il risquait le tout pour le tout, était néanmoins prêt à faire front, à combattre le Goliath en jupon qui avait bien failli le détruire. Jonah eut presque la sensation de sortir de lui-même, de se glisser dans la peau de ce jeune super-héros, de cette incarnation de la grâce et du pouvoir de Dieu. Ses cuisses et ses mollets revinrent à la vie et picotèrent. Il renaissait en Sam. Il se tourna vers Sue Collins.

— Je vous remercie d'avoir pris le temps de venir malgré votre emploi du temps chargé.

Collins regarda brièvement Sam.

— Les remerciements ne sont pas nécessaires.

— À quoi ça rime, tout ça, de toute façon ? demanda Heaven à Jonah. Qu'est-ce qu'elle fait ici ?

Collins se redressa et brossa quelques peluches déposées sur sa jupe noire.

Jonah fixa les yeux sans vie de Heaven.

— Vous êtes réunis ici parce que Sam va dire à madame Collins ce qui lui arrive à la maison.

Heaven croisa les bas, gonfla la poitrine.

— Sauf, ajouta Jonah, si vous acceptez de nous le dire.

Hank, mal à l'aise, changea de position sur sa chaise.

Heaven esquissa un sourire ironique.

— On vous l'a déjà dit.

Elle se tourna vers Collins et ajouta :

— Hennessey, de vos services, a enquêté, il a fait un rapport qui nous est favorable. Les accidents existent. Il l'a dit lui-même.

Quelque chose qui ressemblait beaucoup à de la détermination apparut sur le visage de Collins ainsi que dans son attitude. Et, d'un seul coup, elle ne parut plus frêle, mais mince et dure – lèvre supérieure légèrement étirée, épaules droites, pieds à plat sur le plancher. Peut-être l'avait-on bousculée, elle aussi, trop souvent lorsqu'elle était enfant, peut-être était-ce pour cette raison qu'elle avait choisi cette profession.

— Sam a quelque chose à raconter, dit-elle sèchement. J'ai l'intention d'écouter et d'agir en conséquence.

Heaven se tourna ensuite vers Hank.

– Tu comptes rester? Foutons le camp et prenons un avocat.

Elle voulut se lever.

Hank posa une nouvelle fois la main sur son bras.

– On n'a pas besoin d'avocat pour écouter, dit-il. Ça coûte rien.

Heaven secoua la tête.

– Tu plaisantes. Ces gens-là, c'est pas rien.

Mais, à contrecœur, elle se rassit.

– Sam? dit Jonah au jeune garçon.

Sam haussa les épaules et mordilla sa lèvre inférieure.

Heaven flaira sa peur.

– Va pas raconter des histoires, dit-elle.

– Qu'y a-t-il, Sam? demanda Collins avec gentillesse. Je t'écoute.

Sam blêmit.

Jonah se mit à prier intérieurement pour lui.

– Je t'avertis, dit Heaven, qui se pencha afin de pouvoir le fixer.

Sam baissa la tête et ses mèches bouclées cachèrent ses yeux.

– Tu peux tout nous raconter, dit Collins.

Sam secoua très légèrement la tête.

Heaven eut un rire étouffé.

– C'est bien, fit-elle d'une voix presque chantante. On a terminé, hein?

Elle regarda alternativement Jonah et Collins, puis ajouta:

– Vous avez fini de mettre des idées dans la tête de mon petit ange?

– Tu peux y arriver, dit Jonah à Sam.

Mais il n'en était plus certain. Ses os et les tissus de son cerveau étaient guéris. Mais peut-être son âme était-elle encore brisée en de si nombreux endroits qu'elle ne pouvait résister au poids de ce qui devait être fait. Confronté à cette constatation, Jonah serra les dents et la haine que lui inspirait Heaven Garber décupla. Il se tourna vers elle et constata, horrifié, qu'elle avait à nouveau les yeux de sa mère.

Une larme roula sur la joue de Sam.

Heaven s'enhardit.

– Vous, vous comprenez rien à la discipline. Si on vous écoutait, les gamins pourraient faire ce qu'ils voudraient.

Jonah n'avait qu'une envie : lui arracher les yeux. Mais ses bras picotaient et c'était à peine s'il pouvait les bouger.

— L'intérêt de Sam, c'est qu'on lui fixe des limites, déblatérait Heaven. Ça sera un bon garçon, pas un voyou. Il apprendra le respect.

Elle se tourna vers Hank et ajouta :

— Ces gens sont payés à rien faire. Pas nous, à ce que je sais. Partons.

Hank ne bougea pas. Il mordillait maintenant sa lèvre inférieure, comme Sam. Ses doigts maigres tiraient sur les jambes de son pantalon.

— Viens, dit-elle.

Elle se leva péniblement.

Hank se tourna vers la silhouette massive qui le dominait de toute sa taille.

— Rentre à la maison, Heaven, dit-il.

Silence total dans la pièce.

— Pardon ? fit Heaven, les mains sur les hanches.

— C'était pas une bonne idée de te faire venir. Le docteur voulait pas, mais j'ai cru que j'avais raison. J'ai cru qu'il vaudrait mieux que tu entendes. Mais c'est clair que Sam pourra pas faire ce qu'il faut qu'il fasse tant que tu seras sur son dos. Et c'est clair que moi non plus je peux pas.

Un frisson parcourut le cuir chevelu de Jonah.

Sam se tourna vers son père.

— Qu'est-ce que tu racontes ? s'enquit Heaven, qui parut sincèrement troublée, comme si elle ne reconnaissait pas son mari.

— Je suis désolé, dit Hank en ravalant ses larmes. Je t'aime. Enfin, je crois. Mais, dans la vie, il y a le bien et le mal. Et je dois faire ce qu'il faut, cette fois, sinon je serai plus bon à rien. Donc rentre à la maison, prends ce dont tu as besoin et va t'installer chez ta sœur pour le moment. Je ramène Sam à la maison aujourd'hui.

— On y va ensemble, tous, tout de suite, dit Heaven d'une voix altérée.

Elle tendit la main vers le bras de Hank mais un éclair, dans les yeux de son mari, lui fit comprendre que le contraindre n'arrangerait

286

rien. Elle était confrontée à un homme différent. Un homme libre. Elle ne le contrôlait plus.

Jonah vit Heaven se tasser sur elle-même : son visage se crispa, ses épaules s'affaissèrent. Elle ne bombait plus la poitrine, ses mains n'étaient plus sur ses hanches mais sur ses reins, et elle se penchait en avant, apparemment en proie à une douleur réelle.

— Ils t'ont lavé le cerveau, dit-elle. Tu réfléchis plus.

— J'ai fait que réfléchir, dit Hank.

Heaven se tourna vers Jonah, les yeux fous sous l'effet de la fureur, mais c'étaient désormais ses yeux et ils s'emplissaient de larmes.

— C'est à cause de vous ! cracha-t-elle.

— Je vous ai dit que je vous comprenais, répondit Jonah. Je ne crois pas que vous soyez mauvaise. Ma porte reste ouverte. Vous pouvez venir quand vous voulez.

— Vous vous prenez pour qui, pour Dieu qui accorde le pardon ? Vous valez tellement mieux que nous autres ?

— Je ne vaux pas mieux que vous, dit Jonah.

Elle recula d'un pas, instable sur ses jambes, le visage exprimant la défaite, un dictateur déposé, en fuite, seul un orgueil troublé l'isolant des feux de l'enfer qui avaient brûlé l'enfant qui était en elle, laissant sa psyché monstrueusement difforme.

— J'aimerais mieux mourir que venir vous voir, dit-elle.

— Ça aussi je le comprends, dit Jonah.

À 15 h 10, grâce à son insigne et à son charme, Whitney McCormick avait eu accès aux dossiers du personnel de sept établissements de santé de la région : les deux plus grands dispensaires de Rock Springs, les trois plus grands cabinets médicaux et deux hôpitaux : Rock Springs Memorial et le centre hospitalier de Rock Springs. Elle n'avait rien trouvé. Son critère de sélection – une personne capable de prélever du sang, s'absentant souvent ou changeant souvent d'emploi en raison de ces absences – avait livré deux vieilles femmes qui luttaient contre l'arthrite, un médecin incarcéré après sept arrestations pour conduite en état d'ivresse et un jeune infirmier très troublé, qui faisait un mètre quatre-vingt-dix, pesait cent cinquante kilos, avait des problèmes d'identité sexuelle, vivait désormais à Paris sous le nom de Patrice – alors qu'il s'appelait Patrick – et envoyait de très jolies photos de lui à l'hôpital, presque tous les mois, à mesure que sa réorientation sexuelle progressait. Pas vraiment le genre de personne qu'on ferait monter dans sa voiture et à qui on se confierait.

Tandis qu'elle attendait Marie Pierce au Rock'n'Roll, un café de Rock Springs, elle était impatiente de reprendre la route afin d'arriver à l'heure au rendez-vous de 16 h 45 que lui avait fixé le directeur des ressources humaines de la Croix-Rouge de Quealy. Il lui semblait hautement improbable que Pierce puisse la mettre sur la piste du tueur.

Elle l'identifia à l'instant où elle entra. Le chagrin était visible sur son visage. Cernes, yeux injectés de sang, joues rouges. Pourtant, elle était encore jolie, d'une façon un peu rude. Elle avait un peu plus de quarante ans, mais son corps était aussi mince que celui d'une adolescente. Ses cheveux étaient blonds décolorés, coiffés en une natte qui descendait jusqu'au milieu de son dos. Elle portait un sweat-shirt Harley-Davidson trop grand, une ceinture à maillons métalliques, un jean collant et des bottines noires.

McCormick vit que Pierce n'avait pas dormi, n'avait pas cessé de pleurer. Si elle n'avait pas fait de cauchemars, cela ne tarderait pas. Ensuite, il y aurait les regrets : *Si seulement j'avais remplacé ma mère, ce soir-là. Si seulement j'étais passée la voir.*

Elle leva une main afin de l'appeler.

Pierce la vit, gagna la table.

– Docteur McCormick, dit-elle.

McCormick se leva.

– Je suis désolée pour votre mère.

– Merci. C'était une personne merveilleuse.

Elles s'assirent.

– Je sais que ce que vous faites est difficile, commença McCormick. Je vous remercie d'être venue.

– La police m'a interrogée. Et le FBI.

– Je suis psychiatre expert. Le rôle que je joue dans l'affaire est un peu différent.

Pierce acquiesça, McCormick reprit :

– J'ai lu un bref article sur vous. Vous viviez avec votre mère et vos filles. Trois générations sous le même toit. De toute évidence, vous étiez très proches.

– Nous étions les meilleures amies du monde. Je ferai n'importe quoi pour retrouver la personne qui a fait ça.

La serveuse arriva et elles commandèrent du café.

– Mes questions sont très directes, dit McCormick. Il faut que je sache si un conflit opposait votre mère à quelqu'un, ou à plusieurs personnes, si elle a été menacée, même par un membre de votre famille. Et je voudrais savoir si elle voyait quelqu'un.

Pierce répondit simplement et sans détour. Personne n'en voulait à sa mère. Sa mère n'avait eu aucune liaison sentimentale depuis la mort de son mari, trois ans auparavant. Aucun fils errant, sans logis, malade mentalement n'allait et venait. Rien.

– Elle va vraiment me manquer, conclut Pierce

Elle prit une profonde inspiration, mordilla sa lèvre.

McCormick se prépara à la partie de l'entrevue qu'elle redoutait : le contact avec le chagrin brut de Pierce. Cela n'était pas son fort, ne l'avait jamais été, peut-être parce qu'elle n'avait jamais vraiment fait le deuil de la disparition de sa propre mère.

– Mais dans un sens, dit Pierce, c'est comme si elle n'était pas morte.

– C'est normal, dit McCormick, consciente du fait que ses mots exprimaient davantage la constatation clinique que la compassion. Le déni est une étape du deuil.

Pierce eut un sourire indulgent.

– Je sais, dit-elle. J'ai suivi un cours sur la mort et l'agonie à l'université de Quealy. J'ai un certificat de psychologie. Je ne dis pas que je ne crois pas que ma mère ait été assassinée. Je voulais dire qu'il y a des parties d'elle qu'il était impossible de tuer. Le fait qu'elle me manque et qu'elle me manquera toujours, qu'elle est en moi et en mes filles, Heidi et Tina.

Elle resta quelques instants silencieuse, puis reprit :

– Maman est partie, physiquement. Je ne peux pas la serrer dans les bras. Mais son esprit est toujours là. Je le sens. Je crois que je le sentirai toujours. Je crois que je pourrai toujours lui parler.

Une partie de McCormick estima que Pierce se faisait des illusions. Sa mère était vraiment morte, après tout. Totalement. McCormick l'avait vue sur une table en acier inoxydable, le visage tuméfié et la gorge tranchée. Mais l'autre partie d'elle-même regrettait de ne pas avoir la même conviction à propos de sa mère, la même perception de sa mère en elle.

— Vous supportez ça remarquablement bien, dit-elle. Où puisez-vous cette force ?

— Je ne supportais pas du tout, croyez-moi, dit Pierce. Je ne pensais qu'à mourir. À la rejoindre. Je suis restée une journée et demie au lit. Et puis j'ai rencontré un médecin, à l'hôpital, et j'ai commencé à voir les choses autrement.

— Vous consultez déjà ?

— C'est l'hôpital qui l'a proposé. À tous les employés du restaurant. Je pleurais sans arrêt, je n'avais pas envie de manger. Quand ils ont téléphoné, mon aînée, Heidi, m'a pratiquement forcée à aller voir le docteur Wrens, au Centre médical de Rock Springs.

— Un psychiatre ?

Leurs cafés arrivèrent.

— Je crois, répondit Pierce, qui but une gorgée de liquide brûlant. De toute façon, c'est un thérapeute.

Elle haussa les épaules et ajouta :

— C'est quelqu'un qui fait des miracles.

— Une appréciation exceptionnelle.

— Je ne croyais pas que qui que ce soit puisse changer quelque chose dans un moment pareil. Mais c'était comme s'il me *connaissait*, alors que je ne l'avais jamais rencontré. Mieux que je me connais. J'ai fini par lui dire des choses que je n'avais jamais dites à personne.

Elle se pencha sur la table et ajouta d'une voix contenue :

— En fait, il a pleuré avec moi.

Volontairement, McCormick modéra son intuition, la conviction que ce n'était pas par hasard qu'on lui parlait de Wrens. Elle but une gorgée de café.

— Il a pleuré ? demanda-t-elle en posant sa tasse sur la table.

— Ça a l'air dingue, je sais, dit Pierce. Mais ça ne l'était pas. Pas sur le moment. Il aime les gens à ce point. Il a perçu ma douleur. Il souffrait autant que moi. Et bizarrement, à cause de ça, j'ai moins souffert.

— En une heure.

— Il devait me recevoir pendant une heure, mais je suis restée trois. Il m'a fait raconter tout ce dont je me souvenais sur ma mère. Ce que j'aime chez elle. Ce que je déteste. Nos disputes. Son cadeau que je préfère. Sa chanson préférée. Son parfum. Son plat. Les endroits où elle aime aller en vacances. Son film favori. Tout. Et c'est à ce moment-là que tout s'est mis en perspective.

— Qu'est-ce qui a changé ?

— Je me suis aperçue que ces souvenirs me rendaient heureuse, pas triste. Qu'elle était toujours avec moi, comme je disais. Qu'elle sera toujours avec moi.

Elle eut un sourire triste, puis reprit :

— En plus, il est séduisant. Et il a une voix incroyable. Elle vous met pratiquement en transe.

— Ah ?

— Il n'est pas beau… ce n'est pas George Clooney ou Bruce Willis. Mais il est vraiment *bien*. Un gentleman. Il y a chez lui un côté très… tendre.

Ses joues et son cou avaient rougi.

— Presque comme une femme, poursuivit-elle, mais je ne veux pas dire que je suis… je ne le suis pas, pas du tout. Mais…

Elle se reprit :

— Je dois vous faire l'effet d'une folle.

— De toute évidence, il vous a beaucoup aidée. Avez-vous pris un autre rendez-vous ?

— C'est impossible, dit-elle en secouant la tête. Il s'en va dans une semaine.

— Il s'en va ? Pourquoi ?

— C'est un médecin vacataire.

Elle sourit, poursuivit :

— Enfin, c'est ce qu'il a dit. Je ne savais pas que ça existait. L'hôpital l'a engagé pour quelque temps. Ensuite, il ira ailleurs. Ça peut être à deux heures d'ici. Ça peut être à des milliers de kilomètres.

— Un intérimaire, marmonna McCormick.

Et son intuition se renforça.

— Un quoi?

— Un intérimaire, dit McCormick. Ils font des remplacements dans tout le pays.

22

Tandis que Whitney McCormick et Marie Pierce étaient au Rock'
n'Roll, Frank Clevenger se trouvait à Clarlestown, Massachusetts,
où, dans le bureau de Sarah Ricciardelli, il élaborait la stratégie qui
lui permettrait de conserver la garde de Billy.

– Ils peuvent débarquer comme ça et changer les règles après
une adoption ? demanda Clevenger.

Ricciardelli était une femme de trente-trois ans, au visage remarquablement doux, aux yeux noisette, aux longs cheveux bouclés, et
elle avait un cœur de lionne.

– Seulement s'ils peuvent prouver que vous aviez l'intention de
les tromper, dit-elle en tapotant légèrement son sous-main avec un
crayon à la mine très pointue.

– Ce que je n'ai pas fait, dit Clevenger.

Ricciardelli regarda son exemplaire du formulaire d'adoption.

– Les tribunaux ne sont pas d'humeur à se montrer coulants. Pas
après O. J. Pas après Enron.

– Ils ont donné la Floride à Bush, dit Clevenger.

Ricciardelli rit.

– Je n'ai pas menti, sur ce formulaire, ajouta Clevenger. Je l'ai
rempli ici, devant vous.

Ricciardelli se pencha.

– Je n'ai pas oublié, Frank. On a répondu à toutes les questions en
suivant la lettre de la loi. Et nous défendrons nos réponses devant
un tribunal.

Elle s'appuya contre le dossier de son fauteuil et poursuivit :

– Je regrette seulement que vous ayez parlé devant ce con de Simms. Et, en fait, dans le *Times*.

Cette prudence inquiéta Clevenger.

– Vous n'êtes pas sûre qu'on peut gagner.

Ricciardelli secoua la tête.

– Je dis simplement qu'on devra peut-être se montrer imaginatifs si les choses ne marchent pas comme on voudrait.

– Imaginatifs…

– Billy avait seize ans quand vous l'avez adopté. Il en a maintenant dix-sept.

– Il sera majeur dans dix mois et demi. Je sais. Mais il ne faudrait pas qu'il passe ce temps dans un orphelinat. Ça pourrait le détruire.

Ricciardelli leva une main.

– Qui dit qu'il a dix-sept ans?

– Quoi?

– Il avait théoriquement six ans quand les Bishop l'ont adopté, exact?

Clevenger lui adressa un regard oblique, presque certain d'avoir compris où elle voulait en venir.

– *Théoriquement*, répéta-t-elle.

– Vous dites qu'il avait peut-être sept ans, qu'il pourrait en avoir dix-huit aujourd'hui.

– À notre connaissance – à celle des services sociaux, à celle de la justice –, il en avait peut-être huit. Il était dans un orphelinat russe quand les Bishop l'ont adopté. Vous savez aussi bien que moi que les organismes étrangers mentent sur l'âge de leurs gamins. Plus ils sont jeunes, plus il est facile de les faire adopter. Donc envoyons Billy à Mass General et demandons à un orthopédiste d'estimer son âge grâce à la biométrie.

Clevenger acquiesça sans enthousiasme.

– Mais si on parvient à prouver qu'il a dix-huit ans, il pourra interrompre la désintox, arrêter son traitement en hôpital de jour. Je n'aurai plus d'autorité sur lui.

– Vous n'aurez plus d'autorité *légale*. Je ne suis pas sûre que ce soit sur elle que vous comptez.

— Nc vous faites pas d'illusions, dit Clevenger. J'ai besoin de toute l'autorité possible.

Son téléphone sonna. Comme Anderson n'était pas au bureau, du fait qu'il filait McCormick, tous les appels lui étaient transmis. L'identité du correspondant n'était pas indiquée. Il eut envie de laisser la messagerie prendre l'appel, mais y renonça.

— Excusez-moi un instant, dit-il à Ricciardelli.

Il fit dans l'appareil tout en gagnant le couloir :

— Frank Clevenger.

— Oh, s'écria Ally Bartlett, stupéfaite. Je ne croyais pas pouvoir vous joindre directement.

— En quoi puis-je vous aider ?

— En fait, j'appelle pour *vous* aider, dit-elle, même si je ne suis pas sûre de pouvoir le faire. Enfin, je ne suis pas sûre que ce que j'ai à dire soit important. Je…

— Dites toujours.

— Je sais que vous avez probablement des millions d'appels comme le mien. Mais j'ai lu vos lettres dans le *Times*. Et elles m'ont fait penser à quelqu'un… surtout votre dernière lettre. J'ai appelé le FBI et j'ai demandé à vous parler, mais on m'a passé une quinzaine de personnes différentes. Donc je me suis simplement procuré votre numéro aux renseignements de Boston. Vous êtes dans l'annuaire, comme tout le monde.

Le *New York Times* et le FBI avaient reçu un déluge de tuyaux. Ils ne pouvaient le gérer. Et le millier d'indices sur lesquels ils avaient enquêté n'avaient conduit nulle part. Clevenger n'espérait guère que celui-ci se révélerait différent. Il jeta un coup d'œil sur Ricciardelli, assise derrière sa table de travail. Il était impatient de reprendre leur conversation.

— Croyez-moi, je suis comme tout le monde, dit-il. Puis-je vous demander d'où vous appelez ?

— De Frills Corner, Pennsylvanie.

— Pourrais-je avoir votre nom ainsi que votre numéro et vous rappeler immédiatement ?

Silence, puis :

— Il faut que je vous raconte quelque chose qui m'est arrivé.

Mais je ne peux pas vous donner mon nom et mon numéro. Je ne veux pas être impliquée.

Quelque chose, dans la voix de la femme, retint l'attention de Clevenger. Une intonation tragique et un vague émerveillement, auxquels s'ajoutait une peur bien réelle. Il avait déjà perçu cela dans la voix de gens qui avaient brièvement rencontré des tueurs. Les voisins de Jeffrey Dahmer. Les amis de Richard Ramirez. Les anciennes maîtresses de Ted Bundy.

– Bien, dit-il. Prenez votre temps. J'écoute.

Elle soupira, s'éclaircit la gorge.

– C'est comme ce que vous avez écrit dans votre lettre… quelqu'un que je n'ai jamais oublié, dit-elle. Je ne l'ai rencontré qu'une fois, il y a six ou sept ans, totalement par hasard. Mais je pense toujours à lui… tous les jours.

– Comment l'avez-vous rencontré ?

– À un arrêt d'autobus. Comme ça. J'allais très mal, ce jour-là. Mon père était malade, à l'hôpital. Mourant.

– Je suis désolé.

– Quoi qu'il en soit, cet homme est arrivé et m'a amenée à lui parler de toute ma vie. J'avais l'impression de pouvoir absolument tout lui raconter. Et je l'ai fait. Je l'ai invité à boire un verre – ce que je ne fais absolument jamais – et j'ai parlé de mon père, de ma mère et même… de sexe. Il avait une voix incroyable. Pas vraiment sexy, seulement… je ne sais pas. *Encourageante.* Extrêmement réconfortante. Je n'ai rencontré personne de comparable.

– Vous a-t-il dit comment il s'appelait ?

– Oui et non. Il m'a dit que son nom était Phillip Keane. Il a dit qu'il était médecin – psychiatre – au centre hospitalier régional Venango.

– Un psychiatre…

– Je l'ai cru, poursuivit Bartlett. Il avait une intuition incroyable. J'avais vraiment l'impression de parler à un thérapeute. Et pas à quelqu'un d'ordinaire. J'en ai vu deux ou trois et, franchement, ils n'étaient pas terribles. Lui, c'était le genre dont on rêve. Il savait vraiment écouter.

– Vous avez une idée de l'endroit où il est ?

— Je n'ai pas pu le retrouver, à l'époque. J'ai appelé l'hôpital le lendemain, mais la standardiste m'a dit qu'il n'y avait pas de docteur Phillip Keane. Je lui ai demandé de me passer le service psychiatrique. Ensuite, c'est devenu vraiment bizarre.

— Comment ça? demanda Clevenger.

— J'ai donné son nom à la secrétaire et elle a carrément paru croire que je voulais parler à un patient. C'est un service qui s'occupe d'enfants. Elle m'a demandé si j'étais la mère de Phillip. J'ai raccroché. Je me suis dit que ce type ne voulait pas me revoir s'il ne m'avait pas donné son vrai nom.

Clevenger réfléchissait déjà aux raisonnements psychologiques des lettres du tueur des autoroutes, à la citation de Jung, à la façon dont il présentait son passé, à sa conviction arrogante de pouvoir soigner Clevenger. Est-ce possible? se demanda-t-il. Est-il possible que le tueur des autoroutes soit psychiatre, comme moi?

— Comment était-il physiquement? s'enquit-il.

Nouveau silence, puis:

— Séduisant comme le sont les hommes d'âge mûr, répondit Bartlett. Mais ce n'est pas pour cette raison que j'ai parlé avec lui. Pas parce qu'il était séduisant.

Quelques secondes passèrent, puis elle ajouta:

— C'était simplement le plus chic type du monde. Et il semblait vraiment avoir de l'affection pour moi. Je sais que ça paraît dingue, mais je crois qu'il en éprouvait vraiment.

Clevenger eut du mal à se concentrer pendant les vingt minutes nécessaires à la conclusion de son entretien avec Sarah Ricciardelli. Son esprit revenait sans cesse sur des passages des lettres du tueur des autoroutes.

> *Vous avez adopté un adolescent instable. Étiez-vous un adolescent instable?*
> *Tentez-vous de comprendre les meurtriers dans l'espoir de vous comprendre vous-même?*

Quel effet cela fait-il de tomber amoureux ? Éprouve-t-on la béatitude pure dont on parle lorsque les frontières de l'ego fondent ?

C'étaient des questions pénétrantes, potentiellement capables de soigner. Des questions profondément psychologiques. La qualité de psychiatre les expliquait, mais elle expliquait aussi tout. Il savait amener les gens à se dévoiler, à se sentir très vite très proches de lui. Il semblait digne de confiance, avait une attitude pleine de douceur. Et il savait prélever du sang, puisqu'il avait été étudiant et médecine et interne.

Dans la rue, aussitôt après avoir quitté Ricciardelli, il appela North Anderson et le joignit sur son mobile.

— Qu'est-ce qui se passe ? demanda Anderson.

— C'est peut-être un psy, répondit Clevenger, qui rentra la tête dans les épaules en raison d'une rafale glacée.

— Qui ? De quoi tu parles ?

— Du tueur. C'est peut-être un psychiatre.

— Un psychiatre ?

Penché face au vent, Clevenger prit la direction de sa voiture.

— Une femme m'a téléphoné de Pennsylvanie. Il y a des années, elle a rencontré un type qui correspond parfaitement au profil de notre homme. Il lui a dit qu'il était psychiatre, qu'il travaillait dans un hôpital de la région. Il lui a *fait l'effet* d'un psychiatre. Il lui a donné un faux nom qui s'est avéré être celui d'un gamin soigné dans un service fermé du même établissement.

— Ce type a laissé des cadavres dans tout le pays, dit Anderson. Il a envoyé des lettres depuis trois États dans les six derniers mois. Est-ce qu'il y a des psychiatres qui se promènent d'un bout à l'autre du pays ?

— Les intérimaires, dit machinalement Clevenger, qui s'assit au volant de sa voiture.

Il s'appuya contre le dossier de son siège et regarda droit devant lui, stupéfait parce que ce qui semblait être la solution lui était apparu aussi vite.

— Un *intérimaire* ? Génial. Il y a des psychiatres intérimaires ?

– Oui. Il y a des agences qui fournissent des médecins. Ils travaillent un ou deux mois dans les hôpitaux qui manquent de personnel, généralement dans les zones rurales ou les petites villes isolées, des endroits qui ne peuvent pas recruter quelqu'un à plein temps. Des endroits reculés qui plaisent sûrement à notre homme.

– Ça colle, admit Anderson. Mais la probabilité pour que cette femme l'ait rencontré, ait lu le *Times* des années plus tard, se soit souvenue de lui, ait décidé de te téléphoner...

– Je sais, reconnut Clevenger.

Il fallait être réaliste. Il était très peu probable que la ligne lancée dans les lettres publiées par le *Times* ait apporté exactement ce dont il avait besoin. Mais la possibilité existait. Sinon, il n'aurait pas pris la peine d'inclure ces allusions.

– Elle n'a peut-être pas rencontré le tueur, poursuivit-il. Mais elle m'a amené à envisager qu'il puisse s'agir d'un psychiatre – d'un psychiatre intérimaire. Et ce serait logique, qu'elle l'ait ou non rencontré.

– En quoi puis-je t'aider?

– Je présume qu'il n'y a qu'une vingtaine d'agences capables de placer des psychiatres dans tout le pays. Il faut toutes les contacter.

– Et le FBI?

– Warner ne tiendra sûrement pas compte de ce que je lui dirai, mais je l'appellerai.

– Je parie que Murph – tu te souviens de Joe Murphy, de Murphy and Associates, à Marblehead – peut obtenir la liste des grosses agences en deux heures, dit Anderson. Je commencerai de téléphoner dès que je l'aurai. Ce qu'il faut découvrir, c'est s'ils ont envoyé un de leurs psys dans tous les endroits où on a découvert un cadavre.

– La mission la plus récente se situant dans le Wyoming, ajouta Clevenger.

– Pigé.

Clevenger pensa à McCormick.

– Que fait Whitney?

– La tournée des hôpitaux et des cliniques, répondit Anderson. Je suis deux voitures derrière elle, en ce moment, sur la Route 80 ouest. Il y a quelques minutes, je l'ai suivie jusqu'au parking d'un café de Rock Springs. Elle a vu une femme de trente, trente-cinq ans. Elles se sont donné l'accolade quand elles se sont quittées. Peut-être une vieille amie, peut-être une parente de la victime.

— Merci de garder un œil sur elle. Notre homme est peut-être toujours dans le coin.

— Ça ne me regarde pas, mais j'ai l'impression que tu ne t'intéresses pas vraiment de près à elle.

— J'ai d'autres choses en tête pour le moment.

— Je suppose que ça veut dire non, mais je n'insisterai pas.

— Bien.

— Tu veux que je téléphone à l'hôpital de Pennsylvanie où ce type prétendait travailler? demanda Anderson. Que je voie si quelqu'un peut l'identifier?

— Je m'en occuperai dès qu'on aura terminé.

— Bien. Hé, à propos, comment va Billy?

Clevenger n'eut pas envie de lui dire qu'il était confronté à une nouvelle bataille juridique. Peut-être n'avait-il simplement pas envie d'entrer dans les détails pour le moment. Ou peut-être était-il gêné, craignait-il qu'Anderson lui rappelle qu'il *le lui avait bien dit*, ce qu'il méritait puisqu'il avait tenté de donner un foyer stable à un adolescent fragile tout en s'efforçant de traquer un tueur en série. Dans un cas comme dans l'autre, sa réussite était très relative.

— Aujourd'hui, il va bien, répondit-il. Demain, qui sait?

— Jour après jour.

Clevenger raccrocha. Puis il appela les renseignements et obtint le numéro du centre hospitalier régional Venango, soudain conscient de la fragilité de la piste qu'il suivait, de la minceur des éléments dont il disposait, de l'ampleur des risques qu'il avait pris.

23

Jonah était assis à son cabinet du centre hospitalier de Rock Springs, une feuille de papier vierge et un stylo devant lui. Il leva les bras au-dessus de la tête, écarta largement les doigts et inspira aussi profondément que possible. Il y avait très longtemps qu'il ne s'était pas senti aussi vivant. Sa vue, son ouïe et son odorat avaient retrouvé toute leur acuité. Il sentait ses muscles gonflés tendre la partie inférieure de sa peau. Quand il restait parfaitement immobile, il avait l'impression de pouvoir entendre l'ouverture et la fermeture des valvules aortique et pulmonaire lorsque les ventricules de son cœur se contractaient vigoureusement, ne faisaient pas circuler seulement son sang mais aussi celui de tous ceux qui étaient morts et avaient ressuscité en lui.

Il avait vaincu son désir de détruire en soignant Marie Pierce. Il percevait encore la chaleur de son étreinte, sa reconnaissance débordante.

Il avait vaincu Heaven Garber et libéré Sam. Il revoyait le large sourire du petit garçon au moment où, dans la matinée, il avait quitté le service fermé en compagnie de son père.

Il souffla, baissa les bras, prit son stylo et commença sa lettre à Clevenger. Il projetait de la poster quand il aurait terminé son remplacement dans le Wyoming et pourrait aller passer une semaine en montagne avant de rejoindre son poste suivant, à Pidcoke, Texas, près de Fort Hood Military Reservation.

Il jeta un coup d'œil sur la pendule. 16 h 27. Il se mit à écrire :

Docteur Clevenger,

J'ai effectivement connu l'amour vrai – le plus grand étant celui que m'inspire Dieu tout puissant, Roi de l'univers. L'aimer me permet d'aimer les autres, même s'ils sont démoniaques ou condamnables. Et à travers lui, j'espère avec ferveur pouvoir bientôt m'aimer.

Vous prétendez avec arrogance que mon père ne m'a pas torturé. Vous me mettez au défi de placer le visage de ma mère sur mon agresseur. Mais je ne m'engagerai pas dans des manipulations mentales susceptibles de la souiller. Je n'accepterai pas qu'on me lave le cerveau. Car même si elle était l'acteur des souvenirs ténébreux qui me hantent, même si elle était mon démon et non mon ange, j'éprouverais de la compassion à son égard et je m'efforcerais de lui pardonner.

Vous voulez, votre belle Whitney et vous, cacher votre désir de détruire derrière le mien. Vous estimez qu'il est justifié de dénaturer les souvenirs magnifiques de ma mère en vue de m'affaiblir, de me capturer et, au bout du compte, de m'abattre, parce que vous appliquez la loi des hommes. Mais il y a des lois supérieures.

Nous sommes tous des pécheurs, Frank. Nous en avons tous assez de la violence. Ce qui nous distingue est mon combat incessant pour suivre la lumière.

Ma vision est claire désormais. La vôtre est toujours troublée par le besoin de vengeance.

Ce besoin perdure en vous du fait qu'une vérité capitale vous a échappé, peut-être la plus capitale qui soit. Et elle est toute simple : il n'y a pas d'autre haine que la haine de soi-même, qui trouve simplement des leurres pratiques.

Je suis un des vôtres. Je ne suis que l'outil que vous utilisez en ce moment en vue d'éviter de regarder le tueur qui est en vous... ce petit garçon battu, humilié, qui a recouru à l'alcool et à la cocaïne pour fuir sa souffrance. Aimez ce petit garçon et vous trouverez dans votre cœur des raisons de m'aimer, comme j'en suis venu à vous aimer.

N'est-il pas clair que vous seriez mieux à même de guider le jeune homme fragile dont vous avez la responsabilité si vous serriez dans vos bras le jeune homme fragile qui est dans votre cœur ?

Je vois désormais de plus en plus clairement que les hommes et les femmes que j'ai rencontrés au bord des routes n'ont pas donné leur vie en vain. Ils étaient les marches du paradis. Et pas seulement pour moi. Pour eux aussi. Car nous avançons tous ensemble vers un monde plus parfait. Peu importe, dans l'ordre grandiose des choses, quel ensemble de chair et d'os effectue le pas ultime.

Les mots d'Antonio Machado me sont chers :
J'ai rêvé cette nuit,
Ô erreur merveilleuse
Que des abeilles dans mon cœur
Transformaient mes échecs en miel.

On frappa à la porte de son cabinet. Il glissa la feuille dans un tiroir.

— Entrez, dit-il.

Le docteur Corinne Wallace, responsable de l'équipe médicale, pénétra dans la pièce, plus sombre encore que dans la matinée. Elle ferma la porte derrière elle.

— Il faut que nous parlions.

Jonah lut dans ses yeux qu'il s'était produit quelque chose de très grave. Il regagna son fauteuil fit signe à Wallace de s'asseoir.

Elle prit place.

— Je ne sais pas comment vous annoncer ça, Jonah, donc je vais simplement vous le dire.

Jonah, les yeux fixés sur elle, comprit.

— Sam ? demanda-t-il, espérant de toutes ses forces qu'il se trompait.

— J'ai reçu un coup de téléphone de la police.

Il n'avait pas envie de poser la question, resta immobile pendant plusieurs secondes, seul le bourdonnement des tubes au néon rompant le silence.

— C'est grave ? demanda-t-il finalement.

— Elle l'a tué, répondit Wallace. Hank ne s'est pas opposé à son retour.

Les yeux de Wallace s'emplirent de larmes.

— Il est mort ? Sam est mort ?

Machinalement, il regarda la pendule. 16 h 52.

— Elle a dit au policier venu l'arrêter qu'elle voulait simplement qu'il s'excuse. Elle a dit qu'il a refusé, qu'il lui a « fait perdre la tête ».

— Et Hank ? Il était présent ?

— Oui. Il n'a pas tenté de l'arrêter. Ils ont été tous les deux inculpés de meurtre.

Jonah imagina Heaven Garber, cent vingt kilos au bas mot, mammouth dominant Sam de toute sa taille, hurlant : « Excuse-toi ! Excuse-toi ! » Mais le petit garçon courageux avait refusé. Et son silence n'avait fait que décupler la fureur du monstre.

Puis, dans la transformation la plus horrible qu'on puisse imaginer, l'image mentale du visage de Heaven devint le visage de sa mère, yeux angéliques injectés de sang, belles lèvres crispées par la fureur.

Quand il se tourna à nouveau vers Sam, il se vit sur le dallage, en larmes, suppliant de ne pas être à nouveau frappé.

Clevenger s'insinuait-il dans son esprit ? Était-il parvenu à lui laver le cerveau ?

— Ça va ? s'enquit Wallace, penchée en avant.

Jonah la regarda, la vit telle qu'elle était. Mais, un instant plus tard, ses traits, eux aussi, se fondirent à ceux de Heaven. Il se frotta les yeux avec les poings.

— J'ai besoin d'un peu de temps, dit-il. Je suis désolé.

— Bien sûr.

Elle se leva, se dirigea vers la porte, puis se retourna.

— Vous n'avez rien à vous reprocher. Il faut que vous le sachiez. Personne ne pouvait prévoir que ça arriverait.

Jonah resta sans réaction.

Elle gagna la porte.

Dès que le battant fut fermé derrière Wallace, Jonah tomba à genoux et se prit la tête entre les mains.

Clevenger téléphona à Kane Warner et fut fraîchement reçu quand il suggéra que le FBI prenne en considération l'éventualité que le tueur des autoroutes soit un psychiatre intérimaire.

Il ne s'en inquiéta pas. En fin de journée, il s'était entretenu avec le directeur et le directeur adjoint des ressources humaines du centre hospitalier régional Venango, la surveillante en chef du service fermé et le directeur de l'hôpital. Tous avaient indiqué qu'ils ne pouvaient fournir les dossiers du personnel et toute information sur le recrutement éventuel de psychiatres intérimaires par l'hôpital, en ce moment ou par le passé, sans un arrêt du tribunal. Il parvint à obtenir l'unité fermée, mais l'infirmière qu'il eut au bout du fil lui dit qu'elle n'y travaillait que depuis huit mois et le signalement que lui communiqua Clevenger ne correspondait pas aux psychiatres qu'elle connaissait.

À 18 h 40, il décida de faire une nouvelle tentative, de médecin à médecin. Il demanda qu'on appelle le responsable de l'équipe médicale. La standardiste lui dit de ne pas quitter, qu'elle allait lui passer le docteur Kurt LeShan.

LeShan décrocha cinq minutes plus tard.

Clevenger se présenta.

— Je regrette de vous déranger en dehors des horaires.

— Ce n'est rien. J'ai l'impression de vous connaître, dit LeShan. J'ai suivi votre travail dans le *Times*. Fascinant. À quoi dois-je votre appel ?

— J'exploite un tuyau… à propos de quelqu'un qui pourrait avoir fait partie de votre personnel.

— Qui ?

— Je ne connais pas son nom.

— Sacré tuyau.

— Je crois qu'il a travaillé dans votre hôpital en 1995. Aux alentours de Noël. C'était peut-être un intérimaire.

— En général, on en a au moins un. Il est impossible de recruter des médecins à plein temps.

— De haute taille. Cheveux gris plutôt longs. Yeux bleus...

— Jonah ! coupa LeShan. Jonah Wrens.

— Que pouvez-vous me dire sur lui ? demanda Clevenger.

— Je peux vous dire une chose : jamais je n'ai engagé de meilleur psychiatre, jamais je n'ai travaillé avec un meilleur psychiatre, intérimaires et médecins à plein temps confondus. Le top du top.

— A-t-il soigné un jeune garçon nommé Phillip Keane ?

— Possible. Keane séjourne souvent ici. Complètement psychotique. Pourquoi cette question ?

— Il semble que le docteur Wrens se soit présenté sous le nom de Phillip Keane en au moins une occasion... à une femme qu'il a rencontrée.

— Il ne voulait peut-être pas qu'elle sache qui il était. Le nom de Keane lui aura traversé l'esprit et il l'aura utilisé. Ce n'est pas très convenable, j'imagine. Assurément, ce n'est pas professionnel. Mais cela ne justifie guère l'intérêt d'un psychiatre expert.

— Vous rappelez-vous quelle agence vous a envoyé Wrens ?

— Oui. Mais dites-moi d'abord... pourquoi vous le recherchez ?

Clevenger ne voulait pas présenter Wrens comme un suspect, du fait qu'il n'en était pas un. Pas officiellement. Pas même rationnellement. Il était ce qui se trouvait au bout d'une ligne lancée à l'aveuglette dans l'océan des millions de lecteurs du *Times*.

— Nous avons reçu un appel anonyme selon lequel un médecin dont le signalement correspond à celui de Wrens détenait peut-être des informations importantes sur le tueur des autoroutes.

— Vous croyez qu'il aurait pu croiser son chemin ? Le soigner ?

— C'est possible.

— Si quelqu'un peut aider ce dément, c'est bien Jonah, dit LeShan avec un rire étouffé. Sans vouloir vous vexer.

— Je ne le suis pas, répondit Clevenger. Qu'est-ce qui rend Wrens si extraordinaire ?

— Vous savez ce que c'est. On a du talent ou on n'en a pas. Il en a des tonnes. Le don. La troisième oreille. Il réussissait à faire parler des patients qui ne disaient pas un mot au reste de l'équipe.

Et si on était confronté à une personne violente, tout le monde savait qu'il fallait immédiatement appeler Jonah. Quand il arrivait près d'un type qui ne se contrôlait plus, ce type se calmait. Point. Fin de la discussion. Sa présence sans doute. Quelque chose émanait de lui. De très apaisant. De très fort.

– Vous l'appréciez... en tant que personne, ses compétences professionnelles mises à part?

– Tout le monde l'appréciait. Il n'y avait rien qu'on puisse ne pas apprécier chez Jonah. Vous verrez. S'il peut vous aider, il le fera. Il est comme ça.

– Et il venait de quelle agence?

– Communicare, répondit LeShan. On n'en utilise pas d'autre. Son siège est à Denver. Ne quittez pas, je vais chercher le numéro.

Whitney McCormick avait reporté son rendez-vous avec la Croix-Rouge au lendemain afin de pouvoir passer une nouvelle fois au centre hospitalier de Rock Springs. Il était 17 h 45 quand elle sonna à la porte du service psychiatrique fermé.

– Oui? demanda une voix de femme dans l'interphone.

– Je suis le docteur Whitney McCormick. Je souhaiterais voir le docteur Jonah Wrens.

– Certainement. Il vous attend.

Cela ne mit en rien McCormick à l'aise. Pierce avait de toute évidence téléphoné à Wrens et l'avait averti qu'elle passerait.

Une infirmière la fit entrer puis la conduisit jusqu'à la porte du cabinet de Wrens. Elle frappa, n'obtint pas de réponse, frappa plus fort. Toujours rien. Elle était sur le point d'ouvrir quand le battant pivota.

– Docteur McCormick, dit Jonah. Que puis-je faire pour vous?

McCormick constata qu'il était très rouge, comme s'il s'était mis en colère ou avait pleuré. Cependant il correspondait parfaitement à la description de Marie Pierce. Un homme dont la voix, le visage et l'attitude promettaient la compréhension.

– Je suis désolée de vous déranger, dit-elle.

Elle remarqua sa chevelure argentée et ondulée, ses yeux bleus, sa peau parfaite, les nuances apaisantes de son pantalon de laine gris, de ses chaussures en daim marron et de son pull à col cheminée bleu foncé.

— Pourrais-je vous poser quelques questions?

— Bien entendu.

Jonah pivota sur lui-même et regagna l'intérieur de la pièce.

McCormick le suivit en laissant volontairement la porte ouverte.

— Je travaille sur le meurtre du restaurant de Bitter Creek, dit-elle.

— Un assassinat horrible, dit Jonah, qui lui tournait le dos, plaçait des livres et des dossiers dans un carton posé sur sa table de travail.

— Vous avez beaucoup aidé Marie. Elle se sent beaucoup mieux.

Jonah continua d'emballer ses affaires.

— Je me demandais si vous aviez constaté quelque chose qui puisse être utile à l'enquête, ajouta McCormick.

— Il s'agissait essentiellement d'une intervention thérapeutique, répondit Jonah, pas d'un interrogatoire.

L'agacement qui transparut dans sa voix n'échappa pas à McCormick. Elle estima qu'elle devait insister un peu.

— Je peux me charger de cette tâche, dit-elle. C'est ma spécialité. Le travail sur les traumas est-il la vôtre?

Wrens ne réagit pas. Il finit de remplir son carton et le ferma. Puis il se tourna vers elle.

— Le moment est mal choisi, dit-il. Un de mes patients a été assassiné par sa mère dans le courant de la journée. Je ne suis pas d'humeur à échanger les curriculums.

McCormick fut stupéfaite.

— J'ignorais que vous aviez perdu un patient. Je...

Son téléphone mobile se mit à sonner. Elle fouilla nerveusement dans la poche de sa veste et l'éteignit.

— Vous ne vouliez pas répondre? demanda Wrens, sarcastique.

McCormick secoua la tête.

— Quel âge?

— Neuf ans, répondit Wrens, qui s'éclaircit la gorge et poursuivit : Je l'ai renvoyé chez lui. J'ai cru qu'il serait en sécurité. C'était une très grave erreur. Une erreur impardonnable.

Il posa les mains sur sa table de travail et écarta les doigts, comme s'il risquait de perdre l'équilibre.

McCormick s'aperçut soudain que le cabinet était totalement vide. Wrens avait tout mis dans le carton.

— Vous quittez l'hôpital aujourd'hui? demanda-t-elle. Il me semble que Marie m'a dit que vous resteriez encore une semaine.

— Je ne me sens pas très sûr de mes compétences en ce moment. Je ne serais pas d'une grande utilité.

McCormick avait envie de se faire une opinion plus précise sur Wrens, mais hésitait sur la façon de l'aborder.

— J'ai encore quelques questions, dit-elle.

— Sur?

— Vos impressions sur madame Pierce, dit-elle faute de mieux.

— La soupçonnez-vous d'avoir tué sa mère?

McCormick secoua la tête.

— Non, bien entendu. Je m'efforce seulement de ne rien laisser dans l'ombre.

— Vous voulez ne rien laisser dans l'ombre, dit Jonah, les yeux rivés sur les siens. Mon patient est mort aujourd'hui, docteur McCormick. Il a été assassiné. Peut-être avez-vous l'habitude de ce genre de chose, moi pas. Je suis très attaché à mes patients.

Il passa devant elle, ouvrit la porte et ajouta:

— Il faut que vous me laissiez, maintenant.

Clevenger parvint à joindre Communicare au moment de la fermeture des bureaux. Il dut se montrer convaincant, mais la propriétaire reconnut son nom, à cause des lettres du *Times*, et chercha Jonah Wrens dans ses dossiers. Elle lui communiqua la liste de toutes ses affectations au cours des trente-six derniers mois.

Aucune ne correspondait aux treize endroits où l'on avait découvert des cadavres.

— Où travaille-t-il en ce moment?

— Il ne travaille pas... du moins pas pour nous, répondit la femme.

— Il collabore avec d'autres agences?

— Comme pratiquement tout le monde aujourd'hui. J'aimerais qu'il nous accorde une exclusivité. C'est le psychiatre le mieux considéré que nous ayons eu. Tous les hôpitaux qui l'engagent veulent qu'il revienne. Mais il ne va jamais deux fois au même endroit. Il veut des établissements nouveaux, des visages neufs.

— Je suppose que ce n'est pas tellement inhabituel, dit Clevenger, un peu découragé. Pour quelle autre raison travaillerait-on en intérim ?

— Franchement ? Ces gens ne tiendraient jamais le coup au sein d'une organisation.

— Ils y parviennent dans la vôtre.

— Mais il faut très souvent leur tenir la main, croyez-moi. Et résoudre des tas de problèmes. Comprenez-moi bien, quelques-uns d'entre eux sont très talentueux. Doués même. Mais ce sont, au fond, des vagabonds. Ils n'aiment pas la routine. Et ils ne veulent pas se lier avec les autres.

— Choisissent-ils les endroits où ils vont ?

— Il y a discussion, répondit la femme. Quand on reçoit une demande, on appelle le suivant sur la liste. Si cette personne refuse, on passe à celle d'après. Sans rancune. Nous avons beaucoup de médecins. Mais toutes les agences ne travaillent pas de la même façon. Certaines d'entre elles se séparent de ceux qui refusent deux ou trois missions d'affilée.

— Je vois.

— Pour quelle raison recherchez-vous le docteur Wrens ? demanda-t-elle.

— Je suis une piste, c'est tout.

Il s'aperçut que cette réponse ne mettait pas Wrens hors de cause, ce qui n'était pas équitable. Il reprit l'explication qu'il avait donnée à LeShan du centre hospitalier régional Venango.

— Il est possible qu'il ait soigné l'homme que nous recherchons. Mais il ne semble pas, après tout, que leurs chemins se soient croisés.

— Le tueur des autoroutes ? demanda la femme.

— Oui, exact.

— Rendez-moi un service. Quand vous arrêterez ce monstre, égorgez-le sans lui laisser le temps de se remettre à raconter des idioties comme celles qu'il publie dans le *Times*. Toutes ces conneries sur l'empathie alors qu'il tue des gens. Je suis grand-mère, bon sang, mais je n'hésiterais pas à lui couper moi-même la tête. On verrait, après, ce qu'il pourrait encore sortir comme galimatias psychologique.

– Beaucoup de gens seraient prêts à faire ce travail, dit Clevenger.

Si nombreux, pensa-t-il, que la peine de mort existe encore dans quarante et un États.

– Prenez bien soin de vous, doc, conclut la femme. Et bonne chance. Dieu vous bénisse.

– Oui, bon.

Il raccrocha. Son cœur se serra. Il était au bout d'une impasse.

Il composa le numéro du mobile d'Anderson et le joignit dans sa voiture, devant le centre hospitalier de Rock Springs, où il attendait la sortie de McCormick.

– Je suis au point mort, dit-il. Du neuf de ton côté?

– J'ai reçu la liste de Murph, répondit Anderson. J'ai appelé cinq agences. Chou blanc. Deux ont refusé de me renseigner. Les trois autres n'ont pas envoyé de médecin dans les villes où ce type a tué.

Il s'interrompit, puis ajouta:

– Je ne sais pas. Il ne mélange peut-être pas le travail et le plaisir.

Ce cliché donna une idée à Clevenger: faire correspondre les endroits où le tueur avait travaillé à ceux où il avait tué était une erreur. Cela allait à l'encontre du profil que Clevenger et le FBI avaient élaboré – celui d'un individu qui avait besoin d'être très proche des autres, qui tuait quand il n'avait pas d'autre moyen de satisfaire son désir d'intimité.

– Tu es toujours là? demanda Anderson.

– Tu as parfaitement raison, dit Clevenger.

– Évidemment. Sur quoi?

– Il ne tue pas quand il travaille. Il n'a pas besoin de le faire, dit Clevenger. Ses patients satisfont son intense besoin de relations émotionnelles. Les gens lui dévoilent leur âme. Il tue entre les affectations. C'est pendant ces périodes qu'il se sent le plus isolé, le plus seul. C'est pendant ces périodes que rien ne peut le distraire de sa souffrance. Tous les traumas d'enfance qu'il s'est efforcé de refouler menacent de remonter jusqu'à sa conscience.

– Mais tes lettres l'ont peut-être déstabilisé. Cette fois, dans le Wyoming, les patients n'ont peut-être pas suffi.

Clevenger était tout à fait d'accord. Si le tueur avait effectivement frappé «pendant le travail», c'était très vraisemblablement dans le Wyoming. Ébranlé, incapable de trouver la paix grâce à son travail, peut-être avait-il perdu tout contrôle sur lui-même. Et, si tel était le cas, il ne pouvait fuir. Il ne pouvait prendre le risque d'éveiller les soupçons. Il fallait qu'il donne le change, termine son mois ou ses deux mois comme si de rien n'était. L'intuition de Whitney McCormick, sur ce plan, était parfaitement juste.

— C'est possible, dit Clevenger. Ça reste une hypothèse fragile, mais il est peut-être dans le coin.

— Je vais téléphoner aux hôpitaux de la région et leur demander s'ils emploient un psychiatre intérimaire.

— Les standardistes sont peut-être au courant. Sinon, demande le service psychiatrique fermé.

À cet instant, Anderson vit McCormick sortir de l'hôpital et gagner rapidement sa voiture de location.

— Whitney vient de terminer sa tournée, annonça-t-il à Clevenger. Saine et sauve. Elle est revenue ici – au centre hospitalier de Rock Springs –, mais elle n'y est pas restée longtemps.

— Je doute qu'elle cherche un intérimaire, dit Clevenger.

— J'irai partout où elle est passée.

— Appelle-moi si tu trouves quelque chose.

— Tu peux compter là-dessus.

Clevenger raccrocha et composa le numéro du mobile de McCormick. Il sonna une fois, puis diffusa son message. Elle l'avait coupé.

— Rappelle-moi immédiatement, dit Clevenger. C'est important.

24

McCormick surveillait la sortie de l'hôpital depuis sa voiture. Elle avait du mal à se faire une opinion sur le docteur Jonah Wrens. Il correspondait au profil du tueur des autoroutes : un Blanc d'âge mûr, séduisant, capable d'être très vite proche des gens. Il voyageait. Sa voix avait effectivement l'effet hypnotique dont Marie avait parlé. En revanche, la mort de son jeune patient le faisait visiblement souffrir. Il n'était pas dénué d'empathie. Il éprouvait de la culpabilité. Il n'y avait apparemment rien de calculateur, chez lui ; il n'avait pas tenté d'impliquer Marie Pierce – ni personne – dans le meurtre de Sally Pierce.

Il fallait en outre un effort d'imagination pour croire qu'elle pouvait identifier le tueur des autoroutes aussi aisément, immédiatement derrière la fille de sa dernière victime. Néanmoins, elle comprit que cela ne signifiait pas qu'elle ne l'avait pas identifié. Un tuyau donné au FBI par téléphone avait permis de résoudre une affaire de tireur fou. Un tueur avait été appréhendé après avoir grillé un feu rouge, un autre parce qu'il portait la chemise d'une de ses victimes dix ans après les faits, un troisième parce qu'il avait mentionné un meurtre à un camarade, dans un centre de désintoxication, vingt ans après les faits.

Le tueur des autoroutes ne se serait-il pas réjoui de l'occasion de s'entretenir avec Marie Pierce ? Aurait-il refusé de réconforter la descendance de sa victime ?

Elle envisagea de demander du renfort à Kane Warner, mais comprit qu'elle passerait pour un amateur s'il s'avérait que Jonah Wrens était innocent – un bon médecin faisant son travail. Elle avait entrepris de se racheter ; elle ne gagnerait rien à gaspiller les ressources du Bureau à cause d'un homme effondré par la perte d'un patient de neuf ans.

Au bout du compte, elle ne pourrait dire à Warner qu'elle travaillait toujours sur l'affaire qu'au moment où elle serait pratiquement sûre de l'avoir résolue.

Il fallait qu'elle obtienne davantage d'informations sur Wrens. Et il fallait qu'elle commence à creuser tout de suite. Si Wrens était le tueur, il savait qu'elle approchait du but. Il risquait de quitter la ville d'un instant à l'autre, de disparaître dans les montagnes pendant des mois – ou définitivement.

Elle attendait depuis vingt-cinq minutes, sur le parking de l'hôpital, quand Wrens franchit les portes coulissantes en verre avec sa serviette et le carton qu'il avait rempli. Il monta dans sa BMW, lança le moteur et partit.

Elle démarra et le suivit.

Jonah jeta un coup d'œil, dans le rétroviseur, sur les phares de McCormick. Il tentait de deviner ce que Dieu attendait de lui, de comprendre pourquoi il lui avait envoyé une femme uniquement habitée par le mal le jour où il avait pris un jeune garçon aussi innocent que Sam.

En fin de compte, on ne pouvait tirer qu'un enseignement de cette symétrie : le bien et le mal sont continuellement en mouvement, l'Armageddon n'est pas une bataille unique mais une longue campagne, la mort d'un ange pouvant être compensée, pour l'éternité, par la mort d'un démon.

Était-il possible que la disparition de McCormick soit, depuis le début, la tâche de Jonah ? S'était-il adressé à Clevenger parce qu'il savait qu'il le conduirait à McCormick ? Sa résurrection dans l'innocence n'était-elle possible qu'à travers la destruction de la chasseresse ? Était-ce elle qui avait véritablement provoqué la colère de Dieu ?

La poésie était évidente : il ne serait pardonné que lorsqu'il aurait fait disparaître de la planète une personne comme elle, totalement incapable de pardonner.

Le calme se répandit en lui, comme si son long voyage tortueux approchait de son terme. Peut-être le dernier kilomètre de son trajet jusqu'à la rédemption était-il le kilomètre qu'il était en train de parcourir.

McCormick suivit Wrens jusqu'à l'Ambassador Motor Inn et le vit s'arrêter devant la chambre 105. Elle se gara à une vingtaine de mètres. Il descendit de la X5, puis disparut dans la chambre.

Elle se pencha, s'assura que l'étui de cheville contenant son arme était bien en place. Puis elle descendit de voiture. Au même instant, elle vit North Anderson s'arrêter cinq places de stationnement plus loin, la regarder puis tourner rapidement la tête. Cela confirma ce qu'elle avait soupçonné sur l'autoroute : on la suivait.

Seul Clevenger savait qu'elle était dans le Wyoming. Elle ne connaissait pas son associé, mais elle savait que c'était un Noir. Elle jeta un coup d'œil sur la plaque d'immatriculation de la voiture, constata que c'était un véhicule de location.

Elle s'en approcha, frappa à la vitre.

Il la baissa.

— Puis-je faire quelque chose pour vous ? demanda-t-il sur un ton aussi détaché que possible.

— Vous êtes sûrement North Anderson, dit-elle.

Anderson ne jugea pas utile de protester.

— Dites à Frank que je suis majeure et vaccinée. Qu'il n'a pas besoin de surveiller mes arrières.

— À mon avis, il a pensé que vous aviez peut-être raison, que le tueur pourrait encore être dans la région. Si votre intuition était bonne, vous risquez d'avoir besoin de renfort.

Elle envisagea vaguement de parler de Jonah Wrens à Anderson, mais refusa de se ridiculiser devant lui, ou Clevenger. Elle voulait pouvoir faire son travail tranquillement.

— S'il le veut vraiment, dit-elle, je lui téléphonerai et lui ferai une description circonstanciée de ce qui se sera passé dans cette chambre de motel.

Elle sourit et ajouta :

– Mais je ne suis pas venue ici pour affaires. Donc vous devriez peut-être vous tirer. Votre présence a un peu tendance à gâcher l'instant.

Anderson acquiesça, stupéfait par la brutalité de McCormick.

Elle gagna la chambre 105 et frappa à la porte.

Wrens ouvrit quelques secondes plus tard. Il était pieds nus, avait les cheveux en bataille et les épaules voûtées. Sa chemise était ouverte sur un abdomen plat. Ses manches étaient roulées. Il tenait ses chaussettes et sa ceinture dans une main. Il semblait vidé, pas du tout dangereux.

– J'ai vraiment besoin de dormir, dit-il. Ça peut sûrement attendre demain matin.

– Je comprends, dit McCormick. Je n'en ai que pour quelques minutes. Promis.

Il hésita.

– C'est important, insista-t-elle.

Wrens prit une profonde inspiration tandis qu'une image apparaissait devant ses yeux – son couteau sur le cou de la jeune femme, ses cheveux dans son poing. Il ouvrit les yeux et la regarda. Le diable sur le pas de sa porte.

– Je m'excuse de m'être montré sec, à l'hôpital. Veuillez entrer.

Ce fut au tour de McCormick d'hésiter. Parce qu'elle vit quelque chose qui la troubla : cinq ou six cicatrices horizontales, estompées, sur l'avant-bras droit de Wrens.

Elle savait que ces cicatrices pouvaient parfaitement s'expliquer. Un fil de fer barbelé au sommet d'une clôture pouvait les avoir causées pendant l'enfance de Wrens. Les griffes d'un chat furieux. Un gril brûlant. Et même si Wrens s'était intentionnellement coupé dans son enfance ou son adolescence, il n'était en aucun cas le seul psychiatre victime d'un trauma psychologique.

Cependant, si les cicatrices étaient la conséquence de coupures, cela signifiait que Wrens avait subi un grave trauma émotionnel. Et que seules les plaies qu'il s'était infligées lui avaient permis d'exercer un contrôle sur sa souffrance. Ensuite, il pouvait regarder calmement le sang couler, complètement étranger à la douleur – et à la fureur sous-jacente que lui inspiraient les autres.

N'était-ce pas le profil du tueur des autoroutes ?

– Docteur McCormick, dit Wrens, vous semblez fatiguée, vous aussi. Pourquoi ne nous verrions-nous pas demain ? Après le petit déjeuner ?

– Non, dit-elle.

Elle crispa les muscles de son mollet, afin de percevoir la présence de son arme, et ajouta :

– Ça va.

Elle entra.

Wrens ferma la porte quand elle fut passée devant lui. Et, tandis qu'elle lui tournait le dos, sans perdre un instant, il lui passa sa ceinture autour du cou et la jeta à terre.

Elle voulut saisir son arme, mais Wrens, d'un coup de pied, éloigna sa main de sa jambe, puis il serra la ceinture autour de son cou, lui coupa le souffle, si bien qu'elle tenta instinctivement de saisir la bande de cuir. Il s'assit sur ses reins. Elle sentit sa main, sur sa cheville, qui levait la jambe de son pantalon et prenait son pistolet. Il la retourna et lui fourra le canon dans la bouche.

Il se pencha sur son oreille.

– Quelle était votre première question ? demanda-t-il.

Il serra davantage encore la ceinture.

Dans sa voiture, devant l'Ambassador Motor Inn, North Anderson imaginait qu'une scène totalement différente se déroulait dans la chambre 105. Il avait filé McCormick qui suivait un homme – un médecin très séduisant au volant d'une voiture de luxe – jusqu'à son motel. Elle avait frappé à sa porte, il l'avait reçue à moitié déshabillé puis elle avait disparu dans sa chambre.

Du point de vue d'Anderson, McCormick avait sans doute rencontré quelqu'un avec qui elle avait fréquenté l'université, ou la faculté de médecine, et décidé de tenter de faire revivre le passé.

Quoi qu'il en soit, elle avait raison : ça ne le regardait pas. Et il n'avait aucune intention d'en parler à Clevenger.

Cependant, il n'avait pas davantage l'intention de se barrer. Il faudrait qu'il la file plus discrètement, mais il en était capable.

Il se dit qu'il disposait d'un peu de temps avant que McCormick reprenne la route. Il se tourna vers le café du motel, situé près de la sortie. Il mourait de faim et rester devant la chambre lui faisait effectivement un effet bizarre.

Whitney McCormick reprit connaissance sur le lit de Jonah, les poignets et les chevilles immobilisés par des lanières de cuir. Jonah, assis sur une chaise, la regardait fixement. Elle tira en vain sur ses liens. Elle tourna le poignet afin de jeter un coup d'œil sur sa montre, constata qu'elle était restée moins de dix minutes sans connaissance.

– Le FBI sait que je venais ici, dit-elle. Vous ne pouvez pas vous échapper... laissez-moi partir.

Jonah sourit.

– Me laisseriez-vous partir si vous m'aviez capturé?

Elle garda le silence.

– Vous me diriez d'aller me faire foutre.

Il resta quelques instants silencieux, puis demanda:

– Ai-je raison?

Les yeux dilatés, McCormick regarda Jonah ouvrir un long couteau, placer la lame au-dessus de son visage.

– Voulez-vous que je dise quelque chose à votre père dans ma prochaine lettre au *Times*, Whitney? demanda-t-il. Je sais que je devrais le considérer plus ou moins comme un conjuré. Il est vraisemblable qu'une carence, dans la façon dont il vous a élevée, a contribué à faire de vous une femme dépourvue d'empathie. Pourtant, je voudrais faire mon possible pour atténuer sa douleur. Perdre sa femme, puis sa fille...

Il prit une profonde inspiration, ajouta:

– Comment peut-on se rétablir, après ça?

McCormick comprit que Jonah allait la tuer. Supplier ne ferait que l'enhardir. McCormick serait alors d'autant plus victime, Jonah d'autant plus tout-puissant. Il fallait qu'elle prenne le contrôle de la situation, même si elle était ligotée.

318

— Ce n'est pas moi que ça concerne, dit-elle. C'est le plus triste.

Jonah posa le tranchant du couteau sur sa gorge.

— C'est, de mon point de vue, un déni. Faites-moi confiance, quand vous sentirez le sang couler, vous comprendrez que c'est à vous que ça arrive, pas à quelqu'un d'autre.

— Ça concerne votre mère, Jonah. Frank a tenté de vous aider à le voir. Mais vous êtes simplement trop lâche pour ouvrir les yeux. C'était elle qui était dénuée d'empathie... vis-à-vis de vous. Elle vous torturait.

Il appuya sur le couteau, dont la lame tendit la peau sans l'entailler.

— L'Éternel est mon berger : je ne manquerai de rien. Il me fait...

Sous l'effet de la peur, de la fureur et de la volonté de vivre, les rouages de l'esprit de McCormick tournaient comme les cylindres fous d'une serrure à combinaison. Elle eut l'impression que son cerveau allait chauffer.

— Il restaure mon âme. Quand je marche...

Quelque chose se mit en place. Le petit garçon assassiné dans le courant de la journée, tué par sa mère. Jonah avait vraiment été secoué.

— Pensez au patient qui a été tué aujourd'hui, dit-elle. Vous ne voyez donc pas pourquoi ça vous a autant affecté ? En le faisant rentrer chez lui, vous l'avez envoyé à la mort, Jonah. *Vous* l'avez assassiné.

Jonah cessa de prier, secoua la tête.

— Sam est mort pour que je puisse comprendre que vous devez mourir. Il a servi la volonté de Dieu. Il est maintenant au paradis.

— Vous connaissiez sa mère, insista McCormick. Au plus profond de vous-même, vous saviez exactement ce qui arriverait. Elle l'avait déjà battu. Elle ne pouvait pas cesser de le faire. Ça ne pouvait que s'aggraver.

Jonah appuya plus fort sur le couteau, si bien que la peau céda.

McCormick fut prise de vertige, mais comprit qu'elle ne devait pas renoncer.

— Vous avez trahi ce jeune garçon parce que envisager ce qui était sur le point d'arriver vous aurait obligé à reprendre contact avec ce qui vous est arrivé. Les coups. Vous vous êtes persuadé de croire qu'il ne risquait rien. Vous l'avez probablement convaincu qu'il ne risquait rien, en plus. Vous l'avez envoyé en enfer, à votre place.

— Au revoir, Whitney.

Il fit glisser la lame sur deux centimètres. Un filet de sang s'écoula de la plaie.

Elle eut envie de crier, comprit qu'il la tuerait immédiatement si elle le faisait.

— Je vais mourir ce soir, Jonah. Pourquoi mentirais-je ?

Elle rassembla son courage, ajouta :

— Vous avez tué ce jeune garçon.

Il battit nerveusement des paupières.

— Votre mère est la force motrice de tous les meurtres, poursuivit-elle. C'est elle, en réalité, que vous voulez tuer. Et c'est pour ça que vous ne serez jamais racheté. Parce que vous tuez au lieu d'affronter la vérité : elle vous a détruit, mais vous vous vengez sur les autres, parce que vous avez toujours peur d'elle. Vous êtes un lâche.

La lame descendit d'un centimètre supplémentaire sur le cou de McCormick. Le filet de sang grossit.

— Aujourd'hui, vous avez détruit ce jeune garçon.

— Non, dit Jonah d'une voix tremblante.

Ses yeux s'emplirent de larmes quand il pensa aux mensonges qu'il avait dits à Sam : *Je peux lire les pensées ; tu es un super-héros ; tu as tout le pouvoir.*

McCormick décida de prendre le risque ultime, de compter une nouvelle fois sur son intuition et de tenter d'écraser Jonah sous le poids de la vérité, de le plonger dans un état psychotique. Elle se souvint de la première lettre qu'il avait adressée à Clevenger. Et elle entreprit de jouer le rôle de la mère.

— Ta putain de petite journée dans le parc ! dit-elle d'une voix éraillée, pleine de fureur. Tu as eu une belle fête d'anniversaire avec tes petits cons d'amis ?

Il parut plus désespéré encore.

Elle maintint la pression.

— À ton avis, où on va trouver de quoi payer, sale petit bâtard ?

Après ce dernier mot, le visage de Jonah exprima un paroxysme de souffrance.

— Et maintenant que le mal est fait, tu t'excuses, dit-elle. Je vais te donner une leçon, moi. Tu vas regretter.

Il perçut véritablement le goût du sang, dans sa bouche, comme le jour où sa mère l'avait frappé et jeté à terre, avait écrasé ses voitures miniatures. Il passa la langue sur ses dents, eut l'impression que l'une d'entre elles bougeait.

Il regarda McCormick, vit sa mère.

— Bâtard ! dit-elle.

Il ferma les yeux. Et il vit sa mère ouvrir les bras, lui dire de venir près d'elle. Il se souvint de la sensation de chaleur qui se répandait dans tout son corps au son de sa voix, quand elle était calme, de cette couverture de quiétude que seul l'amour d'une mère peut étendre sur un enfant. Il se vit aller jusqu'à elle, refermer les bras sur elle tandis qu'elle le serrait dans ses bras.

Mais un autre souvenir s'imposa, le souvenir de quelque chose qu'il avait senti – la crispation du corps de sa mère, le recul de sa douceur, ses bras qui se tendaient, le repoussaient. Et quand il la regarda, il s'aperçut que son visage n'exprimait plus l'amour, mais une haine pure. Il vit sa main descendre, au ralenti, en direction de sa tête.

Puis il vit autre chose, du coin de l'œil – un homme qui assistait à la scène. Un homme ni vieux ni jeune. D'une cinquantaine d'années, peut-être. Un homme pratiquement du même âge que lui. Un homme qui avait le même front large et les mêmes yeux bleus que lui. Un homme qui se contentait de regarder, ne jouissait pas du malheur de Jonah, mais ne le protégeait pas.

Il tourna la tête et fixa la main de sa mère qui approchait de lui, puis il regarda son visage, parce qu'il voulait comprendre pourquoi – pourquoi elle le serrait dans ses bras puis le battait, pourquoi elle l'aimait puis hurlait qu'elle le haïssait.

— Pourquoi ? demanda-t-il à haute voix. Pourquoi tu m'as fait ça ?

McCormick dévisagea Jonah. Elle comprit qu'il avait perdu contact avec la réalité.

— Parce que je suis malade, Jonah, répondit-elle d'une voix douce. Tu ne comprends donc pas ? Je ne peux pas m'en empêcher.

Une larme roula sur sa joue. Est-ce aussi simple ? se demanda-t-il. Clevenger avait-il raison dès le début ? Une mère schizophrène. Un fils schizophrène. Le bien et le mal, les ténèbres et la lumière, celui qui soigne et celui qui tue, dans le même corps ?

Ses désirs irrésistibles de détruire et ses désirs extraordinaires d'aimer n'étaient-ils que les hauts et les bas des taux de dopamine et de noradrénaline de son cerveau ?

— J'ai fait de mon mieux, dit McCormick.

Jonah pleurait. Parce qu'il comprenait qu'il avait vraiment envoyé Sam à la mort. Il s'était convaincu que Hank préférerait son fils à sa femme sadique. Mais c'était un rêve.

Dans le cas de Jonah, ça ne s'était pas passé ainsi. Son père avait fini par partir, le laissant seul avec le monstre. Il s'en souvenait maintenant, comme il savait qu'il avait des mains et des pieds, des yeux et des oreilles. C'était une partie indéniable de lui, longtemps refoulée mais qui faisait un retour en force.

Jonah n'avait pas été sauvé, et Sam non plus.

Il avait tué le jeune garçon en tentant de faire revivre son passé, de lui donner une fin heureuse.

Il regarda McCormick, vit sa mère. Et pas seulement son visage. Ses épaules larges, ses bras puissants.

— Je ne peux pas te pardonner, dit-il. Tu aurais dû te faire soigner. Tu ne pouvais pas espérer que je le fasse. J'étais un enfant.

— Je ne voulais pas te faire souffrir, dit McCormick. Je t'aimais.

— Je voulais t'aimer, moi aussi, gémit-il en fermant les yeux. Mais…

— Je t'en prie, pardonne-moi.

Il secoua la tête.

— Seul Dieu peut te pardonner. Il faut que tu rejoignes Dieu.

Il ouvrit les yeux, dévisagea à nouveau McCormick. Et le masque de sa mère disparut. Il vit McCormick telle qu'elle était. La chasseresse. Il saisit ses cheveux, lui bascula la tête en arrière.

— Vous me pardonnez, Whitney ? demanda-t-il.

Elle regarda le couteau que Jonah serrait dans la main, puis le fixa dans les yeux et y vit son reflet. Elle garda le silence.

– Dites-moi que vous me pardonnez.

Elle pensa à son père, à son chagrin écrasant, inexprimable, et un raz-de-marée de fureur déferla en elle. Une fureur aussi puissante que celle de Jonah.

– On se reverra en enfer, ordure, dit-elle.

Il sourit, puis eut un rire horrible, démoniaque, qui se termina en sanglot.

– Vous n'êtes pas guérie, dit-il.

Il secoua la tête, posa le couteau sur le lit, reprit :

– Chaque chose en son temps. Dieu est patient.

Il se leva, gagna sa serviette, en sortit deux flacons et une seringue qu'il rapporta jusqu'au lit.

McCormick vit les étiquettes des flacons : Thorazine[1] et Versed[2] liquides, deux sédatifs puissants. À forte dose, ils pouvaient être mortels.

– Non, dit-elle. Je vous en prie.

Jonah aspira les liquides dans la seringue. Il plaça l'aiguille au-dessus de la cuisse de McCormick, l'enfonça profondément dans le muscle et y injecta son contenu.

– Au revoir, Whitney, dit-il. J'espère que vous trouverez le chemin du paradis. Et j'espère vous y rencontrer.

Est-ce qu'il a l'intention de se suicider ? se demanda-t-elle. Un meurtre suivi d'un suicide ?

Sa tête lui parut lourde. Respirer devint difficile. Elle tenta d'imaginer qui téléphonerait à son père et lui annoncerait ce qui lui était arrivé. Et elle espéra que ce serait Clevenger.

– Il est temps que je rentre chez moi, dit Jonah. Il est temps que je cesse de fuir la vérité. Merci de m'avoir aidé à comprendre.

Clevenger venait de terminer une conversation infructueuse avec le responsable d'une agence d'intérim quand son téléphone sonna. Il décrocha.

---

1. Antipsychotique faible à base de chlorpromazine.
2. Calmant et anxiolytique à base de midazolam, type de benzodiazépine.

— Clevenger.

— Kane Warner, annonça son correspondant, qui ne lui laissa pas le temps de réagir. J'ai fait des recherches sur cette histoire d'intérim.

— Et ?

— J'ai trouvé quelque chose. Je ne suis pas certain qu'on puisse miser gros dessus, mais j'ai une bonne intuition.

D'un seul coup Clevenger faisait à nouveau partie de l'équipe.

— Allez-y.

— J'ai chargé des agents d'enquêter dans toutes les agences de la côte Est. Aucune d'entre elles n'a envoyé un psychiatre dans les régions où on a découvert des cadavres. Une seule en a envoyé un dans une d'entre elles. Une seule correspondance. Et il se trouve que ce psychiatre est une femme de cinquante-sept ans.

Le cœur de Clevenger se serra. Warner voulait-il vraiment défendre l'idée que le tueur des autoroutes puisse être une femme ?

— C'est ce que vous avez trouvé ? demanda-t-il.

— Allons. Vous croyez que je vous appellerais pour rien ?

— Je suis fatigué.

— Suivez-moi bien. Voilà ce qu'on a trouvé. Le directeur d'une des trois agences que j'ai appelées personnellement est dans le circuit depuis une bonne vingtaine d'années. Staffpro, à Orlando, Floride. Wes Cohen. La recherche de correspondances l'a vraiment intéressé et il a repris toutes ses archives sur ordinateur. Quand il m'a rappelé, deux ou trois heures plus tard, il m'a dit qu'il avait une réponse… mais pas à la question que j'avais posée.

— À savoir ?

— Il n'a pas placé de psychiatre dans les villes proches des lieux des crimes. Mais ça l'a intrigué et il a effectué une recherche différente dans sa base de données. Il conserve une trace quand ses médecins *refusent* une mission. Cinq refus et il les raye de ses listes. C'est sa règle. Et il a trouvé un psychiatre qui a refusé quatre villes où on a découvert un cadavre.

— Quatre sur quatorze. Presque trente pour cent.

— Plutôt encourageant, hein ? Peut-être ce type tient-il absolument à se tenir à l'écart des endroits où il tue. Il les considère peut-être comme de la terre brûlée.

— Possible, fit Clevenger.

C'était séduisant, mais c'était mince. Il eut une nouvelle fois la sensation décourageante d'être sur un terrain glissant.

— Comment s'appelle ce psychiatre? demanda-t-il.

— Wrens. Jonah Wrens.

Le cœur de Clevenger se mit à cogner.

— Un type brillant mais bizarre, d'après Cohen, poursuivit Warner. Et, écoutez bien, il fait de l'alpinisme entre ses missions. Tout son courrier est adressé chez sa mère, dans le Montana.

Clevenger s'était mis à faire les cent pas.

— Il travaille dans un hôpital en ce moment?

— C'est justement ça qui a retenu mon attention. Il est au centre hospitalier de Rock Springs, Wyoming. À quatre-vingts kilomètres de Bitter Creek.

— C'est notre homme, dit Clevenger. J'en suis sûr. J'ai d'autres informations sur lui.

— Des agents sont en route.

— Whitney est déjà là-bas, avoua Clevenger. Elle y est allée hier. Elle voulait résoudre l'affaire, vous prouver quelque chose, ou me prouver quelque chose. Je ne sais pas. J'ai tenté de l'en dissuader.

— Vous blaguez. Où est-elle?

— Elle est descendue au Marriott Courtyard de Bitter Creek. Mon associé, North Anderson, l'a suivie et la file.

— Bonne initiative, reconnut Warner. Si vous voulez, allez à Logan et je vous enverrai un avion au terminal de Cape Air. Il faut que vous soyez présent quand on coincera ce type. Vous le méritez.

C'était un rameau d'olivier que Clevenger accepta sans problème.

— Je pars, dit-il.

Il prit sa veste et sortit précipitamment.

Sur le chemin de l'aéroport, il appela North Anderson dans l'intention de le mettre au courant.

Anderson, installé au comptoir du café, décrocha.

— Tu as un signalement? demanda-t-il.

— Environ un mètre quatre-vingts. Cheveux grisonnants aux épaules, yeux bleus…

– Nom de Dieu ! s'écria Anderson, qui courut aussitôt jusqu'à la chambre de motel.

Il constata que la voiture de Jonah n'était plus là. Il défonça la porte d'un coup de pied, vit McCormick sur le lit. Il scruta le reste de la pièce afin de s'assurer que Wrens était effectivement parti. Il jeta un coup d'œil dans la salle de bains. Vide. Il se précipita auprès de la jeune femme. Il ne put la réveiller. Il prit son poignet, perçut un pouls net. Puis il la détacha, inclina sa tête en arrière afin de dégager ses voies respiratoires, écouta. Elle respirait.

Il remarqua deux flacons vides sur la table de nuit, sortit son mobile et composa le 911.

– Police de Bitter Creek, annonça une femme. Votre appel est enregistré.

– J'ai besoin d'une ambulance. À l'Ambassador Motor Inn. Une femme sans connaissance après avoir été droguée.

McCormick entendit la dernière phrase d'Anderson. Elle ouvrit les yeux.

– Chambre 105, indiqua Anderson à l'opératrice.

– Jonah Wrens, souffla péniblement McCormick.

Anderson se tourna vers elle et constata qu'elle le regardait. Il poussa un soupir de soulagement.

– On sait, répondit-il. Cent agents vont effectuer des recherches dans tout…

– Il rentre chez lui, dit-elle, comme si elle se souvenait d'une partie d'un rêve.

– Chez lui ?

Soudain, elle comprit où allait Jonah et fut absolument certaine d'avoir raison.

– Trouvez où habite sa mère. Il va la tuer.

25

Assis sur le canapé vert en velours usagé du séjour où il avait passé son enfance, Jonah Wrens regardait, du côté opposé de la table basse en bois toute simple, la femme qui l'avait élevé. Au mur, derrière elle, étaient accrochés les nombreux crucifix qu'elle collectionnait depuis des années, cadeaux de membres de la famille, d'amis et de parents des élèves de cours élémentaire de l'école locale, où elle avait enseigné pendant quarante ans.

Il prit la tasse de thé qu'elle lui avait offerte, jeta un coup d'œil par la fenêtre et but une gorgée de liquide chaud. Il distinguait à peine l'ombre de la voiture de patrouille de la police, immobile dans le noir, devant la maison bâtie dans le style d'un ranch... Elle attendait, sans aucun doute, d'autres chasseurs. Ils l'avaient acculé. C'était du moins ce qu'ils croyaient.

— Je suis très heureuse que tu m'aies réveillée. Tu me manquais, dit sa mère d'une voix mélodieuse, dont la jeunesse démentait ses soixante-dix-neuf ans. Tu es resté longtemps absent, cette fois. Six mois. Sans doute avaient-ils beaucoup besoin de toi.

Jonah prit une profonde inspiration, mais eut tout de même l'impression d'étouffer.

— Tu m'as manqué toi aussi, parvint-il à dire.

Il était sincère. Mais c'était aussi un mensonge. Et il comprit que c'était parce qu'il parlait à deux femmes différentes.

Il était étrange qu'elle ait vécu plus d'une vie. Telle était sa mère : soixante-dix-neuf ans, grise, en mauvaise santé, d'une gentillesse incommensurable, une femme croyante faisant la paix avec le monde qu'elle quitterait dans un an ou une décennie, ou peut-être deux. Une mère dont on se languissait. Une mère qu'on avait envie de rejoindre. Pourtant il savait maintenant qu'il y avait aussi, en elle, la mère qui l'avait torturé, la psychopathe qui tantôt l'aimait et tantôt le haïssait, tantôt le réconfortait et tantôt le terrorisait, jusqu'au jour où quelques circuits renégats de son cerveau, de son esprit ou de son âme, avaient tout bêtement grillé.

Peut-être le temps l'avait-il guérie. Ou peut-être sa conversion était-elle réelle. Peut-être était-elle née une deuxième fois.

Le plus irrationnel était la fureur que lui inspirait *cette* femme, la femme qui lui avait servi son thé. Elle faisait cogner son cœur et palpiter sa tête, suscitait un désir dévorant exactement semblable à celui qu'il éprouvait sur les autoroutes quand il ressentait un désir dévorant d'intimité. Et, alors qu'il connaissait désormais l'origine de ce désir, ce savoir ne le faisait pas disparaître.

Il y avait, dans sa psyché, quelque chose de fondamentalement difforme. Son besoin d'intimité était un monstre vorace et insatiable qui exigeait sans cesse d'être aimé, d'être cajolé, de peur de se noyer dans l'angoisse horrible qui s'emparait de lui quand il se demandait quelle mère serait à la maison un jour donné, une heure donnée, une minute donnée – l'ange ou le démon.

– As-tu eu des cas intéressants ? demanda sa mère.

– Quelques-uns, répondit Jonah, qui sourit malgré sa souffrance. Sam Garber, un jeune garçon. Il était très intéressant. Un enfant courageux, qui avait de graves problèmes.

– Et tu l'as aidé, dit-elle, un regard aimant posé sur lui. Je suis sûre que ses parents t'en ont été reconnaissants.

– Non, répondit Jonah. Je n'ai pas pu l'aider.

– Allons. Tu es toujours si dur avec toi-même.

Il secoua la tête. Ses yeux s'emplirent de larmes.

– Jonah ? Que s'est-il passé ?

D'autres voitures entrèrent dans la rue. Il se leva, gagna la porte et vit deux camionnettes noires – les camionnettes des unités d'intervention – se garer près de la voiture de patrouille. Et il vit des

328

hommes en noir, armés de fusils, en descendre. Il se tourna vers sa mère.

– Pourrais-tu me servir une autre tasse de thé ? lui demanda-t-il. Ensuite, je te raconterai tout.

Elle se leva lentement, grimaça parce que ses articulations étaient douloureuses, se mit debout sur ses pieds diabétiques, ulcéreux, parce que son fils, qu'elle aimait, voulait une deuxième tasse de thé. Et ce fut un plaisir, à la fin d'une longue existence torturée. C'était ce qu'elle attendait quand il était sur la route. L'occasion de verser de l'eau bouillante dans une tasse, d'y mettre un sachet de thé, d'y ajouter un peu de sucre, un peu de miel, comme il aimait. De laver ses draps. De repasser ses vêtements. Des choses simples, des choses significatives. Des choses qui exprimaient l'amour. De petites excuses infinies en raison de ce qu'elle avait été, de la façon monstrueuse dont elle l'avait trahi.

Elle eut soudain très chaud, fut prise de vertige, debout devant la cuisinière, et recula. Elle s'essuya le front. Mon taux de sucre est peut-être bas, pensa-t-elle. Un peu de miel me fera peut-être du bien. Elle prit une petite cuiller dans le tiroir, la plongea dans le pot puis glissa la pâte sucrée et collante entre ses lèvres. Ce fut agréable et la revigora.

Quand elle se retourna, Jonah était là, un couteau ouvert à la main.

– Jonah ? dit-elle. Qu'est-ce que tu fais ?

Mais elle comprit.

Il approcha et la saisit entre ses bras.

Sa sensation de vertige s'accentua. Est-ce pour cette raison que je ne tente pas de fuir ? se demanda-t-elle. Ou bien est-ce parce que je suis si bien dans les bras de mon fils ? Parce qu'elle était réellement fatiguée, qu'il lui avait réellement manqué et qu'elle l'aimait réellement.

Soudain, des faisceaux lumineux entrèrent par les fenêtres. Et Jonah, machinalement, protégea les yeux de sa mère de la violente lumière. Il se demanda si cet instinct qui le conduisait à prendre soin d'elle était un réflexe imprimé en lui. La volonté instinctive d'un enfant de protéger sa lignée. Mais ce n'était peut-être qu'un des nombreux pièges du démon, destiné à le distraire, à lui faire perdre courage.

Quelques instants plus tard, la voix de Clevenger parvint à Jonah comme dans un rêve.

— Jonah, ici Frank Clevenger. Sortez, vous ne risquez rien.

Peut-être, songea Jonah, cette vie n'a-t-elle été qu'un mauvais rêve. Peut-être le matin est-il tout proche. Il entraîna sa mère dans le séjour, la fit asseoir sur le canapé. Elle ne se débattit pas, ne supplia pas.

— Jonah ! cria Clevenger. Il n'y a pas d'autre issue.

Jonah tendit la main vers sa cheville, prit le pistolet de McCormick. Il visa une des fenêtres de la façade de la maison, appuya sur la détente et les vitres volèrent en éclats.

— Je ne savais pas que vous faisiez des visites à domicile, Frank ! cria-t-il. Je suis flatté.

— Ça ne doit pas obligatoirement finir comme ça.

— Bien sûr que si. Vous le savez.

Dix, quinze secondes s'écoulèrent en silence.

— Si vous refusez de sortir, dit finalement Clevenger, laissez-moi entrer.

Jonah prit une profonde inspiration. La perspective de permettre à Clevenger d'assister au terme de sa «thérapie» avait quelque chose d'excessivement beau. La poésie merveilleuse de Dieu le fit sourire.

— La porte est ouverte ! cria-t-il. Je promets que vous ne risquerez rien. Vous avez ma parole. Dieu est mon témoin.

Clevenger franchit lentement la porte de la maison et vit Jonah assis sur le canapé en compagnie de sa mère, tout près d'elle, un couteau sur sa gorge. Le pistolet était posé près de lui.

— Fermez la porte, dit Jonah.

Clevenger poussa le battant.

— Enfin, dit Clevenger qui avança lentement de quelques pas.

— Ça suffit, dit Jonah.

Il tendit la main vers le pistolet.

Clevenger s'immobilisa.

– Notre thérapie n'est pas terminée. Parlons.

Jonah secoua la tête.

– Soyons lucides, Frank. Nous sommes épuisés. Tous les deux. La route a été longue.

– Qu'est-ce que vous voulez ?

– Ce que j'ai toujours voulu, je suppose.

Il sourit et leva son couteau.

Sous les yeux horrifiés de Clevenger, Jonah passa la lame sur la paume de sa main, l'entailla profondément. Il prit la main de sa mère et la coupa de la même façon.

Elle grimaça, mais parvint à ne pas crier.

Puis, posant à nouveau le couteau sur la gorge de sa mère, Jonah prit la main blessée de la vieille femme dans la sienne. Il ferma les yeux, inspira lentement et profondément, les rouvrit.

– Donnez-moi ce couteau, Jonah, dit Clevenger. Sortons ensemble. Vous voyez la vérité, maintenant. C'est suffisant.

– Comme c'est souvent le cas, reconnut Jonah. Mais pas toujours.

Il appuya plus fortement la lame sur la gorge de sa mère.

– Ne faites pas ça, dit Clevenger. Tous les meurtres ont eu lieu parce que vous étiez aveugle à votre fureur. Que vous ne vous contrôliez plus. Pas celui-ci. Dieu ne vous pardonnera pas celui-ci.

Jonah dévisagea Clevenger avec sympathie.

– Vous avez fait du bon travail, Frank. Un travail formidable. Mais il y a des gens que les hommes, même un homme tel que vous, ou moi, ne peuvent pas guérir. Il y a des gens que Dieu seul peut guérir.

Il embrassa tendrement sa mère sur la joue.

– Tout va bien, Jonah, dit-elle d'une voix réellement aimante. Fais ce que tu dois faire.

Les yeux de Jonah s'emplirent de larmes.

– Qu'est-ce que tu dis ?

– Je te pardonne.

Il se mit à pleurer.

– C'est ma faute, Jonah, dit-elle.

– Lâchez-la, dit Clevenger.

— Je suis venu pour la tuer, dit Jonah, souriant malgré ses larmes. C'est vrai. Mais la femme que je cherchais, le monstre ? Elle ne vit plus ici. Vous savez pourquoi ?

Clevenger garda le silence.

— Vous le savez, évidemment. C'est parce qu'elle est en moi.

Clevenger vit Jonah tendre la main vers le pistolet. Il vit son sourire paisible, presque innocent.

Il avança d'un pas.

Jonah prit l'arme et la braqua sur Clevenger.

Clevenger s'immobilisa.

— Tout va bien, dit Jonah. Je sais exactement où je vais. Et vous devriez rentrer chez vous. Aimez votre fils comme il mérite de l'être.

Clevenger se précipita dans sa direction.

— Je veux être libre.

Il poussa sa mère en direction de Clevenger, mit le canon de l'arme dans sa propre bouche et tira.

— Non ! cria Clevenger.

La mère de Jonah hurla. Elle se traîna jusqu'à son fils, le prit dans ses bras.

— Oh, seigneur, non, sanglota-t-elle. Oh, seigneur.

Elle tenta d'arrêter le flot de sang, qui couvrit simplement ses mains. Elle s'assit, prit la tête et les épaules de son fils entre ses bras et le berça.

La douleur, dans le crâne de Jonah, fut inexprimable. Il lui devint impossible de respirer. Son cœur palpitait, dans sa poitrine, comme un oiseau blessé. Mais dans la brume séparant la vie de la mort, ou cette vie de la suivante, il sentit soudain un soleil chaud sur son visage. L'air devint pur, vif et frais. La douleur s'estompa. Et il s'aperçut qu'il n'avait pas besoin de respirer.

Il leva la tête, constata que ses doigts étaient profondément enfoncés dans les fissures du flanc de la plus belle montagne qu'il eût jamais gravie. Il constata, stupéfait, que les cicatrices de ses poignets avaient disparu.

Les muscles de ses bras, de ses cuisses et de ses mollets le hissèrent plus haut. Partout, ses pieds trouvaient de solides saillies rocheuses.

Il savait qu'il montait depuis longtemps, mais il n'était pas fatigué. Il se sentait plus fort, en réalité, à chaque pas. Plus fort et plus jeune. Il fléchit le bras droit et monta encore, lança sa main gauche. Son esprit devint plus clair. Il tenta de trouver la peur et la colère, en lui, mais en vain.

Chaque pas le débarrassait d'une année de sa vie, si bien qu'il eut l'impression d'être un enfant près du sommet, un peu inquiet à l'idée de terminer l'ascension. Que deviendrait-il s'il montait jusqu'à sa toute petite enfance ? Que serait-il, libéré de l'histoire de sa vie ?

Comment saurait-il qu'il était lui ?

Puis il comprit. Il fallait qu'il abandonne cette personnalité, avec sa fureur, sa peur, son savoir supérieur. Il fallait qu'il rejoigne, au-delà, la lumière pure.

Soudain, il se sentit totalement apaisé. En harmonie avec lui-même et avec l'univers. Parce qu'il comprit alors que son souhait se réalisait. Qu'il avait l'occasion de renaître. Qu'il avait l'occasion d'être racheté. Qu'il était arrivé là où il fallait qu'il aille.

Enfin, sa guérison était en vue.

26

Le juge Robert Barton, qui comptait au nombre des plus durs du Massachusetts, regarda les piles de documents disposés devant lui, ôta ses lunettes et fixa la salle du tribunal. C'était un roc aux épaules larges, à la poitrine puissante, à la voix tonitruante et aux yeux perçants. Il fixa brièvement dans les yeux Clevenger et Billy, assis à la table de la défense, puis regarda à nouveau ses documents.

Barton avait écouté Richard O'Connor présenter la position des services sociaux, selon laquelle le droit de garde de Clevenger sur Billy devait être placé sous tutelle, au terme d'un « moratoire » de trois mois pendant lesquels Billy serait placé dans un foyer et évalué psychologiquement avec une plus grande rigueur. Et Barton avait écouté Sarah Ricciardelli présenter des informations selon lesquelles Billy avait en réalité dix-huit ans et ne dépendait plus ni des services sociaux ni du tribunal.

La salle était totalement silencieuse. Le moment où Barton devait rendre sa décision était venu.

— Docteur Clevenger, dit Barton, il faut que les choses soient parfaitement claires. Je crois que le formulaire d'adoption que vous avez rempli est formellement exact. Mais je crois aussi que, de toute évidence, vous avez répondu aux questions en vue de vous conformer à la lettre de la loi, pas à son esprit.

Le cœur de Clevenger se serra.

— Vous avez vaincu votre dépendance, est-ce exact ?

Clevenger se tourna brièvement vers Sarah Ricciardelli.

— Vous n'avez pas besoin de lui demander ce que vous devez dire, reprit Barton. Contentez-vous de me répondre.

— Votre honneur, je..., commença Ricciardelli.

— Oui, coupa Clevenger.

— Et, récemment, Billy Bishop aussi, dit Barton.

— Oui.

Barton hocha la tête.

Richard O'Connor buvait du petit lait.

— Et quelle est votre position ? Vous pensez que l'amour va tout résoudre ?

Clevenger envisagea d'exposer le programme de désintoxication que Billy venait d'accomplir, de faire remarquer une fois de plus qu'il avait cessé de recourir à la drogue dès l'instant où il avait décidé d'adopter Billy, qu'il n'en avait pas pris une seule fois depuis. Mais Ricciardelli avait mis tout cela en évidence.

— Je crois que ça a beaucoup d'importance, dit-il. Je...

Ricciardelli posa une main sur son coude dans l'intention de le faire taire.

Il s'éloigna d'elle, se rapprocha de Billy.

— Le fait est que je l'aime, dit-il à Barton. Peut-être cet amour s'enracine-t-il dans ce que j'ai connu dans mon enfance. Probablement. Mais ça ne change rien au fait que j'irais au bout du monde pour l'aider. Je crois aussi qu'il est prêt à s'aider lui-même. Et je crois que, si nous avons ces cartes en mains, rien ne pourra nous battre.

— Vous jouez, en plus ?

O'Connor eut un rire étouffé.

Ricciardelli se pencha sur la table.

— Je m'oppose à ce que vous interrogiez mon client sur ce sujet, votre Honneur.

— Noté, dit Barton.

— Je suis joueur, dit Clevenger. C'était, autrefois, les chiens et les chevaux, mais je joue effectivement, en ce moment, puisque je vous dis ce que je pense vraiment. Je dis la vérité. Mais je crois qu'il serait plus risqué que Billy ne connaisse pas mes sentiments vis-à-vis de lui. De nous. Là-dessus, je ne suis pas prêt à jouer.

Barton sourit.

— Faites-moi plaisir, docteur. D'après vous, combien de chances avez-vous de réussir ensemble ? Dix contre une ?

Clevenger réfléchit.

— Je me refuse à parier contre nous.

Barton regarda Billy, puis se tourna vers O'Connor.

O'Connor lui adressa un clin d'œil entendu.

— Avez-vous des enfants, maître ? demanda Barton.

— Deux neveux, répondit O'Connor.

— C'est bien ce que je pensais, dit Barton. Vous devriez avoir un enfant. Ça vous transforme complètement.

Il se tourna à nouveau vers Billy.

— Je ne crois pas un instant que vous avez dix-huit ans, mon ami. Mais, si je devais parier, votre meilleure chance est le type qui se tient près de vous.

Whitney McCormick était près des portes du tribunal quand Clevenger et Billy sortirent. Une vingtaine de journalistes s'y trouvaient également.

— Accorde-moi une minute, dit-il à Billy.

Il la rejoignit.

— Félicitations, dit-elle.

— Merci.

— Tu crois qu'on pourrait dîner ensemble la semaine prochaine ? demanda-t-elle. Quand je me serai à nouveau installée au Bureau et que tu auras repris ta vie avec Billy ?

— Je ne sais pas, Whitney. Je ne sais pas si c'est une bonne idée.

— Bien, dit-elle, s'efforçant de ne pas paraître dépitée. Eh bien, bon…

— Ce n'est pas une bonne idée cette semaine, ni la suivante, dit Clevenger. Donnons-nous jusqu'au début du mois, parlons et voyons où on en est.

— Parfait.

— Ne prends pas de risques, hein ?

— Non. Toi non plus.

Clevenger rejoignit Billy. Puis ils descendirent l'escalier du tribunal et gagnèrent le pick-up de Clevenger en vue du bref trajet qui les conduirait chez eux.

Remerciements

Mon agent, Beth Vesel, de Sanford Greenburger Associates, et mon directeur de collection, Charles Spicer, de St. Martin's Press, continuent de faire de moi un meilleur auteur. Un très grand merci.

Le soutien de mes éditeurs, Sally Richardson et Matthew Shear, me pousse également toujours plus loin.

Ce livre a eu de nombreux amis, qui ont lu les premiers jets et m'ont adressé des critiques honnêtes. Ce sont : Deborah Jean Small, Jeanette Ablow, Allan Ablow, le Dr Karen Ablow, Paul Abruzzi, Charles « Red » Donovan, Gary Goldstein, Debbie Sentner, Julian et Jeannie Geiger, Emilie Stewart, Marshall Persinger, Steve Matzkin, Mircea Monroe, Billy Rice, Janice Williams, Amy Lee Williams, Matt Siegel et Joshua Rivkin.

Je remercie Michael Palmer, Robert Parker, Jonathan Kellerman, Dennis Lehane, James Hall, James Ellroy, Tess Gerritsen, Harlan Coben, Janet Evanovich et Nelson DeMille, pour leurs encouragements.

Comme j'irais, pour eux, jusqu'au bout du monde, et même sur la Lune et parmi les étoiles, j'écris en partie pour mes enfants, Devin Blake et Cole Abraham.

Enfin, depuis de nombreuses années, je bénéficie du soutien du Dr Rock Positano, qui règne secrètement sur le monde et est de toute évidence mon frère d'armes.

Impression réalisée sur CAMERON
par BRODARD ET TAUPIN
La Flèche
en octobre 2004

Dépôt légal : octobre 2004
N° d'impression : 26258

Imprimé en France